▲ 在斜坡上（1985 年）

1987 年在美国哥伦比亚大学作题为《十年辛苦不寻常》的演讲 ▼

▲ 2006 年在香港书展发言

▲ 刘心武画怀柔神堂峪菩萨帽（水彩·2006 年）

刘心武文存37

[1958—2010]

创作谈卷

斜坡文谈

刘心武◎著

江苏人民出版社

图书在版编目(CIP)数据

斜坡文谈 / 刘心武著. — 南京：江苏人民出版社，
2012.11

(刘心武文存；37. 创作谈卷)
ISBN 978-7-214-08516-0

Ⅰ.①斜 … Ⅱ.①刘… Ⅲ.①杂文集-中国-当代
Ⅳ.①I267.1

中国版本图书馆CIP数据核字（2012）第152289号

书　　　名	斜坡文谈
著　　　者	刘心武
责 任 编 辑	刘　焱
统 筹 编 辑	李　丹
特 约 编 辑	朱　鸿
文 字 校 对	陈晓丹　郭慧红
装 帧 设 计	门乃婷工作室
出 版 发 行	凤凰出版传媒股份有限公司
	江苏人民出版社
出版社地址	南京湖南路1号A楼　邮编：210009
出版社网址	http://www.book-wind.com
经　　　销	凤凰出版传媒股份有限公司
印　　　刷	三河市金元印装有限公司
开　　　本	700毫米×1000毫米　1/16
印　　　张	26.5
字　　　数	384千字
彩　　　插	4
版　　　次	2012年11月第1版　2012年11月第1次印刷
标 准 书 号	ISBN 978-7-214-08516-0
定　　　价	62.00元

（江苏人民出版社图书凡印装错误可向本社调换）

《刘心武文存》出版说明

　　《刘心武文存》收录刘心武自 1958 年 16 岁至 2010 年 68 岁公开发表的文字约 900 万字。《文存》共 40 卷，按文章门类收录，计有长篇小说 5 卷、中篇小说 4 卷、短篇小说 5 卷、小小说 1 卷、儿童文学 1 卷、建筑评论 2 卷、《红楼梦》研究 4 卷、散文随笔 11 卷、杂文 1 卷、海外游记 1 卷、多品种（图文交融文本、报告文学、诗歌、剧本、足球评论、译述）1 卷、创作谈 1 卷、理论批评 1 卷、早期（1958 年至 1976 年）作品 1 卷、自述 1 卷。因跨越时间达半个世纪以上，收录定有遗漏，但其此期间的主要作品，相信均已收入。

　　《刘心武文存》各卷均附有《刘心武文学活动大事记》及《刘心武著作书目》，可备检索。

　　编辑出版《刘心武文存》的目的，意在供各方面人士阅读欣赏、分析研究、批评批判、收藏保存。

刘心武文存

37

目录

斜 坡
——创作随感录

一

斜坡。

上攀艰难。

下滑容易。

二

有时，我觉得写作容易。

有时，我觉得写作艰难。

觉得容易时写出的东西，往往使我痛苦。

觉得艰难时写出的东西，往往使我欣慰。

三

一篇作品发表了，刚收到印出的样子时，我总忍不住要连续读上几遍。一个人，悄悄地读。夜晚，就把它放在枕边。

但只过了一个月，不，只过了一个星期，我便不能再去读它。想到它，我便愧悔，有时真愿我没有把它拿去发表。枕边焉能容它？把它放到书柜里去，"眼不见为净"！

四

喜欢人说好吗？容得人说坏吗？

自己觉到的好处，人家说出来了，的确欢喜。自己觉到的短处，人家指出来了，的确痛快。

自己觉到的好处，人家偏认为糟，此时倘说心里欢喜，那是假话。但愿思考，愿自省，所以，虽不欢喜，却欢迎。

自己觉到的坏处，人家偏赞扬，此时心里不厌，那也是假话。但亦愿思考思考，愿体察，所以，虽颇烦厌，却也愿听。

总之，不怕褒贬，怕冷寂无声。

五

苏联著名戏剧艺术家梅耶霍德说过这样的意思：一个作品出来，倘若所有的人无一例外地说你好，那么你是彻底地失败了；倘若所有的人无一例外地说你坏，那么你大概还有三分长处；倘若一部分人如狂如痴地欣赏，另一部分人恨不能把你撕成两半，那么你就真正成功了。

梅耶霍德的艺术观念的艺术实践，是与斯坦尼斯拉夫斯基及丹钦柯他们相左的。他们个人之间可以算得朋友，他们的艺术活动却各成一派——且是有所冲突的一派。

梅耶霍德后来在"肃反扩大化"中被捕，并消失在大墙之后。

当梅耶霍德被捕后，有人去问丹钦柯，他有何感想？丹钦柯表示愤慨："你们为什么来问我？问我对关闭梅耶霍德剧院有什么感想，就象问沙皇对十月革命有什么感想一样愚蠢！"

五十年代初梅耶霍德在苏联得到平反。重新出版了他的著述。他所进行过的戏剧试验，又有人接续着进行，并使之发展。

在丹钦柯的回忆录中，大量提及梅耶霍德——丹钦柯始终不欣赏梅耶霍德的戏剧观念和戏剧试验，但他对他始终尊重，充满了理解、谅解和深情。

据说六十年代以后，对梅耶霍德那一套又有了争议，人虽平反了，他的艺术观念却始终处在一部分人如痴如狂地欣赏、另一部分人恨不能把他撕成两半的境地。

这桩在外国发生的事常引起我深深的思索。

梅耶霍德真正成功了吗？

象他那样去追求成功，犯得上吗？

这也许恰证明我有多么死心眼儿——外国的事，外国的人，离得远，挨不上，老琢磨这些干什么！

六

作家写作品，应当死心眼呢，还是应当活心眼？

作家应当有稳定的见解。这见解首先应来自他切身的生活体验和对生活的广泛观察以及深入的思考。一旦形成以后，他应当稳定地将其渗透于他的作品之中。从这个意义上来说，他应当"死心眼"。

但作家应随着时代的步伐、生活的演变而进行。他不但应当丰富、发展、修正他已形成的见解，而且在他确实认识到自己的见解不只是缺乏完备性和坚实性，简直大方向已经谬误时，他应当不惜痛苦地向过去的见解告别，在生活中去寻求、形成并使之丰富为一种新的见解。从这个意义上来说，他又应当"活心眼"。

大批读者，更喜欢"死心眼"的作家，即便那"死心眼"已经过时甚至谬误，但作家的真诚，作家对生活的真实描述，作家对人物的栩栩如生的真切描写，作品所散发出的艺术魅力，却深深地打动着读者的心。于是读者原谅了作家那"死心眼"的谬误，仍给予他好的乃至极高的评价。比如对于死心塌地鼓吹"勿以暴力抗恶"的列甫·托尔斯泰，亿万读者就是这样的一种态度。

"活心眼"的作家往往失掉许多原有的读者。倘若那"心眼""过活"，则他恐怕很难维系住一个稳定的读者群。有一种"活心眼"的作家，在社会生活发展的每一个阶段中，他总处于最规范最正确的地位，也许他每一次转变都是绝对真诚的吧，但他往往在读者中最没有威信。是读者不对吗？

七

知道自己的短处，这比知道自己的长处更为要紧。

知道别人的长处，是否远比知道别人的短处更为要紧呢？不，我不这样认为。在别人的长处面前一味自觉形秽，战战兢兢，那么只有两个结局，一个结局是亦步亦趋地追随模仿，一个结局是在烦悔和自卑中抱惭而退。

要同时知道别人的长处和短处。严格意义上的同时！

八

嫉妒是一条毒蛇，它只能使你沉沦。

"较较劲"却是一条鞭子，它能催促你努力。

"临渊羡鱼，不如退而结网。"

话容易说。真这么想、这么做并不容易。

有时人临渊不是羡鱼而是妒鱼。羡慕、钦佩与嫉妒、仇视只隔着一层纸。谁从这层纸前面退走，去咬着牙结网，谁就有可能成事。谁捅破这层纸朝前昏撞，他不是为害别人，便是戕害自己。

有的人虽临渊羡鱼，退走后却并不结网。这不一定是坏事。不是每一个人都能结成网，也并不是每一个人都能用网从渊中捞起鱼来的。知己知彼，审时度势，量力而为，施才而进，从而决定不结网，另去经营别的有益的事体，我以为也是智者。

一旦退而结网，便应咬牙坚持。我知道这样两个文学青年，他们一同起步尝试创作，几年后，甲发出了作品，并名噪一时，乙却依然未能出山。有人问乙："你作何感想？"乙答："让他二年！"

"让他二年！"我以为这句话掷地可作金石声，意味无穷。

乙既能说出这么有味道的话来，我相信他极有成功的可能。

九

创作心理学。

有这么一种学问吗？倘若早已有之，那么我求知心切，极欲将这类著作、文章攫而读之。

倘若中国目前尚未建立，那么我渴极待饮，切盼有人能写出这方面的论著。

我们的杂志上登过了不少向文学青年谈生活是源泉、读书很要紧、基本功不能跨越、师傅只能领进门而成事还得靠自己……以及介绍各种具体写作技巧的文章，但专门剖析创作心理的文章，似乎还不多见。

人在进入创作状态时，他的心理结构与平时是不一样的。他需要逾越的心理障碍，会陡然增加许多倍。一篇作品不能写完、不能写得比预想中的好、不能修改下去……除了生活、思想、修养、技巧诸种因素掣肘外，不能自觉地、坚韧地逾越某些心理障碍，也是原因之一……具体到某一次创作中时，甚至会成为最重要的原因。

所以，应当发展创作心理学。

十

下笔前，应把别人所有的意见都一再地加以考虑。有的意见甚至不妨一而再、再而三地琢磨。

下笔时，应当把别人的意见搁到一边，再不去想，而完全依照你自己独有的想法放松地、执著地去写。

1982 年 1 月 20 日

于北京垂杨柳

鸡啄米

妈妈把我写作叫作鸡啄米。

一

前几天去西郊，看望宗璞大姐。闲谈中，她提及1981年夏天，我在兰州给她画像的事，说那张画儿，她仍保留着。那是一幅方形的水彩画，画的是宗璞大姐在未名湖畔，背倚一株大树，借着朝霞和湖光，读一册厚书。她的女儿小玉说我画得挺象。儿童不会恭维，可见的确捕捉到了一点大姐的神韵。大姐因随之问我，从什么时候开始喜欢画水彩画的。

我便告诉大姐，大约是上初中一、二年级的时候，当时才十二、三岁（我五岁上小学，所以比一般初中一、二年级的学生小），因为受到家里的熏陶，开始热爱文学艺术，除了如饥似渴地阅读能拿到手的文艺书籍外，我还常以两种游戏自娱，那头一种，便是自己"编辑"、"出版"文艺杂志。

记得"出版"得期数最多的，是用小三十二开白纸横向装订，除了里面的文字中附有钢笔画的插图外，封面上总画有一幅水彩画，那刊名便叫《斜坡》。

宗璞大姐听我这么一回忆，笑了，因问我："怎么给你的杂志取这么个怪名字呢？"

说真的，我也记不清究竟为什么要取这么个怪名字了。从宗璞大姐处回来不久，我应约给一家杂志写创作随感录，不禁袭用了二十多年前的这个刊名：《斜坡》，并在其中写道：

　　　　斜坡。

　　　　上攀艰难。

　　　　下滑容易。

似乎很有点哲理性——但这其实是年过四十后的我才有的感慨，在那十二、二岁的烂熳岁月，我是不可能有这类思维的。

仔细地回忆，那《斜坡》的第一期，封面上似乎画着一道开满鲜花的斜坡，上面站着一个梳辫子的小姑娘，怀中抱着一大束鲜花，也许，我当时是先图而后题，因为画一道斜坡，所以就将那"刊物"命名为《斜坡》了。嗯，想来就是那么回事儿。

听到我说这些事，有人也许认为我是个创作天才，但只要我把"底细"一露，便"真相大白"。

那《斜坡》杂志封面上的水彩画，全非创作，而是从杂志上登的图画、照片中模仿而来的。即如刚才所说的"创刊号"的封面画，记得便是照着当时的一本苏联儿童画报《木乐济尔卡》中的彩色插图，"依样画葫芦"搞出来的——唯一的"独创性"，不过是把那抱花小姑娘的头发从黄色变为黑色而已。

里面的"作品"呢？大体上是三类。一类是把我读过而喜欢的小诗、小文，照抄上去，当然，还署原作者的名字，但附上我为他们制作的拙劣的插图，这当然很有偷窃版权之嫌；另一类是我根据自己看过的电影，编写的类似"故事梗概"那一类文字，这回可署上自己的"笔名"了（记得用过的这类"笔名"有杨弟、赵壮汉、陆离、文质彬……等等），好象"创刊号"上的那篇，便是苏联电影《雾海孤帆》的故事；第三类才是我自己独立写出的东西，幼稚不堪，敷衍成篇，以至今天我回忆时，头两类的"作品"尚可忆及一二，这一类的"作品"除了几个题目外，竟毫无印象可寻了。

这需说明的是：里面的字迹并不那么工整，而我的画技，也始终未达到入门的水平。总之，那些玩意儿实在近乎胡闹。

虽是胡闹，但因牵系着对从童年时代向少年时代转换的那一美好阶段的甜蜜回忆，我自然也把《斜坡》之类的东西保留了相当长一个时期。到二十四岁那年，遇上了大家都遇上过的赶紧烧"罪证"的劫难，《斜坡》之类自然便荡然无存了。

也没什么可惜的。现在想起来，只是一笑。

但我对文学艺术的痴迷症，却是从那时染上而至今未愈的。

二

谁一定要我走上文学创作之路么？换句话说，谁启发了我走上文学创作之路呢？

没有。

父亲常向我提起在我出生前十年便牺牲于"一·二八"事件日寇轰炸中的祖父。祖父是晚清举人，后官费留学日本，就读于早稻田大学，学的是"人类学"，回国后曾在北京任蒙藏院佥事。大革命时期南下参加革命，在广州中山大学做教授，后又随北伐军北上，光复武汉不久，经历了国民党发动的血腥"清党"，流亡到上海，著七言旧体长诗《哀江南》，抒发愤怒和哀痛。父亲说那首长诗曾由"神州国光社"印过一千册，他能背诵出其中许多段落。这样，祖父的形象在我心目中就相当高大，在我的意识之中，他首先是一位诗人。但父亲向我讲述祖父的事情却并无鼓励我当诗人之意，他不过是要我象祖父那样保持做人的正直与刚强。

父亲是中国古典文学和京剧艺术的爱好者。解放后，父亲一度很受重视，从重庆调到北京，在海关总署任职，工作很忙，但他枕下却也经常压得有一点临睡前调剂精神的线装书——版本都不怎么好，那自然是他不许我看的，但我却偷看过几部，如《石头记》、《浮生六记》、《绿野仙踪》等等。很长的时间里，我都以为父亲仅仅是个一般的欣赏者。"文化大革命"中，父亲在一所军事院校任教，被"造反派"彻底地抄了一次家，结果抄出了一册他珍藏在箱底的手稿，那是他二十出头时尝试创作一部章回体小说，叫《铁兰花》，大约只写了十来回，便中缀了。这一文学尝试，他可从未对我们子女说过，就是母亲，见了大字报在公布一系列"罪证"时竟夹有一条"写作大毒草《铁兰花》"，也不禁愕然。可惜父亲偏在好日子复来时因患脑溢血而逝世了。有时我不禁想，设若父亲仍在世，当他知道我不仅违背了他的宿愿没有去学医当大夫，而且也没有再当教师和编辑，而是专门搞文学创作时，他该会怎么说呢？多半会微笑摇头，说："何必……"吧？那我就要"将"他一军："您当年不也暗暗地作过文学梦吗？《铁兰花》不就是明证吗？"……

母亲和父亲一样，虽是文学艺术的爱好者，却也更希望我们子女去为祖国搞一点"实业"。只不过母亲比父亲宽厚随和一些罢了。

大哥解放战争中参加了人民解放军，后来在部队中攻汽车技术。二哥先学造纸，后来成为抗菌素工业研究所的工程师。姐姐学的是农业机械，当过拖拉机总体运用专业的研究生。他们都不负父母的厚望，从事"实业"。服务于祖国和人民。

唯有小哥哥和我，一个先在北大学习俄罗斯语言文学专业，后因该类专业人员过剩而改行教英语；一个走了一条教师——编辑——专业写作的道路，成了所谓"文人"。这实在是出乎父母所望以外。

然而，说到底，我的痴迷于文学艺术，又确确实实出于家庭的熏陶。

父亲书架和枕边乃至枕下的那些中国古典小说、笔记、野史……对我难道不是一种引诱吗？

母亲说起《红楼梦》，如数家珍，由我家桌上的一盘菜可以联想到"脂粉香娃割腥啖膻"，又可以随时回答我们诸如周瑞家的和秦显家的是什么关系之类的问题……对我难道不是一种渗透吗？

大哥在家信中不时夹带他的诗作；二哥在迷恋照像印像时将他的一副侧影与钢笔、白云之类放大叠印，戏题为"作家之梦"；小哥哥说话中不时使用脂砚斋《评石头记》的辞句引入发噱，什么"实有其人，实有其事"，"草灰蛇线，伏延千里"；姐姐从东北农机学院回北京过暑假，居然整整几天靠在床上读大本的苏联翻译小说《大学生》、《收获》、《远离莫斯科的地方》……凡此种种，难道对我不也是一种启迪吗？

三

少年的心，天上的云。

中学阶段，我曾有过许多的梦想。并不是只想搞文学艺术，因为班上有一些同学体育上很行，有的在全国速滑比赛中夺到名次，有的学校准假到外地去参加举重比赛，引动得一大批同学，包括我这种那时其实是瘦弱多病的男生，都一度迷恋于体育事业。于是在我的床头，普希金和罗曼·罗兰的画像竟被挤到了一边，而陈镜开、黄强辉、赵庆奎这些当时的举重明星照片竟占据了中央位置……不过那也仅是一阵旋风，现在想起来，真忍俊不禁。

就是在文学艺术这个领域里，我首先选择的，也并不是文学。

上面讲过，我少年时代曾迷恋于两种游戏，一种游戏是"编辑出版"文艺杂志；另一种呢？便是"自编自导自演自观"戏剧。怎么个搞法？将我家的椅子，当作一个舞台，用一些铅丝、碎布、头巾，构成前幕、侧幕、天幕，然后或自己画，或从画报上剪，弄出一些房宇呀、树木呀之类的"景片"，还用手电筒"布光"，于是乎便可"开演"了。"演员"有时连纸人都不是，就用一些玩旧了不成套的积木片儿，依据我的想象，用手把它们挪来挪去，这个要把那个打死，于是嘴里一声"砰"，手指便扳倒一个，另一个则晃三晃——因为他后悔不迭，心中发虚，等等。那时已有十三、四岁了，这样一个人玩，从旁看去，大约近乎疯癫，然而我就那样度过了许多课余时光。

再大一些，不这么玩了。不再是随父母兄妹去剧场观剧，而是自己一个人去了。那时我家离首都剧场不远，因此我几乎看过那一时期北京人民艺术剧院上演的每一个剧目，从最优秀的剧目到演过就算的剧目，我全看过，有的还不止看过一遍。比如，我记得那时我就至少看过五次《雷雨》，有一回大约是演繁漪的吕恩病了，结果原来演鲁妈的赵韫如改演繁漪，这样我就在很近的时间内既看了赵韫如演鲁妈又看了她演蘩漪，印象之中，我以为她演蘩漪更为出色，我不明白为什么导演却认为她在正常情况下只能演鲁妈。

在高三毕业前夕的新年晚会上，我导演并演出了一出小剧，好象是一出讽刺美国社会畸形现象的喜剧，剧本是从当时一本杂志上选的。一贯连起立回答老师问题也不免脸红的我，竟突然以喜剧角色面目出现在同学们面前，自然令他们大吃一惊。但也仅止是吃惊而已。剧终时，观众们只忙着嗑他们的瓜子，似乎没有几个鼓掌的。

可是我却狂妄得认为自己可以去当戏剧家了。

高三毕业后，我去中央戏剧学校一试。居然好意思报考导演系。记得初试时我朗诵了鲁迅的《狂人日记》和郭沫若《女神》集中的一首短诗，我激动得要命，末了主考教师不得不首先对我说："你干吗那么使劲地嚷呢？"

但是初试的五百多名考生经过筛汰后，留下的三十来个可以复试的考生中，仍然有我。

我的小品考砸了。主考教师给我一盏马灯，让我设计一个小品。我一直生活在城市里，娇生惯养，我连马灯该怎么点燃都弄不清。我只好请求他们另给我出一个题目。结果心慌意乱中，我连那个本来与我生活相近的题目也没做好。如果不心慌意乱呢？我大概也做不好。

我没有考取。

很长的时间里，我都把这件事隐蔽起来，说实在的，我有一种羞耻感。

现在我已步入中年。失败过的事太多了。我终于懂得，在事业的道路上，失败不仅不是羞耻，而且恰恰值得珍视。

我一般不在文章中引用先哲的话，不为别的，只是因为我看时下许多文章中总爱引用若干先哲先贤的话，为避免文章写法与人雷同计，我便尽可能一句也不引。但此时此刻我却不能不将曾在我灵魂中烙下很深印迹这句罗曼·罗兰的话录在下面：

　　累累的创伤便是生命给予我们的最好的东西，因为在每个创伤上面，都标志着前进的一步。

四

　　我从初中三年级起便试着给报刊投寄稿件。

　　我已经记不清都投寄过些什么。总之，不是投给"中学生征文"或"幼苗"一类的专栏，而是大摇大摆地作为成年人向报刊投寄"正式"的作品。

　　屡投屡退。

　　那时候，刘绍棠已经成为知名作家，王蒙的《组织部新来的年轻人》正引起强烈反响，我们的文坛上正蕴育着、发生着许多惊心动魄的事，而我对这些事的了解却处于鸿蒙未开的混沌状态。

　　唯一的一次接近成功的情况，是《少年文艺》杂志把我寄去的短篇小说《旗手》打了回来，但附有一封手写的编辑部信件，提了几条意见，让我修改。那个短篇大约是写一次少先队的中队活动，登香山"鬼见愁"，中队旗不慎掉到了悬崖边，于是两名护旗手一个表现出惊慌胆小，另一个则勇敢地爬到悬崖边取回了队旗。素材倒是取自我们班上的一次少先队活动，但写得非常幼稚。我兴冲冲地修改了一遍，满怀希望地寄回了编辑部。记不清是石沉大海还是终于退了回来，总之是没有刊出。自然很伤心。

　　伤心归伤心，投稿仍未中断。

　　到了1958年，我上到高二的时候，才终于在当时的《读书》杂志登出了一篇文章：《谈〈第四十一〉》。寄稿子去时我没说自己是还在上学的中学生，只写了家庭地址。结果编辑部大约以为我是个有修养的成年人，登出后寄给我刊登物时，附信请我"不吝赐稿"。我当然"不吝"，但寄去的稿子一定令他们哑然失笑——他们看出我不过是个一知半解的少年人，因此都婉辞退回了。

　　我朦胧地意识到，归根结蒂每个人还得从自己的实际情况出发。又过了一年，我不再装成大人样了，我以中学生的面目给刚创刊不久的《北京晚报》副刊《五色土》寄小稿子。我寄去了个小小的快板剧本《王大妈让房》，内容是表现街道上办托儿所没有房子，一位王大妈主动让出了自己的私房，供办托儿所用。编辑部给退了回来，但在油印的统一格局的退稿信下面，一位编辑顺笔写了几句话，大意是说：你写得挺生动。但报纸不宜提倡公占私房。你是否另写点别的试试：我很快就"另写了"几首儿童诗寄去，结果其中一首很快便登了出来，编辑并写信告诉我另两首也留下备用。后来不但用了那两首，还陆续登出了我接着寄去的几篇"一分钟小说。"

后来《北京晚报》副刊召开业余作者座谈会，把我也请去了。至今我仍然非常感激《北京晚报》的那几位同志：王纪刚、顾行、刘孟洪（他们在粉碎"四人帮"后，《北京晚报》复刊时，又回到原有岗位上辛勤工作）。他们见到我只是一个十七岁的不谙世事的中学生时，既不惊讶也不歧视，既不吹捧也不苛求，平等待我，一视同仁，他们使我从少年时代便确立了这样一种信念：编辑部取舍稿子只看质量，而并不把资历、地位、名气、背景搁在头里，因此只要我严肃认真地写稿，投寄去便有可能刊出。

到 1966 年夏天，《北京晚报》被当作"反党喉舌"被迫停刊止，我大约在上面发表了五十篇文章，属于"一分钟小说"、"一夕谈"、"儿童诗篇"、"影剧随感录"、散文、散文诗等不同的类别。此外也在《人民日报》、《光明日报》、《中国青年报》、《大公报》等报刊上发表了一些散文、小小说、杂文、小品、剧评。

现在偶尔从旧报纸上看见这类"豆腐块"我总不免脸红。确确实实脸红。

穿开裆裤的照片。就是那么个性质。

然而，我就是这么开始我的写作活动的。多么卑微，多么简陋。

"你看你，又'鸡啄米'！"那时候，我还没有离开家独立生活，妈妈看见我伏案写稿，总不免调侃地说："你这样'鸡啄米'还要啄到几时啊！"

的确，笔在稿纸上一格一格地移动，那动势，那笔尖摩擦纸面的声音，都令人联想到鸡从地上啄食米粒。

真没想到，我现在竟成了专业"啄米"的"鸡"。啄到几时？怕很难停止了！

五

"谁是你学习写作的导师？"

常有文学青年这样问我。

严格意义上的这种导师，一个也没有。

无论是小学、中学里的语文老师，他们都只把我看成一个普通的学生，充其量认为作文有时写得不错而已，其中并没有哪一位，对我给予过特殊的培养，或鼓励我以后从事文学创作。

我从来没有写信或寄稿子给任何一位已经知名的作家，求他们指点，请他们看稿子"提意见"，缠着他们要他们将我的稿子推荐给编辑部发表。我写出稿子，总是径寄编辑部。不登就不登，爱退就退。直到我当了编辑、转为专业作者之后，我才同一些过去早知其名、早读过其大作的作家们有所接触。

除了编辑部约我去谈稿子，或请我去开会，我几乎从不到编辑部去。直到目前我也是这么个性格。所以也没有哪位编辑能够在处理稿子的范围以外，给我更多的指点。前面谈到"文化大革命"前我曾同《北京晚报》联系密切，他们对我也很有帮助，但我无论那时还是今天，都没有在开会以外去过他们那里（开会的次数也不多），都没有同编辑同志建立起一种个人间的联系，我感激他们，只是感激他们把我那样一个稚拙的投稿者同名人及许多成熟的作者一视同仁，倘若我把他们对我的扶植夸张到他们成了我走上文学道路的引路人，他们恐怕也会敬谢不敏的。

我的亲戚、邻居中也没有什么作家或相当的人物给予过我写作方面的指导。

"真是这样的吗？"

一位文学青年听我说了上面一番话后，曾惊疑交加地斜着眼问我。

真的。

那么，我怎么学习写作呢？

很简单：读，想，练。

何必给作家们写信、寄稿子呢？他们的作品摆在那儿，拿来读就是了。他们写作的路数，他们的"秘诀"（倘若真有这种东西的话），他们的甘苦。他们的长处和短处，都渗透、体现在他们的作品之中。有时他们不也写一点创作谈之类的文字吗？读这种文章不就等于听他们讲课吗？为什么一定要跑去见他们呢？难道写作的才能，可以象传染病那样，通过接触传染上吗？

又何必一个劲地往编辑部跑呢？要相信，固然有少数编辑可能作风不正，搞"稿件交易"，凭借关系、人情、面子、来头往版面上登稿子，但大多数编辑都是严肃认真的，只要你写得好，不必拉关系、凭人情、靠推荐，编辑自会将你的稿子推上去的，即使这个编辑部漏掉了你这颗珍珠，你还可以另投一个编辑部去试试嘛，倘若确是你的稿子质量不高，那又何必怨天尤人、"愤世嫉俗"呢？

要想成功，只有想方设法使自己的稿子写得更好一些，令任何编辑一看都能感到耳目一新，舍此而无别的"捷径"。

如果要我总结投稿的经验，那么这便是我唯一的一条经验。

书便是我们写作的导师。好书自不必说，就是中庸的书乃至坏书翻翻也不无益处——你可以知道不应该写什么及不应该怎么写。

生活是我们写作的更好的导师。读书不与生活相联系，去思考，去动情，去参悟，去发现，那就只是个书呆子。写作的才能，从特定的角度来说，其实也便是把对生活的领悟同对心爱的文学书籍的启发结合起来，迸发出火花的那么一种能力。

我不是反对别人寻求和获得写作上的具体导师。我自己以前没有，实在只能说是一种缺陷。我讲出这些，不过是为了向目前的文学青年们证明。没有具体的导师也不要紧。"条条道路通罗马"。可以从各种途径进入文学的园地。从深刻的意义上说，你具体的导师很可能便是你自己。

六

鸡啄米。算起来也"啄"了二十多年了。直到1977年岁尾，才真正悟出一点"啄"的门道。从那时到如今又过去了整整五年。"啄"得怎么样呢？有没有进步呢？

请批评家们和读者们指导我吧。不是故作谦虚。面对着这几年陆续印出的几本小册子，惭愧感常充溢着我的身心。真该"啄"出点更象样的东西来。

愿投向更广阔的生活天地，不懈地俯首啄米，好为祖国和人民再生出蛋来。

只祈愿——勿杀鸡取卵。

1983 年 1 月 26 日—27 日写于北京垂杨柳

根植在生活的沃土中

在新长征的文化队列中，我是一员新兵。思想水平、生活功底、艺术修养、写作技巧几方面都很不足。我写的作品，发表出来能引起较多读者注意的，目前也仅仅是《班主任》这样一个短篇。

《班主任》在《人民文学》发表以后，编辑部和我陆续收到许多读者来信。这些情意真挚的来信不但有赞扬与鼓励，也坦率地对《班主任》提出了宝贵的意见。从读者的反应中我体会到，从生活出发的东西人们就喜欢，从概念出发的东西（哪怕从正确的概念出发）他们就厌弃。

不少读者热情地肯定《班主任》"写得真实""摆脱了帮味"，"能使人想到身边的人和事""感到亲切"。为什么我以前发表的作品不能获得这样的评价？仔细想来，关键在于以前或多或少总是有点从概念出发，而《班主任》却是从生活本身出发来构思的。

倘若从概念出发，《班主任》一定会是另外一副面貌。先定下个主题——歌颂忠诚党的教育事业的人民教师。"主题先行"后，便来设置人物，"一号人物"不用说是个优秀的班主任了。"对立面"呢？或者安排个破坏教育革命的"四人帮"爪牙，或者安排个持错误观点的落后教师。"中心事件"呢？倘若选定"接收小流氓"，那么，故事发生在1975年，"矛盾冲突"便围绕着好老师要挽救小流氓，而"四人帮"爪牙却教唆小流氓来展开；故事发生在1976年10月以后，"矛盾冲突"则围绕着好老师耐心，而落后老师急躁来展开。在"一号人物"旁边要陪衬上一两个好学生，在"对立面"左右则要安置一两个糊涂虫或和事老。"高潮"要挖空心思搞个突发性场面（火灾？斗殴？车祸？……）最后当然是"正胜邪败"的"大团圆"结局，不过，还得让"一号人物"说几句"斗争还没结束"一类的话，以示作品的"深度"。显然，这样的创作路子，仍是"四人帮""三突出"的那一套。这是一条创作上的死胡同。以"帮味"反"帮"，不但会败坏读者的胃口，而且有可能造成反效果。

《班主任》是我挣脱"主题先行"的枷锁的产物，它有一个相当长的酝酿过程。它的主题不是事先拟定出来的，而是无数在我心中时时拱动的生活场景，大量牵动我感情丝缕的人和事，经过多次交融、剪裁、提纯、冶炼……直到构思接近完成时才初步凸现，而且直到写成后才明确起来的。我觉得这是一个形象思维的过程。

我在中学担任过十几年的班主任。对"四人帮"破坏教育战线的累累罪行，我有切肤之痛，心怀深仇大恨。揪出"四人帮"后，我常常思索：中、小学这种最基层的单位里，并没有多少直接同"四人帮"一伙挂钩的黑爪牙，为什么受灾的程度并不比某些被"四人帮"爪牙直接控制的单位轻呢？我从亲身经历中体会到，摧垮"四人帮"在教育战线的帮派体系虽然至关重要，却仅仅是拨乱反正的一个前提。我们还必须花大力气批判"四人帮"在教育战线散布的种种谬论，努力肃清那些潜移默化、无孔不入、渗进并玷污了不少师生灵魂的"帮毒"，才能切实按毛泽东思想体系整顿好学校。许多我教过的学生浮现在我的眼前，使我失眠，令我深思。其中就有石红、谢惠敏、宋宝琦这几种不同类型的学生。他们的状况是怎样形成的？应当怎样引导他们从现在的起点向前迈进？……丰富的生活素材经过反复的咀嚼、消化，精华便逐步浓缩成了艺术构思——我要写出"四人帮"给我们教育战线造成的内伤，我要满腔义愤地告诉读者：不要仅仅注意到张铁生式的"头上长角，身上长刺"的丑类，还要注意到宋宝琦式的畸形儿，更要注意到反映在谢惠敏这类青年学生身上的问题！一位业余作者对我说，反映前几年"四人帮"对学校的破坏，如果仅仅是站在校门口粗粗一望，那么，诉诸文字也不过是写写破烂的门窗、混乱的秩序；倘若能再进去转转，那么，便不难发现宋宝琦一类学生的问题，只要有足够的勇气，也不难在作品中塑造出这一类形象；但只有真正在学校里进行长时期的观察、体验，才能敏锐而准确地向读者提供出谢惠敏这样的形象。我很同意他的分析。我在学校工作时，谢惠敏这样的学生给我带来了最多的思虑，激起了我最强烈的痛惜与切望相交织的复杂感情。我总觉得他们这类青少年进一步发展在相当大的程度上决定着我们祖国、我们民族的前途。因此，我在写《班主任》时，才没有停留在提出和勾勒宋宝琦的形象上，而是把笔锋深入到了更严峻的问题，以诚挚的态度向读者提供了谢惠敏这样一个在以往小说中似乎还不多见的形象。对生活的熟悉、理解程度，决定着人物形象的独特美学价值即典型化程度，因而也就决定着作品的思想深度。在构思中，我除了用"过电影"的方式反复酝酿学生形象外，脑海中还接二连三地涌现出许多老师的形象。我熟悉他们，热爱他们。其中不少优秀的班主任更是我钦慕的榜样。人们常常说到教师的辛勤、耐心、细致、以身作则，却很少深入到教师的内心，很少去发掘他们那种高度的革命责任感，那种强烈的、以特有的形式酝酿与爆发的爱和憎，那种心灵的美。于是在我的构思中，一位概括了我所体验到的革命教师的人格美与心灵美的班主任形象，便在1977年春天这个特定的环境中逐渐清晰、丰满、凸现出来了，这便是张俊石这个人物的诞生。后来我又从生活中提炼出了尹老师的形象。在小说中，宋宝琦、谢惠敏、尹老师都和张老师有矛盾，但他们都不是张老师的"对立面"，对立面是"四人帮"，是"四人帮"的文化专制主义和反动的愚民政策。不少读者把小说中"救救被'四人帮'坑害了的孩子！"这句话认作是这个短篇的主题。我觉得可以这么来看。但我并不是先有这么个警句然后再来定人物、编故事。说实话，这个句子是直到我写那一段时，才一下子蹦了出来的。其实这也不是什么新鲜的句式，为什么能打动读者？一个重要的因素，恐怕就是因为整个小说是从生活出发的，读者被有生活实感的人物和场景吸引住了，因此在看到这个句子时并不觉得突兀，而是产生了强烈的共鸣。

　　一些读者来信问：你说《班主任》里的人物形象是从生活中概括出来的，这个我懂，但究竟有没有具体的模特儿？我想，塑造艺术形象，总是需要具体的模特儿的。所谓提炼、概括，不能理解成仅仅是分析共性，即使写历史小说，作者在构成历史人物的艺术形象时，恐怕也必得从现实生活中所见所闻的活人身上，汲取某些性格、气质、外貌、行为、风度方面的养料，也就是说，仍然不能仅仅从资料分析上去概括共性，仍然需要具体的模特儿。当然，模特儿或者以一个为主，或者综合数人而用之，照搬照用一般是不适宜的。有的读者去猜测《班主任》中的人物是否即某某中学的某某某，那是没有意义的。《班主任》中的人物形象固然有模特儿，但大多是综合数人而用之，并且也非简单地各取一点或数点拼凑而成。我在塑造人物的过程中，以朝典型化高度攀登为目标，提炼、熔铸，很花费了一番气力。比如张老师这个形象，为什么要塑造成这个样子？一位爱好文学的青年同我议论过。他说自己也曾打算写一篇歌颂园丁的小说。他按这样的思路设计自己作品的主人公：因为读者们对"女的好，女的都是党代表；老的坏，老的都是走资派"的"帮味"公式极端厌弃，所以确定主人公是一位五十多岁的男教师。因为要把他塑造成英雄人物，所以确定他的面貌是"浓黑的剑眉，深邃的目光……"我问他："在生活中，是否有几位五十多岁的老教师，给你留下了深刻的印象呢？"他摇头；又问他："你觉得你熟识的人当中，谁的眉毛称得上是'剑眉'、谁的目光常给你'深邃'之感呢？"他又摇头。原来他写这个人物并没有模特儿，并不是从生活出发，而仅是出于一种"反'四人帮'之道而行之"的愿望，以及"英雄必得相貌堂堂"的概念。我告诉他，我塑造张老师这个形象时不是这样考虑的。我脑海里涌现出来的首先不是概念，而是活生生的人。在中学里，老教师固然令人可敬，刚参加工作的青年教师也着实可爱，但真正承担最大工作量、整天在第一线钉着干的，还大多是毕业于"十七年"的"旧学校"、年龄在三四十岁左右的中年教师。他们工资不高、生活条件比较艰苦，在红旗下长大成人却也被林彪、"四人帮"扣上了一顶"资产阶级世界观"的帽子，每当两个阶级、两条路线在教育战线激烈交锋时，他们总处在风暴、旋涡的中心，"四人帮"感到最不放心、最"危险"的，也正是他们这种"三四十岁的人"。我眼前呈现出他们熟悉的身影，耳边回响着他们亲切的语音，而且，我感到自己的脉搏也随着他们当中的大多数而跳动，因此，我感到必须把他们写到自己的作品中去；我努力在张老师这个形象中，把他们当中最先进的那部分人的精神世界展示出来，我又从最熟悉的几位教师身上，提炼出了张老师的外貌、风度，以及那连手绢也总是叠得整整齐齐的生活习惯。从生活中的活人出发，以个性体现共性，这应当是我们塑造人物必须遵循的一个原则。

人物要从生活出发，情节也要从生活出发。这当然不是说，作品的情节应当一律是生活中实际发生过的事，有人问我：《班主任》中写到的"《牛虻》事件"和读《表》的情节，生活中是否实有其事？可以肯定地回答：生活中并没有这样两个现成的事件供我拈取。这两个情节是虚构的，但并非瞎编。"四人帮"搞文化专制主义，否定的中外古今文学作品可谓多矣，我为何单拣出《牛虻》作例？严格地谈，《牛虻》在世界文学史上并不占什么地位，但是，凡是在本世纪五十年代度过少年、青年时代的读者，恐怕大都会对这本书留有难以磨灭的印象。当时大量印行、大力推荐过这本书，它对这一代人的思想感情曾产生过相当大的影响。因此，作品中的张老师面对着饱经沧桑的《牛虻》一书，从谢惠敏、宋宝琦这两个品质决然不同的下一代人口中，听到了相同的斥为"黄书"的判断，油然迸发出强烈的控诉之情，便显得真实、自然了。我把张老师设计为自己的同龄人，当年我和同伴们阅读、讨论《牛虻》的场景历历在目；我对"四人帮"扫荡包括《牛虻》在内的一切人类文明结晶的愤懑之情刻刻在心；我耳闻目睹的谢惠敏、宋宝琦这样的青年因中毒而无知的事例萦绕于怀……所以，经过一番概括、加工（丰富的想象力在这过程中是必不可少的），我便设计出了"《牛虻》事件"这样一个情节。倘若我没有这样的生活感受，凭空从概念出发去杜撰另外一个情节，恐怕就不会取得现在这样的效果。读《表》的情节也是既从生活感受出发而又采取了虚构手段。我曾在"四人帮"几乎禁绝一切外国作品时，悄悄向学生讲过盖达尔《学校》一书的故事，收到了可喜的正面效果，因此我坚信凡在历史上起过革命或进步作用的作品，总还是有或大或小的教育意义的，选择恰当的篇目针对适合的问题组织学生们阅读，是很有好处的。所以读《表》这一情节的出现也并不是偶然的。

再谈谈高潮问题。有些读者对小说第七节——张老师在小公园中沉思——表示赞赏。有几位读者在来信中说，当他们读到这一节中张老师的内心独白时，不禁感动得流下了热泪。第七节确是全篇的高潮。我写这一节时心情是极不平静的。但是也有一两位读者来信问：小说的高潮应当靠人物之间的激烈交锋和爆发性的强动作推上去，而你这篇小说的高潮却在几乎全然静态的无声场面中形成，这是为什么呢？我想，高潮的处理也应当从生活出发。我在构思中就考虑到，班主任这种工作的动作性不强，特别是富于戏剧性的强动作，简直一点也找不到。越过一条波涛汹涌的大河去给学生补课，几年如一日接送残废儿童上学、回家……这类特例生活中是有的，也可以提炼为典型意义的情节，并且比较容易做到在强动作中形成高潮，而且也已经有人试过。但是，小说不一定要向戏剧看齐（"四人帮"则要求一切艺术形式都要向戏剧看齐），并非离开了激烈的交锋、强烈的动作，就不能塑造出动人的艺术形象，形成令人心潮激荡的高潮（其实戏剧的高潮也未必一定要通过直接交锋与强动作来完成）。这篇小说里的那些情节，以及高潮的安排，都是从中学班主任的日常工作中提炼出来的。光明中学的班主任老师张俊石，他在 1977 年春天的那个下午，也无非是干了那么几件毫不惊险、平淡无奇的事儿。怎样才能显示出平凡中的不平凡，使人物具有感人的光彩呢？怎样把人物形象的塑造推向高潮呢？我决定废弃那种用一般化的外在动作去表现教师工作勤恳、耐心细致的手法，而是在采用尽可能精细的白描的同时，放手去展示张老师那由革命激情支配的深刻而丰富的心理活动，用以体现他善于按毛泽东思想观察、分析、思考、解决问题，体现他屏弃形而上学、运用唯物辩证法所达到的水平，以及他对党、对革命事业、对祖国未来、对民族命运的高度责任感。在第七节里，我努力展示张老师那江河奔泻般的爱憎、思考，使之形成了全篇的高潮。这种做法，按"四人帮"的标准衡量，当然是"大逆不道"，但广大读者接受了这一特别的处理方式。实践证明，小说与戏剧的确有所不同，是完全可以别辟蹊径去结构高潮的。而要想使高潮真正掀动读者的心潮，关键还在于要从生活出发，准确、深刻地表达出生活中最本质的东西。不从生活出发，任凭你呼风唤雨、大轰大嗡、要死要活、耸人听闻，终究是不中用的。

有一些读者认为《班主任》的结尾不过瘾。为什么不写出谢惠敏、宋宝琦的转变？有个读者给我寄来了改换结尾的具体方案——加第十节，写一周后宋宝琦经过耐心教育幡然悔悟，而谢惠敏读了《牛虻》也便茅塞顿开，于是初三（三）从此书声琅琅、齐步前进。这位读者的热心令我感动，而意见却不敢苟同。道理很简单，就是生活本身虽然已经开始着手解决，但远未完全解决宋宝琦和谢惠敏身上所反映出来的那些问题。作者不能从概念出发，去编造一个"大团圆"的结局。坚冰已经打破，航道已经开通，医治"四人帮"给青年一代造成的内伤的工作已经开始，但是积重难返，困难还多，成效初见，却尚未臻胜境。小说以张老师满怀信心地展望未来作结，似乎更能给读者以余味，促使读者去进行再创造。

许多读者建议我写续篇。我虽然已经不在学校工作了，但我仍坚持把学校作为自己的生活基地，密切地注视着、动情地体验着教育战线的新进展。我知道，靠报纸上的新闻是写不出好东西来的。靠逻辑推理去写续篇更是荒唐的。我一千遍一万遍地嘱咐自己，一定要坚持从生活源泉出发，以马列主义、毛泽东思想体系为望远镜和显微镜，实事求是地观察、体验、分析、表现沸腾的战斗生活，并坚持典型化的原则，努力学习、运用革命现实主义的创作方法，严肃认真地进行创作。我想，一旦生活本身有了新的飞跃，我又有了比较厚实的生活积累，那么，我会产生新的写作冲动的，那时候，张老师、尹老师、石红、谢惠敏、宋宝琦……很可能都会以自身的逻辑活跃在新的作品中，以新的面目同热心的读者们重逢。

报刊在评论《班主任》时，肯定它是百花园中的一朵香花。仔细想来，这篇小说如果不是根植在生活的泥土中，也只能是纸花、绢花、塑料花。有根花才香，有根才有生命力。我愿长期地无条件地全心全意地到工农兵群众中去，到火热的斗争中去，到唯一的最广大最丰富的源泉中去，争取写出新的好作品来。

1978 年 9 月

从安全感说起

我们设想在某次座谈会上，有甲、乙二位与会者展开了这样的辩论：

甲：中国是没有小偷的！中国是社会主义国家，优越的社会制度就决定了不会有小偷！

乙：确确实实有啊。上个星期，王府井大街上就抓住了一个……

甲：即使有，那也是偶然、个别的现象，决不是主流！

乙：你不能无视于事实啊！我给大家举些例子吧（举实例若干）……

甲：（打断）你这样热衷于搜集这种例子，究竟是什么立场，什么感情？！你这不是往社会主义制度上抹黑吗？你这不是给敌人诬蔑社会主义制度提供子弹吗？你吃着农民种的粮食，穿着工人织布做的衣服，解放军为你保卫着边疆，你却在这里暴露社会主义的阴暗面，请问你的良心何在？

乙：正是因为有良心，我才为这些问题的存在而着急，才积极号召大家想办法来解决这些问题啊！

丙、丁：是呀，我们觉得乙这样正视现实是对的，你不要操着江青那样的腔调训人好吧？

甲：你们说我是江青，你们这是打棍子！请问，你们究竟实行不实行"三不主义"？让不让百家争鸣？你们对我进行了围攻，我抗议！你们围攻吧，我奉陪到底！（高呼）中国没有小偷！没有！没有！！没有！！！

甲乙二人谁是谁非，我们姑且缓论；让我们继续设想下去，散会后，甲乙二人各是什么心情呢？甲充满了安全感，大摇大摆走出会场，"反正我是社会主义制度的歌德派，谁也不能把我怎么样"，人们也确实不想、不能把他怎么样，甚至于还可能有戊、己之流凑拢他低声解释说："你的发言我们不赞成，不过，我们理解你，你是为了保卫社会主义嘛！……"甲怡然自得："让那些'缺德派'跳吧，再跳，那就又是个一九五七年！当然啦，再打右派我们就不要那么扩大化罗！……"

乙呢，走出会场时，就先有庚、辛之辈靠拢他低声劝解说："何必跟甲一般见识？小心将来反右扣你顶帽子，划不来啊！"乙本来理直气壮，弄到最后也未免生出几分后悔，于是决定第二天要来会议记录，逐句订正一下自己的发言，"不要让人抓住什么辫子才好啊！"……总之，他反而缺乏一种安全感。

我们是社会主义国家，指导我们事业的理论基础是马克思列宁主义和毛泽东思想，而马克思列宁主义和毛泽东思想是最讲究实事求是的；但是，令人难过的是，我们搞了三十年社会主义了，像乙这样的人不过就现实存在的阴暗面讲了一点实话，竟还要感受莫大的压力，而且周围的某些人及他自己都会为讲出了真实的阴暗面捏一把汗，总害怕不知什么时候又搞起反右来，被扣上一顶右派帽子；而像甲这样的人，明明是不顾事实，一味地极左，却可以充满了安全感，颐指气使，昂然"凯旋"。这是为什么呢？这样的局面何时才能基本结束？

我认为，这里面包含着一个严重的教训：建国三十年来，我们是忽略极左的危害性，总认为搞极左的人是为了共产党好，为了社会主义制度好，因而即使他们的所作所为已经给革命事业造成了危害，也总是谅解、让步乃至于纵容，仿佛反了极左，就有反党、反社会主义之嫌，因而凡以左的面目出现的东西，都可以任其恣肆横行；有时迫于形势，也不得不反一下极左，但也只是走过场而已，转瞬之间，就又搞起反右来了，并且一反右就毫不留情，有些人是不弄到扩大化的地步绝不收兵。久而久之，人们渐渐感到这是一条规律，凡事"左"三分，反"左"不过是搔痒痒，反右可得蜕层皮，所以宁"左"勿右；"左"是一件安全的、舒服的事，而实事求是（它常常被人叫做"右"），则是一件极不安全，极艰难的事。

粉碎"四人帮"以后，党中央带头恢复党的实事求是的优良作风，开始出现了一种崭新的正视现实，尊重客观规律的可喜局面，，但是，人们长期形成的"左"比右好，宁"左"勿右的心理，却难马上消除。目前的形势是林彪、"四人帮"的极左流毒远未肃清，而新的极左的论调已经出现。对于危害我们事业的右的倾向固然不容掉以轻心，但主要危险还是极左，因此我们必须大张旗鼓、义无反顾地狠批极左。当然，我们应当允许持极左观点的人（不管他出于什么动机，真诚的也好，虚伪的也好）发表他们的意见，只要他们没有采取直接破坏党的三中全会决议和五届人大决议的行动，他们的言论和文章都允许存在。我们希望他们摆事实，讲道理，但即使他们不尊重事实，也不讲道理，而采取泛泛而论、政治上纲的方式，那也不必将他们排斥。总之他们完全可以在宪法允许的范围内发表他们的意见；但是，我们对他们那种极左的言论和文章，必须加以细致地、充分地、有力地批驳。在作这件事时，我们必须克服心理上的阻力：批右安全，批极左危险；批右无妨争先，批极左还是先看看领导脸色、摸摸形势变化再说；批右可以不留后路，批极左还是留有余地好……

我们的党，我们的国家和人民，已经吃够了极左的苦头，林彪、"四人帮"肆无忌惮地大搞极左，已经使我们的国民经济一度濒临崩溃的边缘，我们的文艺事业更是在极左路线的扫荡下一度濒临全军覆没、陷入绝境的地步。因此，凡有爱国心的人，都应当对极左深恶痛绝，我们应当造成一种新的有利于我们事业健康发展的政治气氛，那就是搞极左不得人心，随时会遭到批驳；坚持实事求是光荣，能得到充分保护与肯定；'我们应当把"宁'左'勿右"的心理状态改造成"宁被人诬为右也绝不'左'"。

分析一下粉碎"四人帮"以后三年来文学发展的状况，最大的突破是什么？

我认为，主要就是出现了一批敢于正视现实中的阴暗面、敢于揭露矛盾和问题的作品，这些作品的矛头所向，往往并非明火执仗来推翻共产党和社会主义制度的右派，而大都明确无误地指向了披着拥护共产党和社会主义制度的外衣的极左派，以及极左路线所造成的严重危害。这些作品中的英雄人物之所以让读者觉得可亲可敬，也就在于他们不怕被人诬为右倾、坚持了与极左路线及其流毒的斗争，如《神圣的使命》中的王公伯，《顶凌下种》中的高明海，《乔厂长上任记》中的乔光朴，无不具有这样的特点。多少年来，我们的文学创作一再地为反右服务，经常错把正确的东西当作"右"的东西加以批判，于是出现了或粉饰太平，或无事生非，甚至于颠倒黑白、助妖为疟的文艺。人民群众对此嗤之以鼻，国外同行对之目瞪口呆，浪费了作者多少聪明才智、笔墨光阴，这样的事我们不要再做了！现在，文学创作的路子应当无限宽广，我们倒也不必让文学都来为反极左服务，但我们应当对勇于正视现实、讲真话、反极左的作品给以有力的支持和热情的鼓励！

我以为，与其学究式地引经据典地辩论我们的文学除了司歌颂之职外能不能具暴露之功能，以及如何摆正歌颂与暴露之关系，搞了暴露会不会坏事等等，不如到人民群众中去了解了解民间疾苦，听听他们的呼声。人民群众迫切要求我们以文学为武器去暴露、打击危害人民利益的黑暗势力——把党与人民交给的权利用以作威作福的"土皇帝"，不管人民死活国家兴亡的官僚主义，肆无忌惮侵吞人民资财的贪污盗窃分子，仗恃特权不劳而获纵欲狂欢的寄生虫等等，而在这方面，我们已经欠了人民一大笔债！现在所出现的一些比较敢于切中时弊的文学作品，人民群众虽表示了欢迎，但也同时表示了强烈的不满足。这种不满足，往往表现在认为作者们所歌颂的正面人物虽然大体上是可信可爱的，但对他们所处环境的描写，却失之于过多地施用了玫瑰色，因此正面人物也就显得过于理想化；而对生活中的阴暗面的暴露，对搞极左的反面人物的塑造，虽然大体上是真实可信的，但总给人一种用蒸馏水稀释过的感觉，批判、鞭挞的力量又显得不够。因此，我们要想进一步提高作品的质量以适应人民群众的要求，就必须进一步解放思想，增强勇气，不怕在作品中指出我们现实生活的全部复杂性，不怕把光明与黑暗的搏斗写得像现实生活本身那样艰难而严峻，不怕在暴露、鞭笞阴暗面和反面人物时达到淋漓尽致、力透纸背。

中国要想真正实现"四化"，达到繁荣富强，就必须敢于正视现实中的阴暗面，积极地去加以解决！中国的文学要想真正成为于国家民族有用处的、有永久生命力的、立于世界文学之林而无愧色的文学，它就必须勇于以尽可能高妙的艺术手段反映中国的真实情况，勇于以巨大的艺术力量揭出现实中的弊端并激励读者去用光明战胜黑暗，去以真善美击败假恶丑！

我发表了这样一些意见，可能有些好心人要为我的安全担心了，但是我相信党，相信人民，也相信自己的良知。最近我又接到了不少读者来信，随手拈来一封，是北京市一位青年工人写来的，他说："前些天北京地区下了几天大雨，我亲眼看到多少古老的旧房漏得不能住人，我们建国三十年了，还有多少百姓一家几口挤在一间这种低矮古旧的房屋中，而他们还是住在首都啊！他们平时都在忘我地工作、劳动，为什么他们诚实本分地工作、劳动了这么多年，还是解决不了住房问题？我自己有一间房子住，我并不是住房需求者，但看到这种现象，时时心酸。我并不是要你们作家专拣阴暗面来写，写让我更加心酸的东西，我只是要求你们能真实地反映生活，同时，对生活中的各种不合理的现象，给我们以科学的解释，启发我们想出好办法来克服阴暗面！……我想一个有良心的作家要真是爱人民，替人民说话，他也就应当不怕被人家打成右派。我对未来是有信心的，不过还不能用'充满'、'满怀'这类的词儿来形容我的信心。我只有一个希望，希望我们的作家如实地反映我国人民的生活状况和思想感情，多写些发人深省的文章，起点惊雷的作用！"我想这大概能代表最大多数群众对我们的希望吧，一种责任感涌荡在我的心中，为了追求真理，以促进国家和民族的繁荣和进步，个人的安危荣辱，完全可以置之度外了！

生活的创造者说：走这条路！

海滩上最美丽的贝壳

当我鼓起勇气把《班主任》寄给《人民文学》的时候，曾反复地估计过：这个短篇小说能顺利地发表吗？倘若发表出来，广大读者会有什么样的反应呢？

感谢《人民文学》编辑部热情而果断的扶植，《班主任》顺利而迅速地被发表了出来。杂志发行的第三天，我便接到了第一封读者来信，来信者是个战斗在财贸战线的女青年，她说："'四人帮'时期的文学作品使一切有政治头脑和鉴赏能力的青年人望而生厌，所以近八年的文学作品，我很少接触。"但她读了《班主任》之后，"甚至在激动之余不知道应该怎样表达自己的思路才好"。她认为《班主任》"冲破了'四人帮'的千篇一律的文风和概念化公式化的束缚，通过……艺术的、现实主义的描写，无情地揭露、控诉和鞭挞了'四人帮'这伙祸国殃民的蟊贼"。读了这封读者来信，兴奋之余，我警告自己说：不要被赞誉的言辞弄昏头脑，这仅仅是一个读者，而且很可能她是易于激动和过分地偏爱了《班主任》……但是随着《人民文学》那一期发行到各地，读者来信源源不断地涌向《人民文学》编辑部，很快就达二三百封之多，我自己也直接收到了近百封。来信最多的是教师和青年，其次是家长和学生，但也有干部、战士、农民、医生、演员、工程师……从地域来说，除西藏外，几乎每个省、市、自治区都有热心的读者的来信；有的写在元旦、春节之夜,有的是集体讨论后整理出的记录,有的随信寄来书法、照片以示情谊……绝大多数来信赞扬这篇小说(很多赞扬我是受之有愧的),还有一些读者在肯定小说的长处时热情而诚挚地提出了若干宝贵的意见。使我感到真正的快乐和幸福的,还是从读者那里直接得到对作品的正确理解和公正评价,证实自己的写作动机和社会效果的一致。

《班主任》出来以后,我又陆续写出和发表了短篇小说《没有讲完的课》、《穿米黄色大衣的青年》、《爱情的位置》。《爱情的位置》经中央人民广播电台在"青年节目"广播后,我更交上了大批的新朋友。《爱情的位置》播出后的听众来信十天内便达一千多封,这回是包括西藏在内各省、市、自治区都有反应,来信者的职业也更加广泛。几个在黄海渔船上收听了广播的青年渔民来信说,他们要到海滩上拾取最美丽的贝壳,寄给我以表示感激和勉励。这些成百上千来信的读者、听众,要求我继续创作《班主任》、《爱情的位置》这样的作品,千万不要因为有人挑剔、指责、反对,就犹豫不决,乃至于回到"帮风"、"帮味"的路子上去。

为了说明这个问题,不妨再引用一封来自广西的来信。这是一位青年女工,厂里的团干部。她的家庭状况是令人羡慕的:父母都是党员干部,几个兄弟姐妹不是党员就是团员。她有一个妹妹,一贯要求进步,中学时就入了团,一直担任班里的小干部。她无论春夏秋冬,只穿四种颜色的衣裳:白、蓝、灰、黑。除了当年"四人帮"指定、推荐的文艺作品,其他的一律拒绝接触,对《青春之歌》,认为"写得肮脏",自己不看并反对别人去看。中学毕业进行体检时,查出一条腿比另一条腿稍短,又羞愧得无地自容,认为不能上山下乡,没有机会到战场堵枪眼,"活着还有什么意思"?后来分到一家街道工厂工作,觉得周围的人简直都落后透顶:青年男女居然有交朋友、谈恋爱的,老大嫂们对评法批儒无动于衷,却经常谈论家长里短,多么无聊!她也有些大串联时认识的外地朋友,她们之间的通信永远是同一格局:先概述大好形势,然后引用点报刊上的号召,其次互相吹捧对方如何革命,最后互致"无产阶级的崇高敬礼"。她崇拜"四人帮"推行的文艺作品里的那种高大完美的"英雄形象",但是她又感到从周围的生活中找不到这种"英雄"的影子，她愤世嫉俗，郁郁不乐。"四人帮"倒台后的一年多里，她的思想大体上还是那么个路数，厂里发给她奖金，她认为是"多吃多占"，甚至认为领取工资也是没羞没臊的丑事，"瞧，又是钱，有什么意思？"今年春天她忽然产生了一个想法，就是觉得当教师比较高尚，因此她决定考大学上师范学院；但是她以前并没有很好地学习文化知识，因为那时相信了"知识越多越反动"一类的说法，所以复习中感到非常吃力，这就愈加使她觉得"活着真没有什么意思……终于她先服毒，后上吊……死去了！"同志们，这不是一个虚构的故事，而是一件就发生在前不久的真人真事。来信告知我这件事的死者的姐姐沉痛地说，她是在妹妹死后才读到《班主任》的，她认为自己的妹妹"左"得比《班主任》中的谢惠敏更甚，她悲愤交加地说，"四人帮"造成了多少个谢惠敏式的"左"得出奇的青少年啊！生活中的这些谢惠敏如果不蜕化为"四人帮"的自觉爪牙，又不幡然觉醒反戈一击，那么就只能是这样——最后革掉自己的小命！

阅读着这些来自祖国四面八方的读者来信，我也是在激动之余不知道应该怎样表达自己的思路才好。我甚至想，如果那位十九岁的谢惠敏式的姑娘，能在死念袭来之前读到《班主任》，或者她的这位姐姐能早些读到《班主任》而推荐给她；也许多多少少能让她冷静下来，仔细想一想。我决不是自认为《班主任》有多么大的力量，但我确实认为倘若有许许多多比《班主任》更好的作品，倘若我们的文艺创作，能够形成一股汹涌澎湃的涤荡"四人帮"余毒的洪流，能够渗入到像这个十九岁姑娘所在的那样的千千万万个家庭，也许，就能使许多受"四人帮"毒害、扭曲、压缩的灵魂早些醒悟，早些振作，早些康复，就能避免掉这类悲剧的发生……

捧读着这些真挚的热情的来信，我想到一个革命作者的职责。"四人帮"的罪恶是如此深重，"四人帮"的流毒如此深广，它还在戕害着我们人民的灵魂和生命，我们怎么能够沉默？我们怎能够还心怀余悸而按兵不动？我又应当作出怎样的努力，才能不辜负这些生活的创造者们的殷切期望？

"假门假事"与"真格儿的"

反复地阅读、体味这大量来自生活创造者的信札，我感到他们还并不是单纯对我个人或《班主任》这样一篇作品表示支持和鼓励，他们实际上是在支持和鼓励我们的文艺创作应当沿着正确的道路前进。这道路，就是革命现实主义的道路。

在"四人帮"法西斯专制主义的统治下，完全篡改、歪曲和否定了革命现实主义的方法。他们提倡"主题先行"，"路线出发"，甚至连"现实主义"这个词儿也不许提，荒唐地提出来要"屏弃各式各样的现实主义"，也就是说，包括要屏弃革命现实主义；以至于出现了这类的写作经验，名曰"反其道而行之"——举例说，你如果在生活中遇见一个人自私而狭隘，那么你就可以从外形上把他当做模特儿，把生活中的事件"反过来"构成情节，"塑造"一个无私而豁达的"英雄"形象。我以为这样"创作"出来的作品，即使不是"阴谋文艺"，也必然是令人厌恶的，用一句北京土话来说，叫做"假门假事"。刚刚懂事的幼童尚且不能忍受虚伪的欺骗，何况在各条战线上创造着壮丽的社会主义生活本身的劳动者，用"屏弃"掉革命现实主义的假革命"浪漫主义"来糊弄他们，这是对他们以及他们所创造的史诗般的生活本身的极大侮辱，难怪许许多多文学爱好者，在"四人帮"垄断文坛时，根本不看"新作品"。

就《班主任》而言，缺点其实是很多的，如后半部比较松散，石红这个人物还欠丰满，某些议论显得冗长而不够精当，整个篇幅还嫌太长……不少读者在来信中诚恳地对这些缺点提出了批评。但是，为什么即使是这样一个作品，读者也仍然热烈地赞扬呢？我从来信中归纳出最主要的一条，就是他们觉得作品写得真实，"像那么回事儿"，或者也用一句北京土话来说，叫做"来真格儿的"。的确，《班主任》是我屏弃"四人帮""主题先行"、"路线出发"那一套"帮规""帮法"之后，思想初步解放，敢于正视现实，从我所熟悉的生活、人物、事件出发，经过对创作素材的反复深入，甚至可以说是艰苦的分析、琢磨、剪裁，最后形成较成熟的构思，又在提笔后随着感情的奔腾，而尽可能往深里开掘，最后又几经修改，才终于定稿的。

我在中学任教十五年，其中有十年担任了班主任。"四人帮"猖獗时，我的班主任工作同千千万万的同行一样艰难。我曾为教育班上的小流氓付出了大量的精力。我发现，我所面对的这些小流氓有着某些共同的特点：他们知识极端贫乏，却并不感到难堪，因为他们觉得知识是无用的，有知识的人是专供批判的。他们虽然也难免被拘留、审讯、惩罚，但总的来说他们有一种安全感：反正他们是"小将"，属于"儿童团"，谁要是过多地注意了他们，谁就是"转移同走资派斗争的大方向"。是谁造成了他们这样的精神状态？我常常痛苦地思考。我比较早就朦胧地意识到，这是林彪、江青（当时还不知道王张江姚是"四人帮"）他们导致的恶果。我在工作中还经常同班上的小干部发生矛盾。班主任同小干部产生矛盾本来是不足为奇的，但令我憋气的是，在张铁生的"事迹"和"一个小学生的来信和日记摘抄"出来以后，个别的小干部并不是因为我说错了什么话，做错了什么事才反对我，而是真诚地认为老师是革命的对象，因此必须"提高警惕"，随时"注意阶级斗争的新动向"，要"主动发起进攻战"，倘若连续几天都想不出什么意见来，这样的小干部便会为自己"路线斗争觉悟不高"而苦恼。这类小干部对小流氓是深恶痛绝的，在批判小流氓时，他们甚至主张体罚。但是我痛心地发现，他们也同样认为知识多了有害，知识分子是可鄙的；他们也同样认为自己既然是"小将"，属于"儿童团"，那么谁要是批评他们，谁也就是"不抓同走资派斗争的大方向"。他们大多出身在很好的家庭，品行、素质都很好，他们革命的愿望是真诚的，在当时的情况下，他们往往被当做重点培养对象，他们的前途是入党提干，他们似乎是最应该让人放心的接班人。但是，我也比较早就朦胧地意识到，是林彪、江青一伙害了他们，倘若他们不觉醒过来，而继续发展下去，有些人，就很可能发展为张铁生式的人物。我面前也有这样的学生，他们也大多出身在很好的家庭，父母的政治思想水平往往还比一般的家长高，他们既努力学习马列著作和毛主席著作，也刻苦学习科学文化知识，还能自觉地为革命锻炼身体，他们兴趣比较广泛，思想比较敏锐、活跃。但在当时他们却很难入团，因为他们敢于对"梁效"的文章提出质疑，因为他们在批"师道尊严"的高潮中不积极写大字报，因为他们竟然在课后读所谓的"黄书"《青春之歌》……望着他们，我曾经多次欣喜地想过，我们毕竟是毛主席领导的社会主义国家，不管林彪、江青一伙如何兴妖作怪，也不管这样的青少年在前进道路上还将遇到什么艰难险阻，但有一点是可以肯定的：这样的接班人会越来越多，并将成为我们民族和我们事业未来的坚实脊柱……

打倒"四人帮"以后，随着揭批"四人帮"运动的深入开展，我的认识也随之加深，虽然我已经不在学校工作了，但培养下一代的责任仍然担负在肩，我产生了一种强烈的写作冲动，要把"四人帮"毒害下一代的社会现象反映出来，要引起人们的高度注意，要提出解决问题的根本途径，并同大家一起满怀信心地展望未来。于是我写出了《班主任》，向读者提供了宋宝琦、谢惠敏、石红这三个学生的形象。他们当然并不是我教过的某几个学生的模写，他们是虚构的人物，是艺术形象，但他们又确实来自我所熟悉的学生群。我决定向读者展示出一个令人震惊的现象：宋宝琦和谢惠敏的品行相差如此悬殊，但他们对《牛虻》这本书的态度却又如此一致，我写到这一节，终于抑制不住胸中翻滚的愤怒与痛惜的波涛，很自然地发出了"救救被'四人帮'坑害了的孩子"的呼喊。有关《牛虻》的情节也是虚构的，为设计这一情节我颇费了一番心思。但这一情节又确实产生于我所熟悉的生活，我是把一系列生活中亲历的真事加以综合、概括、集中，再加以想象，写出了这一段情节。石红这个形象虽然写得不够丰满，但她也并非我凭空杜撰，石红组织同班同学读《表》的情节，当然也出自虚构，但这种性质的事情，在我担任班主任时，也确实以另外的形式出现过。写《班主任》时，我是并不满足仅仅向读者提供宋宝琦、谢惠敏这种"病孩子"的形象，我希望读者能从石红的形象上，多少感受到我们这个时代青少年的主流，总之，我写《班主任》时，的确有那么一种来"真格儿的"劲头。

事实证明，作者能向读者奉献出"真格儿的"，读者也便能向作者奉献出"真格儿的"，这种作者与读者之间的感情交流与真诚探讨的亲密关系，恐怕是"假门假事"的作品所无法获得的。

我接到了不少这样的信，来信者说自己就是宋宝琦或谢惠敏，他们控诉"四人帮"对自己灵魂的污染与伤害，他们决心奋起同"四人帮"的余毒作斗争。老实说，会有读者来信承认自己在一定程度上就是宋宝琦，这一点我事先有所估计；但对有人主动写信来承认自己在一定程度上就是谢惠敏，这一点我事先估计不足。而事实上来信承认自己是谢惠敏的读者，竟比承认自己是宋宝琦的多几倍！一位女青年来信说，"在'四人帮'横行的那几年，我也同样虔诚地相信报纸上的一切，相信那些镀上一层金色的'闪光口号'，相信被篡改得面目全非的'革命理论'和骗人的宣传……思想上的矛盾实在不能解决了，就一次次地'在灵魂深处爆发革命'……粉碎'四人帮'后，随着批判的不断深入，自己的努力学习，思想认识有了一些提高，但对有些问题，仍然不能深刻地认识它，而这些思想认识上矛盾的解决，对于我走好今后的路，是重要的。看到您在作品中，挖掘着人们心灵深处的东西，并且一针见血……给予我思想上的帮助和启发，该是多么大啊！"像这样的来信不是一封两封，来信者也并不都是在校学生或刚出校门的青年，有个已到中年的科技人员也来信说，对照谢惠敏这面镜子，他感到自己身上也有"谢味"——举例说，揪出"四人帮"不久，他在街头忽然看到了电影《刘三姐》的广告，头一个"本能"的反应是："这样的电影怎么能上演呢？"而第二个"本能"的反应是："我可得想办法弄张票快点看上！"也就是说，一方面"四人帮""文艺黑线专政"论的流毒已经深深渗进了他的意识，使他习惯于用谢惠敏式的眼光去看某些事物；另一方面，同亿万群众一样，他又充满着对健康、美好的精神食粮的强烈渴求。他呼吁：要洗涤我们身上的"谢味"。

《班主任》中的张俊石这个正面形象，也获得了强烈的反响。塑造这个形象时，我也屏弃了"四人帮""三突出"的那一套"假门假事"的写法，认真严肃地从我们熟悉的人民教师出发，通过概括、提炼，力图向读者展现一个"真格儿的"园丁形象。在小说里，我虽然用"平平凡凡，默默无闻"这样的词汇来形容张俊石，但在我的心目中，在我通篇的立意中，我是把他当做一个英雄人物来对待的。不同的历史时期，不同的革命岗位，不同的具体情况下，无产阶级英雄人物虽然本质相同，却各有各的特点。张俊石老师虽然没有手托炸药包去炸毁敌人的桥头堡，也没有用自己的身体去堵住敌人碉堡的枪眼，但在清除林彪、"四人帮"流毒这场关系到我们党和国家的前途，在疗治被"四人帮"坑害的孩子，铸造丰富而美丽的革命灵魂的伟大事业中，他所发挥的特殊作用，其意义，难道不也是同炸毁敌人桥头堡、堵住敌人的枪眼一样重要吗？平凡的是他那工作岗位，而不是他那工作的社会意义。关于这个形象，我不但收到了大量教师的来信，表示要以张老师为榜样，同时，许多其他岗位上的同志也表示要向张老师学习，把本职工作同伟大的革命事业紧密地联系起来。

一些业余作者来信要我介绍创作经验，我感到非常惶恐。我自己也还是个初学写作者，哪里有什么经验可谈呢？我能告诉大家的，也就是：要热爱沸腾的革命生活，正因为热爱，也就不能回避生活中的矛盾冲突、困难障碍，更不能在敌人造成的阴暗面前闭上眼睛，要严肃地从生活出发，运用唯物辩证法去分析生活，分析那些激动着你、使你难以平静的人和事，然后，运用典型化的方法，去塑造个性与共性统一的艺术形象，去开掘尽可能深刻的主题。当然，这其实都是老生常谈，"四人帮"把这些艺术创作的基本原则否定了十多年，所以当遵循这些原则而创作的《班主任》出现时，广大读者便爆发出了一种出乎作者和编者意料的热情。

暴露"四人帮"的黑暗何罪之有？

当然，《班主任》发表以后，也听到了一些非难性的意见。例如一位读者写信给编辑部，他认为把谢惠敏这样的团干部写成"眼界狭窄，是非模糊"，是"对我们青年中的先进分子的歪曲和丑化"，"完全是不真实的，是不能容忍的"。也有人反映说，《班主任》里的三个学生。两个出身于劳动群众家庭的学生（指谢和宋）被写成有缺陷的，一个出身于知识分子家庭的学生（指石红）倒是先进的，这样处理不恰当。这些同志的思想方法完全是形而上学的，这正如说：团干部必然先进，先进必然不可能中"'四人帮'流毒"一样片面。这种反对把教师和他们的子女当成歌颂对象的观点，实际上是"四人帮"关于"两个估计"的错误观点在作祟，我实在不敢苟同。

还有一些人，认为《班主任》是"暴露文学"，是"批判现实主义"，换句话说，就是《班主任》乃是一株毒草。对于这种看法，我是坚决反对的。

关于"暴露文学"，毛泽东同志在《讲话》里说："许多小资产阶级作家并没有找到过光明，他们的作品就只是暴露黑暗，被称为'暴露文学'，还有简直是专门宣传悲观厌世的。"现在一些人口中的"暴露文学"，似乎并不是指上述的这种作品。他们的观点是认为社会主义时代的文艺作品不能暴露黑暗，凡暴露了黑暗的作品，不管动机效果如何，一律给戴上"暴露文学"的帽子打下去。毛泽东同志在《讲话》里说得很清楚："一切危害人民群众的黑暗势力必须暴露之，一切人民群众的革命斗争必须歌颂之，这就是革命文艺家的基本任务。"从理论上"四人帮"也篡改了毛泽东同志对革命文艺家提出的基本任务，把歌颂光明同暴露黑暗对立起来，其实革命事业本身就是光明驱赶黑暗战胜黑暗的大搏斗。

当然，暴露黑暗，作者必须要有正确的立场和态度。在创作《班主任》时，我也曾经反复思考过，向读者提供宋宝琦、谢惠敏这样的"病孩子"形象，在读者中，会不会产生误解呢？但是越到后来，我越理直气壮，因为我充分认识到，自己所暴露的并不是谢惠敏和宋宝琦本身，而是万恶的"四人帮"对青年一代的毒害。谢惠敏的本质是好的，宋宝琦也并非不可雕的"朽木"，我只是把"四人帮"在他们身上造成的恶劣影响揭示出来，使广大读者痛恨"四人帮"，产生出疗治谢惠敏式和宋宝琦式青年的政治热情，这不正是当前的迫切需要吗？

还有一种说法，就是认为《班主任》是"问题小说"。有人使用这个字眼是表示贬义（我们社会主义国家还能有什么问题？你提出问题就是不正确）；有人使用这个字眼则是表示褒义（短篇小说应当带头触及社会上存在的实际问题，"四人帮"给我们遗留下的问题，不是触及得多了而是触及得还远远不够）。就我自己来说，提笔写《班主任》时，并没有把自己的写作任务仅仅规定为提出"救救被'四人帮'坑害了的孩子"的问题，我是力图来回答问题并展示前景的，因而我所刻画的主要人物既不是宋宝琦和谢惠敏，也不是石红，而是张俊石老师。我不是纯客观地把宋宝琦、谢惠敏的问题摆到读者面前，而是通过张俊石这个班主任的眼光，特别是通过他爱恨交织的感情和犀利的剖析，既向读者提出问题，也向读者提供我力所能及的答案。我还有意把整个故事安排到 1977 年的春天，一方面使读者为"四人帮"倒台后流毒依然存在的情况感到触目惊心；另一方面也使全文贯串着一种自然界的和政治上的双重春天气息，使小说对"四人帮"黑暗的暴露，始终作为光明气象的陪衬，使通篇回响着一种激昂的、乐观的、向上的明朗音调。在我看来，运用革命现实主义的创作方法反映现实，应当既敢于面对生活中最复杂的矛盾冲突，又善于引导读者从最困难和最艰巨的战斗中看到璀璨的前景。

绝大多数的读者来信充分说明，《班主任》并没有因为暴露了"四人帮"的罪恶而使人思想混乱，更没有令人悲观厌世。一位青年来信忍不住连连欢呼："读了这样的小说，我禁不住从心底喊出：我们的生活多么美好！我们可爱的社会主义祖国，我热爱您！"不少读者读完小说，忍不住要立即做点什么，为祖国的四个现代化早日实现贡献力量！我在这里引用这些话并不是要炫耀什么，面对着"暴露文学"、"批判现实主义"、"毒草"的指责，我有权利为自己辩护，难道一篇暴露了社会主义制度下不该暴露的东西的小说，能够激起那么多读者更加热爱社会主义的革命感情？难道一篇把社会主义当做批判对象的"批判现实主义"作品，能够赢得这么多生活创造者的热情支持和真挚鼓励？难道一篇"毒草"，能激发出读者对我们亲爱的党、亲爱的社会主义祖国的热情颂赞？当我写到这里的时候，一位读者的话语在我耳边响起："物质的饥渴能叫人死去，精神的饥渴也会置人死地。"某些至今仍然对大胆暴露、批判"四人帮"滔天罪恶的作品，采取堵塞、扣压、歧视、打击态度的人，他们真应该好好想一想，他们这样做会造成什么样的后果？"四人帮"的那些鸩酒式的作品，已经使前面谈到的一位十九岁的姑娘饮后自戕，难道在"四人帮"已经倒台之后，我们还要制作那种"假门假事"的作品，继续蒙骗读者，把他们从生活创造者的队伍中拉出来，或者去破坏生活，或者"愤不欲生"地毁灭自己吗？！

"你是属于我们的……"

读着一封又一封的读者来信，我感到《班主任》已经不属于我自己。北京电子工业战线的一位青年工人在信上说："刘心武同志的作品，使人明显地感觉到：他的作品是产生在大街上，产生在胡同里，产生在对各类家庭的细致采访中，而不是产生于空室高阁的'想当然'和对批判文章的抄编复制中，所以实实在在，可亲可近，读起来淋漓痛快，鼓舞振奋。"但是，他却有一种"很大的忧心"，就是"怎样使刘心武同志的创作风格在新文学的百花园中占据她应有的位置"。这位青年工人对我作品的赞誉令我惭愧，因为我写得并没有那么好；但是这位青年工人的担忧不是没有原因的，"四人帮"的帽子和棍子虽然不见了，但是并没有根除，一些"暴露文学"呀，"毒草"呀之类的风言风语，一待气候适宜就会堂而皇之地变成帽子、棍子，朝着某些得到群众认可、喜爱的作品扣去、抢去。所以，他认为应当对《班主任》这样的作品和这样一条创作路子加以保护。这样的来信不是个别的、孤立的，而是一批。他们以主人翁的态度，就《班主任》而广泛地论及了他们对文艺创作和文艺批评的见解、期望与建议。他们把《班主任》称作"就是写我们生活的"、"写我们自己的作品"；把我称作"属于我们的作者"；他们用炽热的语言表示，要为维护这样的作品和作者，进行必要的斗争！

写到这里，热泪涌到了我的眼眶，对这一切，我确实感到是受之有愧的，我各方面都还很差，我继《班主任》以后写的几个短篇更是良莠不齐，我恨自己写得太少，进步太慢！生活的创造者给予了我这么多，我将怎样来报答？我急需学习、充实，提高，但是我不能搁笔，我要边学习边创作，因为这是战斗，这是生活的创造者们的命令。生活的创造者对我说：要走这条路——革命现实主义的创作道路！我一定坚持走下去！我们的生活是多么美好，我们进行的斗争是多么富有诗意，我心中充满了沸腾的思绪，充满了豪迈的勇气和创作的冲动，我要写！我要努力写出更多更好地无愧于这个伟大时代的作品，我面对着生活的创造者们宣誓！

1978 年 5 月

穿越八十年代

1976 年 10 月，中国大陆的"文化大革命"结束，其标志是江青等"四人帮"的被捕。但在其后的"华国锋时期"，政治上提出"两个凡是"（凡毛泽东说过的、做过的皆不可非议否定），当时随之出现了一些批判"四人帮"而仍歌颂"文革"的小说和电影。于是出现了一场思想解放运动，其锋尖是彻底否定"文革"。1977 年 11 月的《人民文学》杂志，发表了短篇小说《班主任》，这篇小说尖锐地控诉了"文革"所造成的文化断裂，揭示了"文革"在大陆青年一代心灵上划下的伤痕。虽然前此已有一些"地下文学"触及了这一主题，并且陈若曦已在海外发表了《尹县长》，但《班主任》却是在大陆当时发行量最大的文学杂志上公开地发表，因此立即引起了全国性轰动，引发了一场"伤痕文学"运动（1978 年出现了一篇名为《伤痕》的短片小说，形成高潮）。

《班主任》是我写的。这并非我的"处女作"，却是我的"成名作"。在大陆，《班主任》成为"文革"所造成的文学荒芜期终结、新的播种期和收获期起始的转折点界标。它迅即进入大陆大学文学系的当代文学史教材，在海外也首先引起了汉学界的注意，被译为了英、日、德、俄、法、瑞典等文字。

1978 年下半年，通过中国共产党十一届三中全会的召开，"文革"被彻底否定，"华国锋时期"结束，进入了按邓小平的设计，从事有中国特色的社会主义建设的新时期。

随着改革开放的进程，大陆文学蓬勃发展，到八十年代初期，渐渐呈现多元状态。像《班主任》那样的承载着社会乃至政治重负的文学作品，不仅使许多作家感到难以为继，许多读者也渐失兴趣；文学对社会特别是对政治的干预，也必然引出政治的反干预；对于文学本性和特质的思考与探讨，日渐活跃与深入；又有大量外部世界的信息涌入，特别是使大陆作家倍感新奇的西方现代派、后现代派，以及拉丁美洲的"文学爆炸"，都搅动着大陆文坛。在这种情况下，我该怎样写下去？

八十年代初，一起以"伤痕文学"活跃于文坛的文友，有不少后来沉寂下去了。除了个人兴趣转移，在新的社会、文化态势下如何写作的困惑不得解脱，恐怕是更重要的原因。

我在保持对社会问题关注的前提下，及时地调节我的文学步伐。我意识到，文学固然可以在特定的历史时期起到"启蒙"和"救亡"的作用，在太平盛世亦可承担一些"教化"之职，但这都只是文学的外部功能，文学的"内性"，却是以作家的个性眼光，透视着世道人心，特别是探索人的灵魂，直到人性的深处。因此,我及时地改换了"伤痕文学作家"的角色。1979 年，我发表了短片小说《我爱每一片绿叶》；1980 年发表了中篇小说《如意》；1981 年发表了中篇小说《立体交叉桥》。这三个作品虽然很令某些支持过我《班主任》的评论家失望乃至不满，却在读者中获得了很多知音，也继续引起了海外注意，三个作品都得到翻译，《如意》拍成电影后更获好评。这三个作品，使我定位于中国大陆当代人道主义作家的行列。

八十年代中期，注重小说本文叙述方式，以及热衷于"语言颠覆"的"实验小说"在大陆文坛兴起，出现了一些"不肖"之作和令人"看不懂"的小说，有些较年轻的作家因此在文学圈内很引人瞩目。我自知不必随潮而动，但亦认识到需极重视小说的艺术性，从结构、文体和语言都必须力求创新，力求个性化和精致化，因此，我在 1985 年拿出的长篇小说《钟鼓楼》，就不仅有对现实生活的关注，有渗透于风土人情的描摹中的人性探索，也有结构上的创新和叙述语言上刻意风格化的追求。1986 年《钟鼓楼》获得了大陆文学最高奖"茅盾文学奖"。

八十年代后期,有人概括说:仿佛有一只叫做"创新"的狗在后面追赶,使得作家们一路疯跑。这样就有越来越多的让大多数读者看不懂的小说产生,这些作品的内容离公众关心的事情当然很远。我对这些可以创新得令人看不懂的作品抱很友好的态度,但我本人却在这时尝试把自己的笔锋逼近社会热点,写一种既是读者要读的热门题材作品,又使这作品具有相当的艺术性,而且也充分体现出我的人格个性和文体魅力——我取得了成功,纪实小说《5·19 长镜头》、《公共汽车咏叹调》不仅在读者中又一次引起轰动,搞"前卫文学"的人也给予尊重,海外也广为译介。嗣后大陆文坛兴起的纪实文学浪潮,不能不说与我的这几篇作品所引出的效应有相当的关系。

这样,我就成了一个穿越整个八十年代,并引发出几次轰动的大陆作家。

进入九十年代,我个人的处境不如前十多年。总而言之,我是从中心向边缘移动。但经过短暂的停笔,我在创作上又渐渐活跃起来。1991 年我完成了反映 1990 年北京社会众生相的长篇小说《风过耳》,并在 1992 年得以出版,该书中的几个"文化侏儒"形象引起了文化界人士的比较强烈的反响,甚至有评家夸赞为"九十年代的儒林外史",该书在半年内连印三次,与发行过十万的锋头作家的大热门书相比,仍不是最受关注的作品。1993 年我又出版了长篇小说《四牌楼》,这是我从 1986 年开始构思,1987 年、1989 年两次停笔,1991 年推倒已写成的大部分章节,几经调谐才杀青的一部作品,是至目前止我自己认为最能代表我文学追求和文学功力的代表作,由上海文艺出版社出版的这部长篇小说的封面上印有这样四句话:"对清白灵魂的大拷问,对芸芸众生的大悲悯,对离合生死的大彻悟,对极左路线的大控诉。"但这本书初版仅印了 6000 册,报刊上到目前为止报道与评论都还很少,远不是一本热门的畅销书。它也许恰既标志着我创作上的进步,也证实着我的"边缘化"处境。

从 1992 年起我在报刊上发表了大量的散文、随笔作品,并不断结集出版。我还研究《红楼梦》,所发表的关于揭开秦可卿出身之谜的论文,和所写的《秦可卿之死》的小说，都引起了"红学"界的注意。

我也还在发表短篇小说和中篇小说。

至 1993 年，我在大陆、港、台和国外已出了五十余种个人专著。八卷本的《刘心武文集》亦在 1993 年年底由华艺出版社出版。

估计我的文学创作活动，仍能穿越整个九十年代。

我出生于 1942 年 6 月 4 日。在发表《班主任》走上文坛之前，我经历比较单纯，绝无传奇性。我当过中学教师、出版社编辑，虽有相当的人生体验，却毕竟视野比较狭窄。我走上文坛时已 35 岁，开始的作品如《班主任》思想虽锐利，使用的符码系统却是旧的公用的政治性很强的符码系统，不像八十年代的一些青年作家，一出手便直逼文学的本性，并立即使用着个性的符码系统；我是经过一番努力和探索，才终于形成自己独有的符码系统。要超越我的弱点，我就必须发挥我思索问题比较深细、艺术感觉比较灵敏和独到的特点，使我的作品能于人见人熟的凡人琐事中，窥到悟出世道人性的惊心动魄一面。当然我在八十年代走上文坛后一度处于文化界的中心位置，1987 至 1989 年还担任过大陆最重要的文学刊物《人民文学》杂志的主编，是神州大地社会政治事件和文坛风云的近距离观察者乃至身经者，这当然是一笔可贵的人生与心灵的财富，是我九十年代以至下个世纪从事文学创作取之不尽的源泉。

我祝福自己，能继续贯穿于今后的中国文学发展之中。

此事无捷径
——记与文学青年小G的一次谈话

小 G：我来找你，是想请你谈谈成功的秘诀。

刘：我觉得自己目前的状况，还谈不上真正获得了成功。按我的理解，写作事业上的成功，是写出了能经受时间考验的高质艺术品。我离这个境界还有很大的距离。

小 G：不管怎么说，你的《班主任》等小说毕竟引起了轰动。你是怎么"一炮打响"的？

刘：我并不是"一炮打响"。在发表《班主任》以前，我已经发表过一些东西，甚至已经出版过一本中篇小说，但是这些东西不但都未打响，有的今天看来已经过时，甚至是错误的。至于写出来而未能发表的纯废品，那就更多了。

小 G：原来你也有这么个过程。你是怎么起步的呢？

刘：我是从学写"豆腐块"开始的。所谓"豆腐块"，是指报纸副刊上的小块文章。上中学的时候，我就很爱看报纸副刊，无论是散文、杂文、影剧评论、科学小品……我都爱看。看得多了，就产生了这样的想法：我不也可以试着写写吗？于是就练起笔来，写千把字的文章。

小 G：你是怎么发表第一块"豆腐"的呢？

刘：我的第一块"豆腐"倒没有发表在报纸副刊上，而是发表在 1958 年夏天的《读书》杂志上。当时我看了许多文学书籍。中国的、外国的；并且广泛阅读各种杂志，不仅是文艺性的杂志，像《知识就是力量》、《大众科学》、《世界知识》等等也都每期必读。那时候我上高二，有一回看《读书》杂志，见里面有讨论苏联小说《第四十一》的文章，恰巧我刚看完这本小说，觉得有一些看法同人家文章里的意思不同，于是便写了一篇文章，投寄《读书》杂志，没想到他们不久就刊登了，题目就叫《谈〈第四十一〉》。

小 G：是不是你认识那个杂志的某个编辑，有他帮忙，人家才登的呢？

刘：那个杂志的人我一个也不认识。现在有些青年同志，总以为搞文学也得靠走后门，其实文学这个事业本身的特性就决定了它是必须从前门走才走得通的。

小 G：这话我不服气。我就知道有些人的东西确实是托关系才登出来的。

刘：这是令人痛心的现象。过去这种现象即便不能说绝对没有，也是很少很少的。当然现在也不能说比比皆是。如果作者确有才能，作品确有质量，通过熟人转交编辑部，按正常的程序被选用了，这当然不算走后门。可怕的是作者并无能力，作品也很平庸，却通过拉关系、搞交换，排挤掉质量较高的作品发表出来，这是一种腐蚀败坏我们文学事业的罪恶行径。

小 G：既然有这种现象存在，那你怎么说文学这个事业必须走前门才走得通呢？

刘：因为文学这个事业必须靠独创性。真正站得住的作品，一定是高质量的，这高质量既体现在作者通过作品所表达的新鲜而深刻的思想上，也体现在作品本身的艺术感染力上。如果是小说，那么还得塑造出血肉饱满的、栩栩如生而又有典型意义的人物形象。这样的作品即便确实是通过熟人推荐发表出来的，也还得算是前门进来的东西，因为即便没有熟人这层关系，它到了编辑部里，也是能被发现出来，并予发表的。

小 G：真有这样的情况吗？

刘：多得很。比如在 1979 年全国优秀短篇小说评奖中赢得第二名的《小镇上的将军》，这篇稿子就是作者陈世旭直接寄到《十月》编辑部，混杂在一大堆各式各样的来稿之中，被编辑同志发现并选中发表出来的。陈世旭当时是江西一个县文化馆的工作人员，名不见经传，在见到这篇作品之前，《十月》编辑部里谁也不知道他。据说这确实是陈世旭正式发表出来的头一篇作品，他才算是"一炮打响"，而且不同凡响。他的成功，有力地说明了搞文学要坚定不移地走前门，凭作品的质量去求得成功。没有才华、不下苦工，靠后门把平庸乃至粗劣之作印出去，哪怕可以搞它几年，印成集子，出成大厚本儿，到底是不中用的，这样的东西除了供作者本人自娱，读者不愿看，批评界不屑评，是毫无价值可言的。文学事业的大门，永远只向真正下苦工夫摸索实践的人开放。

小 G：原来如此，你在发表《班主任》之前，写了多少"豆腐块"文章呢？

刘：写了多少可算不清楚了。到 1966 年运动爆发之前，发表出来的大约有七十来篇。前面说到我发表的头一篇文章是书评，文章发表以后，我天真地想：今后我可以当个书评家，于是我又写了一些书评，投寄各种报刊，结果都给我退了回来。

小 G：可见埋没人才的现象，那时候就很严重。

刘：就我个人的遭遇而言，我得不出这样的结论。不是人家埋没我这个人才，而是我不自量力。当时我是个高中学生，读书相对而言比一般同学多，兴趣比较广泛，也有些个小聪明，爱思索，但是我并没有系统地学习过文艺理论，也缺乏完整的文学史知识，更不用说我的思想还很幼稚，见解很不稳定了。在这种情况下，就企图成为一个书评家，不是很可笑吗？也许对《第四十一》或某几本具体的书，可以写成一篇文章表达一下自己的意见，但是见书便评，硬写文章，那不是好比还没学会走路便想参加长跑比赛般滑稽吗？所以，我也劝你一步一步地来，量力而行，循序渐进。

小 G：人家陈世旭，不是一家伙就捅出个硬邦邦的短篇小说了吗？从"豆腐块"开始，慢悠悠地循序渐进，岂不是太笨了吗？

刘：各人的天分不一样，走上写作道路的历程不一样，当然不能一概而论。天津有个作家冯骥才，和我同龄，他多才多艺，琴棋书画，体育狩猎，无所不通。他首先是发表长篇小说，然后发表中篇小说，最后才发表短篇小说。北京有个作家谌容,是个女同志,和我同乡,也是四川人,她发表的头一部作品是长篇小说《万年青》,此后又写了长篇小说《光明与黑暗》第一部,这个作品计划写四部;后来她又发表了《永远是春天》、《人到中年》这么两个中篇,反响强烈;她在发表了这么多中长篇后,才开始发表短篇。他们都是走着先长再中后短的路子。他们就不是从发表"豆腐块"开始。但是,通过同他们接触,我得知他们在创作、发表这些长篇巨制之前,有着长期的、充分的、坚韧不拔的准备阶段,他们也有他们的"豆腐块",如读书笔记、素材笔记、写作提纲等等,只不过这些"豆腐块"没有发表出来就是了。

小 G:原来我和一些同伴以为你是"一炮打响"的典型,现在才知道你走过的路竟比许多人还长……

刘:而且我走得比他们都慢。脚步很小很小地往前挪动,有时还摔筋斗,有时绕出很大的弯子……直到现在,我前进的步伐也不大。

小 G:你1966年运动起来以前发表的那些个"豆腐块",都是些什么东西呢?

刘:不值一提。不过回想起来,我倒并不脸红。我就是这么走过来的嘛。我发现自己强写书评不行,便决定改写更适合自己来写的东西。这点自知之明推动了我的进步。如果说有经验,那么人贵有自知之明这就是一条经验。这一两年我常接到这样的青年人来信,说有个写作计划,要写三大战役,写海外生活,写一百万字的三部曲,也许其中个别的人确有那样的生活积累,或掌握大量资料,下过苦工夫钻研,因此有可能写成功;但从来信讲述的情况和文字水平上看,我以为他们当中的绝大多数如不改弦易辙,是肯定要碰壁的。比如说,一位始终生活在某个小城市的青年,也没有机会系统地阅读大量的资料,就想写欧美国家的生活,连人家怎么喝咖啡、怎么使用冰箱都弄不清,连英国人和法国人在饮酒上的不同习惯都不了解,连威斯特敏斯特寺(在伦敦)或香榭丽榭大街(在巴黎)的景色也不知道,却要写发生在那类地方的故事,这怎么能行呢?所以学习写作要量力而行,先写自己最熟悉的东西,从自己切实的所见所闻所感中找写作材料。那时候,我悟出自己强写书评不是个路数,便立即扭转方向,试写自己最熟悉的东西,而且从最简单的形式练习起。写这些"豆腐块",锻炼了我的思维能力、想象力、表达能力、鉴赏力,对我后来的正式写作,起了很好的练笔作用。我另有一篇《从"豆腐块"开始》的文章,专门谈了这个问题。

小 G:那么你正式写作是从什么时候开始的呢?

刘:1966 年夏天一到,你也知道出现了什么情况,我不但目睹了整个文艺界的全军覆灭,而且就因为自己写过那么一点点根本算不上作品的"豆腐块",也遭了殃,所以有好几年就彻底断绝了写作这条心。到了 1972 年,落实了某些政策,气候稍有转暖,学校生活似有回复正常的希望,我才又萌生了写作的欲望。这很奇怪,一个人要是爱上了文学,只要有一线可能,他就总想尝试一下……

小 G:这种心情我很能理解。

刘:于是到了 1972 年下半年,我就开始写一部反映学校生活的小说,写完一数,有二十来万字。这可以算是我的第一回正式创作。

小 G:这本书出版了没有呢?

刘:这是一回失败的尝试,书没有出成。客观因素不讲了,就主观因素来分析,除了我写作技巧稚拙而外,主要是因为我也中了"四人帮"那一套"创作理论"的毒。一方面,我对江青他们搞的那一套反感;另一方面,我又多多少少接受了"无产阶级专政下继续革命"的理论,多多少少接受了"根本任务论"一类的"创作原则"。你想,思想处于这样一种矛盾、混乱的状态,能搞出成形的作品吗?

小 G:那你可真是白费了工夫了。

刘:事物也要辩证地来看。这个失败从某种意义上来说,也是个胜利。我从矛盾的痛苦中,终于悟出来,应该同这样的写作路子决裂,另走新路。"四人帮"被粉碎,我这样的作者获得了走上新路的可能。说新路其实也不新。这条路就是现实主义的创作道路。这条路在我们中国是有着悠久的传统的。不过到了"四人帮"统治文坛那十年里,这个传统被他们切断了。我在粉碎"四人帮"以前出版过一本中篇小说《睁大你的眼睛》,当时因为这本小说没写同走资派斗争,还曾被有的人指责为"眼睛虽睁大了,焦距却没对准!"这本书故事编得很巧,一环扣一环,现在有的同志说我不大会编故事，我的小说情节不强，其实那是因为他们没见过我这样的作品，我是颇能编制巧妙情节的。然而，故事再曲折巧妙也究竟不中用，因为总的来说我还不会现实主义地描写生活。粉碎"四人帮"以后，我还发表了《果实累累》、《"黑枣"和"炸药包"的故事》这样的短篇小说，故事性也蛮强的，但依旧是从概念出发的东西，离现实主义依旧很远。后来发表了《玻璃亮晶晶》这样一个儿童文学的短篇小说，稍许朝前迈进了一步，但现在看来，那只不过是有了一点点现实主义的味道而已。真正痛下决心重新起步，"来真格儿的"，还是从写《班主任》开始。

小G：原来你的《班主任》是在走了这么长一段路，包括走了弯路的情况下写出来的。

刘：从《班主任》起，我才算真正开始了像样的写作。我比较自觉地遵循现实主义的路子前进。不过，我的步伐仍旧是不稳定的，回顾两年多来留下的前进轨迹，应当说还是一个"之"字。

小G：我们年轻人坚决拥护这条现实主义的文学道路。我们也要坚定不移地走这条路！

刘：事实上许多年轻人已经走到前列了。这几年我结识了不少比我年轻而才华横溢的青年同志，从他们那里学到了不少东西，特别是严格而坚定的现实主义创作态度。走现实主义的路，这就是意味着要真诚，要真正敢于面对复杂而丰富的现实生活，要真正敢于面对各种各样复杂而丰富的灵魂，要大胆地说真话，为追求真、善、美而不惜作出牺牲。因此这就必须同任何程度、任何形式的看风使舵、趋炎附势、虚伪懦弱、投机取巧、走后门、拉关系、搞交换、轻浮的低级趣味划清界限。这是一条艰辛而光荣的道路。

小G：是呀，走这条道路，真是无捷径可言。

刘：文学这个事业没有捷径可走，已被中外古今的大量事实证明。凡走捷径而暂获"成功"的，总是站不住的，经不住人民群众检验和时间考验的，也是很不光彩的。

小 G：不过你反正已经有了《班主任》，你算把路踏出来了，你走起来总比我们轻松。

刘：不见得。我现在痛感自己无论在生活积累、艺术修养、写作技巧、知识面等方面都十分欠缺，今后要真正写出像样的作品，还得下苦工夫才成，否则，随时都可能落伍，读者对作者作品的要求永远是不会也不应当降低的，时代的车轮也不可能停住它的奔驰等待我们犹豫徘徊。让我们互勉，在现实主义的创作道路上勇敢前进吧！

1980 年 6 月

故事·人物·出新·风格

写小说有各种途径，我只讲个人写小说的体会，当然，带有很大的片面性和局限性。

我觉得初写小说，拿我自己来说，首先是学编故事。我开始写小说的时候，故事总是编不圆，比如编来编去，一推敲，时间不对头，小说中的人物以极快的速度在十分钟内做了许多事情，不合理；要么是前面这么写了，到后面对不上茬，自相矛盾了。一些青年同志的小说之所以不行，很重要的是存在许多不合理的成分。

粉碎"四人帮"以前，提倡"三结合"的创作方法，先由领导出一个题目，定好主题，然后从当地找一些有文字能力的作者，再加上编辑，领导机关再出一个人，三方面一块写小说，大家在一起就编故事，总是编不圆。我曾参加这样一个"三结合"小组活动，写一个山区开路。本来修这条路就是人和自然的斗争，怎样克服三九严寒，怎样克服修路中的自然障碍。但在当时气候下，就一定要以阶级斗争为纲，一定要写一个反面人物，一定要写一个老地主，老地主一定要搞破坏。大家就把自己当成地主，想方设法来破坏修路。这个人说，地主把炸药偷出来，把关键的地方炸坏了；那个人说，地主到食堂放砒霜、放毒；还有的说，我要是老地主我有好办法，就是把女主人公推到河里去。编来编去不合理。之所以故事编不圆，不合理，最根本的问题是不从生活出发，而是从概念出发，为了表达某一个概念，非要去改变生活本身的面貌，生编硬造，自然故事就编不圆。

后来稿子没写成，书也没出。粉碎"四人帮"以后，这个小组就解散了。

有些同志写的小说，虽然是从生活出发的，故事还是不合理。那种独特的生活总是比较少，大多数作者接触的生活比较平淡，也许有的生活感动了作者，可是原原本本记录下来是不行的，那就成了流水账，很枯燥，必须把生活加以提炼，也就是不可避免地要组织情节，要编故事。但还是编不好，这就是缺乏编故事的技能、技巧了。

我在中学的时候，要写一点小说，总是编不成。有人就介绍我读美国作家欧·亨利的短篇小说。现在我还认为，他的短篇小说是指导初学写作的同志编故事的典范，是编故事的很好的教科书。这个作家在世界文学史上算不得一流的作家，但他是稳定的二、三流的作家，他的主要才能就是编故事。大家都很熟悉他的短篇小说《麦琪的礼物》、《最后一片叶子》，故事编得很巧。我就从这样作家的作品中汲取营养。完全没有技巧写不了东西，你得有点办法，看一看这样作家的作品，就能学到一点办法，怎样把素材加以剪裁，提炼，让它显得很巧妙，使故事在情理之中，又在意料之外。

一个初学写作者，只停留在能编一个合理的故事上，还是不行的。一篇小说要成功，更主要的是写出人物来。翻开美国文学史，评价最高的不是欧·亨利，一本简单的文学史几乎就不提他，一提就是马克·吐温、杰克·伦敦、德莱塞。欧·亨利的小说虽然故事性很强，很巧妙，但他笔下的典型形象不多，不是以人物取胜，人物形象不是非常丰满。因此，还不是上品。

真正好的小说要写出人物来。一些老同志提醒我看一看契诃夫、莫泊桑的小说，我看了，比较开窍。拿契诃夫来说，他的小说故事性不强，和欧·亨利是两个路子。他早期的小说故事性强，越到后期越没有故事，像他后期的《宝贝儿》（有的译本译为《亲爱的》）就没有故事，他就是刻画一个活生生的人物，有这样一种人，他没有自己的思想，没有自己的看法，他总是受别人驱使，掌握他命运人的思想就是他的思想，他只能是重复别人的思想、语言。这是永恒的典型。契诃夫不主张以惊险的情节、离奇的故事、揪心的悬念取胜，他的《没意思的故事》，如果追求故事性的读者来读，确实没有意思，但他塑造了典型人物。今天看《没意思的故事》，感到我们的生活、我们的民族、我们的国家，和契诃夫写的人物状况是那么不一样，但确实又有一种共性的、永恒的东西，就是人们对于光明的、灿烂的、实实在在的生活目的的追求；一个人不管你获得了多么大的荣誉，多么高的地位，如果你没有一个真正的、有价值的生活目的，那么你还是多么地空虚、多么地无聊。他通过典型人物概括出这样深刻的主题。写人物主要是把人物性格写出来，把人物的特殊身世、特殊经历、特殊气质、在生活中他对眼前事情和周围人物特殊态度写出来。

我的小说在人物形象方面还是不大够的。如果说在这方面的努力和小有进步的话，就是《我爱每一片绿叶》这篇小说做了一点尝试。这篇小说主要写了一个中学教员，没有什么故事，就是写这么一个人，工作非常努力，非常认真，工作成绩显著，政治上、思想品德上找不到什么缺点；但这个人性格很孤僻，他有很多怪癖，比如一个人住一间小屋子，床上总是蒙着一层白被单，一尘不染，还不许你去坐，他的书桌抽屉里放了一张和抽屉底面积等大的大照片，照片是一个青年姑娘。他有个人的秘密。我写这个人物，是希望大家联想到生活中周围的人，甚至联想到你自己。我想通过小说提出一个问题，就是在我们这样一个国家，这样一个社会，是不是允许人家有个人秘密。应该允许每个人有自己的性格，不光是允许，还要提倡，让每个人都能充分发挥自己的个性。

小说有了故事，有了一两个比较鲜明的人物，也能发表了。也许有的作者毕生停留在这个水平上，甚至能写一个长篇，能出一个集子。但他的作品的生命力还不是那么强，那是为什么？因为仅仅是这样还是不够，还得往前走。再往前走，就要解决一个下笔的角度问题，结构上要出新。从去年起，有许多作者在生活中觉得有这样的东西可以写：有的老干部，被"四人帮"迫害过，恢复工作以后，就有点忘本了，对那些保护过他，给他过力量的工人、贫下中农摆架子了，有点隔阂了，生活中确实存在这样的矛盾，这当然是人民内部矛盾。这样的老同志因为地位变化了，有些官僚主义了，有点特权思想了，应该给予善意的批评。很多作者注意到这样的素材，认为值得写，也出现了很多这样的小说，我读了有十篇之多。但大多数都比较一般，总不能给人留下深刻的印象。高晓声写的《陈奂生上城》，大体上也是这样的题材，但角度很新，构思很巧妙，陈奂生这个形象也很鲜明，惟妙惟肖。文学创作最忌讳和别人雷同，不但已经出现的你要回避，动笔时还要想，别人现在也在写这个题材，他可能这样写，他这样写，我偏不这样写，我另辟蹊径。一个作者达到这个境界，他离成功就比较近了。我很喜欢林斤澜同志的小说，我觉得斤澜同志有一种小说家的骨气，他誓不与别人作同样语，我把他的小说叫"怪味小说"（他自己不一定同意，别人也不一定同意这样说）。我是四川人，四川有怪味鸡，又麻、又辣、又咸、又甜、又苦、又涩、又酥，我觉得林斤澜的小说就是怪味鸡。我读了很多篇写干校生活的小说，大体就一个模式，写一个知识分子，或者一个干部，是某一方面专业的专家，有工作能力，可领导干校的人却偏要他做最不熟悉的事情，让他出笑话，愚弄他一番，给他心灵上造成创伤，写干校怎么埋没干部和知识分子的才能。林斤澜的小说《神经病》，就和我看到的同类题材的小说不一样，这篇小说写了三个知识分子，没有更多地写迫害打击知识分子的"四人帮"力量，他写三个知识分子在那个环境中，知识分子灵魂被扭曲了以后那种变态表现，写得很深刻，起码是很新鲜的，确实和怪味鸡一样，味道很浓。我对自己有个要求，我写出来的东西要跟别人不一样，如果我估计和别人一样，我就不写了。

达到这个境界，还可以往前走。真正要激动许许多多人的心，求得比较大的共鸣，还要求你的小说有一个比较新的思想。这就很难了。对同一个作者也不可能每篇都做到这一点。《班主任》这篇小说，缺欠是很多的，那篇小说故事编得不太圆满，拿人物来说，花了很多气力写的教师张俊石给人的印象也不是很深刻，有一个人物，大家很感兴趣，就是谢惠敏，从艺术性上要求她还是很单薄的，只是一个初具轮廓的形象，但为什么引起了很多人注意呢？就是在当时的情况下，这个形象多多少少提出了一点新思想。在 1977 年末粉碎"四人帮"以后，思想解放运动还没有蓬勃开展起来，"四人帮"把学校教育破坏得不像样子，大家都想到了，《班主任》出来之前，有的小说写到了学生砸玻璃，纪律混乱等等，培养出好多小流氓、文盲，这也有人想到了。我的小说中宋宝琦这个形象也不是很空洞的。在"四人帮"最猖獗的情况下，有许多教师还是勤勤恳恳地工作，努力克服重重困难，去尽自己一点责任，这些大家也都想到了，当时也有些作品开始触及到这个问题。这都不是很新鲜的思想。《班主任》多多少少有一点新的东西，就是提出了谢惠敏这个形象，大家认为这种人最没有问题了，是共青团员、团支部书记。她遵守纪律、尊敬师长，也没有交白卷；她没有打砸抢，也不要流氓，她很正经，很严肃；她是好学生、好团员、好孩子。但是，通过我的切身体验，通过这个形象提出了一点新思想，呼吁大家注意，这样的学生，也是"四人帮"对中华民族的一种残害，他们培养出一种小假正经，但谢惠敏还不是很自觉的，这种人没有真正的建设国家的本领，而只是做上面路线、方针的传声筒，思想很僵化、很狭隘，拒绝接受人类文明成果当中许多美好的成果，她不把自己变成一个思想很丰富、知识很丰富的很有建设能力的人，而且还去阻挠别的同辈人朝这个方向发展。当时报纸社论没提出这个问题，新闻报道也还没提出这个问题，理论文章也还没提出这个问题，人们议论得很多的，也还不是这个问题。这篇小说多多少少在这方面提出这个问题，大家一想觉得是这么回事。"四人帮"摧残我们的下一代，不光是造就了好多流氓，造就了张铁生这样的人；而且也造就了一批不学无术的"小正经"。《班主任》在这一点上稍有些突破。我总结《班主任》有所收获的话，这就是一点，最好有点新思想，引起更多人的注意。谌容同志的《人到中年》之所以获得成功，引起轰动，为什么呀？就小说的故事来说，比《人证》，比《沙器》，比那些电影故事差多了，没有惊险的情节；当然，她的构思角度很新，把人物的命运，编织在短短的时间里，但别人也可以做到这一点。她就是有一点超出了别人，一下抓住了整个社会都很关心的中年人问题，为千千万万中年知识分子向社会发出了呼唤：你们看看我们是怎样生活的吧！小说传达出了这样一种心声。世界上的小说五花八门，以拨动亿万人心弦取胜的小说，只是各种各样小说中的一个门类，不是说都得这样搞。有的小说不一定有惊人的新思想，也不一定拨动那么多人的心弦，但依然可以成为艺术精品，在文学史上不朽。那样的例子也是有的。

我讲的是我的体会，不是普遍的道路。吉林省有个作家鄂华，他的路子就很怪，中国找不出第二个来，他就专写国际题材的小说。他是湖北人，在四川长大，在北京上的学，最后来吉林扎根；但他的小说既不写湖北，也不写四川，也不写北京，也不写吉林，他写法国，写西德，写意大利，写西班牙，写美国，他和大多数人的小说是两个路子。但鄂华小说的艺术价值，也相当高。就是说，写小说路子很多，每个人根据自己的气质，根据自己的写作习惯来确定自己的路子。

说老实话，《班主任》更主要的意义，是作为思想解放运动中的一个现象，而不是一种纯文学现象。据说国外有些人比较关心我，日本还有一个刘心武作品研究会。我是头脑很清醒的，国外有一些人并不是真正把我当做一个作家研究，更多的是把我和我的作品和我同辈人的作品当做中国的政治思潮的一种反映来研究，这并不是一件多么光荣的事情。我自己要是飘飘然的话就不行了。我写的东西从国外一些人的角度来说，就是有情报价值，就是中国出现这种作品了，从我这样的小说中去估量我国思想解放的程度，人家主要是当做这么一种材料来研究。到目前为止，我写了若干短篇小说，我觉得还没有一篇是真正的艺术品。说我是作家，我很惭愧，我是一个愿意或者说是向往成为一个名副其实的作家的人。要达到这一点，归根结底你得有自己的风格。

风格本身有很丰富的含义，就是一篇作品捂上了名字，人家一看就知道谁写的，没错。这是判断一个作家有没有风格的最粗浅的标志。我现在写的短篇东一篇，西一篇，一篇这样，一篇那样，捧我的说，你是多样尝试，实际是没有自己的风格，是扭秧歌，东摆一下，西摆一下，进两步，退一步。扭秧歌固然也是一种舞蹈，但那是一种低级舞蹈，离芭蕾舞还差得远呢。

形成风格比较难，作家的风格最终是体现在语言上。我写作品，觉得最难最难的是语言，我在寻找一种最适于表现我自己思想情绪的语言，但还没找到。《班主任》有很多议论，《光明日报》就此展开过一场论战，因为报纸篇幅有限，没有继续下去。讨论的问题是刘心武的小说有很多议论行不行？对不对？许不许？好不好？我从讨论中得到许多启发。维护我的说刘心武的议论非常好，有人说总的讲还不错，有人说是一种风格，这是对我的一种鼓励和偏爱。我自己很清楚，我的议论并不是什么风格。小说可以不可以议论？当然可以议论，但像我那种议论，往往是因为没有办法了，或是我比较急于把自己的思想表述出来。今后，我的作品中应该怎样议论，我还没考虑好。

最难的是找到一种独特的语言。有些大师已经达到了这种境界。最近读了两本书，一本萧红的《呼兰河传》，萧红死时才三十二岁，真是一个才女。我看《呼兰河传》佩服得要命，《呼兰河传》是高档的作品之一，我觉得《呼兰河传》超过欧·亨利小说的水平。欧·亨利的小说无非是故事很巧妙，《呼兰河传》当然也有故事，但不是拼命写一个人物，不是以很新的思想取胜。《呼兰河传》什么东西迷住了我，就是小说极为独特的、和世界上任何一个作家都绝不相同的叙述方式——那么自然。可以想象萧红写小说的时候，就完全不费力了；不像我们写东西很痛苦，笔好像有几千斤重。《呼兰河传》如行云流水，舒卷自如，她写一句，有的时候还重复一遍，你觉得好像无论如何应该删去，可你再一看，还真不能删；它忽然有一段特别长，忽然有一段只有两行，仔细一琢磨，非这样写不可。人家是真正有风格的。孙犁同志的作品也真是有风格的。像鲁迅、郭沫若、茅盾、巴金、老舍、冰心、夏衍，都是中国有风格的大作家。我们虽然离他们所达到的境界很远很远，但是，如果我们真想成为一个名副其实的作家，我们就应当向这个境界登攀！

1980 年 7 月

怎样架起这座桥？
——与文学青年小B的一次谈话

小B：动笔写作品之前，要不要先确定好主题？

刘：我写小说，都是有一定的目的性的，但这种目的性，往往一下子还不能形成确切的主题。

小B：没有确切的主题，你怎么下笔呢？

刘：所以不能轻易下笔，要在构思上多下工夫。构思的过程，既是人物性格、人物命运由朦胧至清晰的过程，也是主题由朦胧至清晰、由浅入深的过程。

小B：那么，当构思完成以后，下笔写作时，是不是一切都围绕着既定的主题进行呢？

刘：也不是。在写作的过程中，还要对构思中形成的东西，不断地加以调适、补充、修正。这时候，主题就可能有进一步的深化，乃至于写着写着，竟转移甚至否定了原有的主题。

小B：这么空说，我听着吃力。能不能以具体作品为例，比较细致地告诉我。比如，你那篇《我爱每一片绿叶》，"给个性落实政策"这个主题，究竟是怎么出来的？

刘：首先是产生了一种创作的原始冲动。这种冲动不但还称不上什么主题，甚至还构不成一种明确的针对性，也就是还构不成一种明晰的创作目的。

小 B：这冲动从何而来呢？

刘：当然不是从政治理论、报刊社论、首长讲话、文件精神中来，而是从生活中来，从直接的见闻感受中来。你知道我在中学当了多年的教员。粉碎"四人帮"之前，学校里触目惊心，刺激人的事很多，因此一些相对不那么惊心动魄的人和事，就淹没在了尖锐复杂的生活旋涡之中。粉碎"四人帮"以后，我们的生活相对来说逐步变得平静起来了，于是犹如大海退潮一般，原来被掩盖在浪涛之下的小东西，就留在了沙滩上，显得引人注目了。于是我注意到了某些教员的遭遇，他们在十年混乱当中，算不上受冲击最厉害的，但是粉碎"四人帮"以后，"走资派"官复原职了，大量"现行反革命"的冤假错案平反了，民主党派成员、工商业者都落实政策了，连 1957 年的错划右派，也得到了改正，唯有我注意到的那种教员，他们的积极性似乎还受着无形的压抑，这是为什么呢？无非是因为他们的性格比较特殊。这个问题原来不突出，而在别人纷纷被落实政策的气氛中，体现在他们身上的矛盾就凸现出来了……

小 B：但是在您提出这个问题之前，我还不曾想到这一点。

刘：这就需要敏感。搞创作的人非得有这点敏感性不可。要善于发现别人还没有或来不及发现的东西。

小 B：这么说，您的《我爱每一片绿叶》，原始的创作冲动就是发现了体现在个性特殊的教员身上的矛盾？

刘：可以这样概括。我于是详细解剖了两个"模特儿"的生活遭遇和他们的性格思想。我决心写一写他们，为他们说说话，于是渐渐地在构思中将他们"合而为一"，初步形成了魏锦星的形象。

小 B：这么说，主题是伴随着人物的形成而形成的。

刘：就小说创作而言，这似乎是一条规律。你总是先对生活中的人，对他的命运发生了兴趣，有了写作冲动，才能进入构思，才能在对人和人的命运的分析研究之中，去逐步明确你想表达的思想，这个思想即是你作品的主题。

小 B：那么，你是在什么情况下提笔写这篇作品的呢？动笔的时候，腹稿已经大体上是发表出来的这个样子了吗?

刘: 当魏锦星这个人物在我脑海中活现起来, 对他的命运也大体上设计好以后, 我就试着动笔了。动笔的时候, 脑子里想的是: "应当写出这么个人来, 让大家谅解他, 促使人们把这类人的积极性发挥出来, 不要无形中压抑了他们。" 这或者就可以算作是最初的主题吧。但是你可以看出, 最后写成发表的东西, 又有了深一层的发挥。

小 B: 是的。我特别记得你小说中的那一段, 就是作品中的 "我" 站在魏锦星小屋的窗外, 在月光下的那段心理活动。看到那里, 我才明白, 你不是要我们去谅解一个 "不正常" 的人, 而是要我们反省自己, 你指出 "不正常" 的恰恰是我们在不正常的政治生活中所形成的偏见……

刘: 对。这才是作品确切的主题。这个主题, 不是我一开头就有的, 甚至不是我动笔时就已明确的, 而是我在写的过程当中, 顺人物性格的发展逻辑和生活进程的逻辑, 逐步开掘出来的。

小 B: 你这一番话, 使我觉得, 写作品好比是架一座桥, 起点是原始的创作冲动, 或者说是初步的写作动机、朦胧的主题。终点则是深入开掘出来的主题。连结起点和终点的这座桥, 是一个创作的实践过程。

刘: 你概括得很有道理。架起这座桥是很不容易的。有的时候, 我的原始创作冲动就始终不能向前发展, 铺开稿纸以后, 仿佛面对着滚滚波涛, 似乎有许许多多的东西可写, 又不知该从何写起……

小 B: 我就经常是这样。想法很好, 也有信心, 可就是一动笔便 "二乎" 了, 怎么也架不起这座桥来。您的《我爱每一片绿叶》算是把桥架成了, 说说您的经验吧。

刘: 我也是在摸索。写小说肯定没有什么普遍适用的方法, 不像工程技术人员在河流上架桥, 有很具体的原理、设计、数据可以遵循。我还有个比方, 最初的创作冲动, 好比是个胚芽, 这胚芽可能是一个人物, 或者一个生活场面, 或者一个细节, 或者一件能引出丰富联想的物品……要使这胚芽发育、生长、破土出芽、抽叶长茎、开花结果，则必须动用你一切方面的储蓄与才能：生活积累、艺术修养、写作技巧、想象力和抑制力……乃至于你性格气质中一切优良的素质，而且还必须用得恰当、均匀、自然，才有可能最后形成一个好的作品。

小B：还是用架桥作比吧。人物形象初步有了，大致的主题也确定了，怎么往下写呢？这时候的关键是编故事，还是寻找细节，还是考虑结构？

刘：我以为很难分开来解决问题。不可能不考虑人物性格的发展，单纯地去考虑故事情节。按高尔基的说法，情节应当就是人物性格发展的历史。也不可能脱离开人物命运的发展线索，去单纯地追求细节。至于作品的结构，这是一个更加复杂的问题，我以为这应当在提笔之前就综合各方面因素加以细致考虑，先内藏于胸。你架桥总是先要衡量河流本身及河流两岸的特点，看是架座什么样的桥，是铁桥还是木桥、石桥，是双曲拱桥还是桁架拱桥，是吊桥还是浮桥……

小B：我注意到你在《我爱每一片绿叶》中重点写了两组场面，一组场面是魏锦星如何在批斗周大姐的会上往外走，以及随后的遭遇；另一组场面是那个"上访"的妇女带着孩子来找他，他的"反常"表现。这似乎是你那座桥上最重要的部分，好比桥墩和桥面。其余的交代和描写，则好比是附属的支架与栏杆。你是怎么选定你那两组重点场面的？

刘：我自己倒还没这么分析过。作者在下笔时往往被综合考虑所推动，因而对自己作品的章法往往不如评论者那么清楚。但是冷静下来想想，重点场面的设计显然不是偶然的。你说的那一组场面，我主要是力图展示出魏锦星这样一个人物的特殊性，他正直却又"古怪"，他的正义行动令人钦佩，他的个人秘密却又令人难容，这就显示出他的性格悲剧。第二组场面是他性格的发展。像他这么一个人，按平时人们对他的理解，他的一切私事都是绝对保密，并且怕人知道的，然而那位"上访"的妇女到来后，他竟丝毫不惧"众目睽睽"，坦然地帮助着那位妇女、照料着她的孩子，这就使他的"古怪"呈现出一种人性美的光辉。同时，这"怪上加怪"的现象，也就加深了他的性格悲剧。我架这座桥时，一方面丰富着魏锦星的形象，一方面引导着读者深思；一方面安排着各种细节，一方面也考虑着精简交代性段落，以集中展现最主要的场面；在我认为必要的地方引入抒情议论，又注意着搞一点悬念，牵引住读者的好奇心……

小B：你始终没交代那位妇女同魏锦星的关系。她究竟是不是那幅大照片上的姑娘？

刘：小说发表之后，我收到了许多读者来信，其中有近百封信是询问这个"秘密"，有的读者甚至追问那小男孩是不是同魏锦星有血缘关系，也就是问那是不是他的私生子？一些读者建议我在《人民文学》上公开答复，因为他们觉得弄不清楚心里就不舒服。

小B：这个效果，是你始料未及的吧？

刘：不。这恰恰是我意料之中的。甚至可以说，是我"架桥"时有意引出的。我不是忘记了交代他们的关系，而是故意不交代他们的关系。我的立意就是不必干涉人家的私事，给个性落实政策嘛。有那么多人不把人家的私事打探清楚就不舒服，正说明我们这个社会在尊重个性、尊重个人私生活的自由方面，不但还没有成为"约定俗成"的风习，甚至还有很大的阻力。

小B：你用了"私生活"这么个词。这个词汇，在我们厂里的一些人听来，本身就意味着不正经、不健康，因而是不应当有的。

刘：其实生活本身摆在那儿，不是应当不应当有，而是怎么看待、怎么处理的问题。比如你们厂那些听到这个词儿就反感的人，他们本身难道就真的没有私生活吗？他们在组成目前的家庭之前，难道一概没有过初恋？他们夫妻之间不说点私房话？他们的存款数目一律公开吗？他们很可能也有某些不愿别人知晓而并非丑事的个人秘密嘛……

小B：正是这样。现在我理解你的总体构思了。你原来是故意这么写的：只交代这么多，并不亮出"谜底"。你的"桥"架得很精细。

刘：也不能这么说。这座桥还可以架得更好一些。

小B：听了你这一番话，颇受启发。但是我还要"打破沙锅问到底"。你以为事先确定好一个明确的主题，写时也无变更，这样的创作一定不存在吗？

刘：这样的创作当然是存在的。我自己以前就是这么写东西的。先确定好一个明确的主题，然后架桥，这架桥的过程，也就是想方设法用人物、用细节、用故事去说明主题的过程，作品写完了，再用事先拟定好的主题去检验，删改不切题的部分，增添更能凸现主题的部分，最后便算架桥完毕、大功告成。

小B：你现在为什么不这么写了呢？这样架桥，不是既便当又保险吗？

刘：也不能说绝对不这么写了。但是，从我自己的写作实践中总结，我以为这样的一种"架桥"方式，是很容易滑入图解的泥坑的。凡是我那些比较弱、比较生硬的作品，大体上都是照这么个路数"架桥"写出来的。而凡是我那些稍许成功一点、比较有反响的作品，却总是另一种情况：即使动笔时已把主题确定下来了，而写时并不让笔被"既定主题"框住，也就是不搞图解，而让笔下的人物依生活逻辑活动，同时边写边作进一步思考，尽可能对人物、对生活作深入的开掘，结果，这样架出的桥往往比较结实、匀称，并且有可能经受住时间的考验。

小B：桥的终点处，主题更深刻了，这个成功已经可以用《我爱每一片绿叶》说明。能不能举出一个例子，说明在架桥的过程中，事先定好的主题竟被否定扬弃，桥的终点处出现了另一个主题呢？

刘：可以。我的另一篇小说《这里有黄金》就是这样。我的生活中突然闯进了一位外地来客，他使我了解了他那不平常的身世，给了我一个强刺激，于是我有了原始的写作冲动。这个冲动后来逐渐明晰为一个初步的主题：应当理解那些失足青年，不要嫌弃他们，而要热情地帮助他们。佟岳这个形象初步孕育成熟之后，又确定好了以另一种青年田欢同他对比，并考虑好了结构，选取了有节奏感的处理方式，我便动笔写作品了。但是当佟岳这个人物"活"起来以后，顺着对他的命运的深入分析，依照他本身的性格逻辑使他朝下发展，我就否定了原有的主题框框，我发现佟岳这样的青年并不是比我们低一等的人，他们在艰辛的生活中形成的真知灼见好比是闪烁的黄金，我们对待这样的青年，不是个要给予怜悯与援助的问题，而是个要给予尊重并开掘他们灵魂中的黄金的问题，这样我的小说写完时，整个基调已经同最初的设想不一样了。桥的起点是要挽救"失足青年"，桥的终点却是必须开采掩埋在荒山下的"黄金"。

小B：这样看来，"主题先行"确实有害。不但像林彪、"四人帮"那样强迫作者按他们的反动主题炮制作品的路子必须否定，就是从一个正确的主题出发，去搞图解的路子，也不是一条好路。

刘：同意你的概括。我们否定"主题先行"，不是说主张不要主题，也不是说要搞什么"主题后行"。作者写作品时，总要先有一个大致的目的，一个大体上的意思，也就是一个主题，从这个意义上说，主题的确是先有的，但是这先有的主题不应当是一个僵死的框框，它应当在作者构思、写作的过程中，也就是我们所说的"架桥"过程中，不断地走向明晰、丰富、深刻……除了有时出现刚才说过的改变主题的情况外，还可能出现呈现多主题的情况，又叫做"主题的多义性"。当然，开头确定个什么主题，写完后还是什么主题的情况，也是必然会有的，对有的作者来说，甚至是最常有的现象，绝不能说这样的作品一定就是图解的，这也许反而是作者思想趋于成熟、艺术修养和写作技巧达到娴熟自如程度的体现，因而在"架桥"的过程中用不着再反复思考、反复调适。总之，创作这个事情，各人可以有各人的理解，各人也会有各人的经验教训，各人会形成各人的写作习惯，不管是谁讲的心得，都只能是"仅供参考"，说到底，怎么"架桥"还得靠作者自己去摸索。

1980 年 8 月

情节漫议

　　一般的作者和读者在讲到"情节"时，是把它当做"故事"的同义语的。

　　我写小说不怎么善于设置悬念，更不擅长于在叙述中"卖关子"，我的东西一般都"故事性不强"，不以"情节"抓人。

　　我一点也不敢小看"故事性"。许多大文豪的名著都是故事性很强的，可以列入所谓"情节小说"的范畴。深刻的哲理内涵和曲折引人的故事性相结合的名著，拥有的读者总是比内容丰富深刻而缺乏故事性的名著多。比如，雨果的《悲惨世界》就总比罗曼·罗兰的《约翰·克利斯朵夫》叫座。

　　我要努力提高自己讲故事的能力。

　　不过，我想，所谓小说的情节，也不一定拘泥地理解为讲故事。

　　高尔基说过，情节是人物性格的发展史。这就把通常对情节的理解大大地推进了一步。

　　小说是写人物的，也就是说，小说的根本目的，还是塑造鲜明生动的人物形象，对读者的教育、感染、启迪，归根结蒂应当通过塑造艺术形象来完成。而情节，实际上也就是展现一个或数个艺术形象的流程。在长篇和中篇小说中，不仅应当告诉读者这些人物是什么性格，而且应当让读者知道他们的性格是如何形成的，并在向什么方向发展。在短篇小说中，所谓"性格的发展史"，可以变通地理解为"性格的展现过程"，也就是说，可以只展现人物的性格，而不一定交代其性格的形成过程。单纯着眼于讲故事，往往忽略人物形象的塑造；注意写人物，但不善于通过讲故事来写，又往往不抓人；不过，对比之下，我认为写出一个人物来总比单纯讲出了一个故事更好。我写的中篇小说《如意》，注意了写石义海这个角色，但对另一个角色金绮纹，却更多地是从讲故事着眼，结果前一个形象比较鲜明，后一个形象却比较模糊，直到将其改编为电影剧本并搬上银幕之后，这个缺陷才得到了补救——金绮纹不再仅仅是石义海人生经历中的一个情节因素，而是一个同石义海有着相等意义的艺术形象。她有着自己独有的与石义海同等鲜明的性格，从而使她在观众心目中也留下了比较深刻的印象。当然，这不仅是改编为文学剧本时作出了努力，更取决于导演和演员的创造性劳动。就这一点而言，我认为电影《如意》是比小说成功的。可惜小说已成为一种相对稳定的存在，很难再加以改写。

着重讲故事的情节性小说，一般都更接近于浪漫主义。当然也不尽然。不过似乎大体如此。我觉得自己的性格气质，是不怎么罗曼蒂克的。我恐怕还是更适于写严格的现实主义的东西。严格的现实主义，依我想来，就是写生活。积极浪漫主义、革命的浪漫主义，当然也写生活，但不一定去展现现实生活的准确画面，它可以用崇高而美丽的理想去偏重于放大生活中的某一部分。例如发现出新生事物的萌芽，而热情地去预言它将成长为一棵参天大树，并预先将其雄姿向读者加以展现，以鼓舞读者迎向未来的决心与信心。这样的作品，确实是非常需要的。不过并非每一个作者都能写出这样的作品。我目前就还没有这样写。因为觉得自己的能力还不够。我还主要是着重于写眼前的生活，力图展示出现实生活中确实存在的东西——当然，不是"自然主义"的展示，而是有所筛汰，有所褒贬的。

我在上面的"自然主义"四个字上加了引号。我们现在一提"自然主义"，一般都是这种加引号的含义。就是说，不分美丑，无是无非地照搬生活，甚至专门着眼于去表现阴暗面。其实倘若不加引号，那么至少在十九世纪的欧洲文学潮流中，它是与现实主义、浪漫主义具有同等地位的一种严肃的文学流派，其代表人物左拉，应当说与巴尔扎克、雨果的成就不相上下。当然左拉提倡的自然主义有它的问题，但那问题恐怕并不是现在我们加了引号的那种含义；左拉的作品，就反映当时法国社会的现实生活而言，其认识价值也是很高的。

写生活，着眼于提供一种比较充分的认识价值，这便是我写另一个中篇《立体交叉桥》时的追求。《立体交叉桥》可以说没有什么故事性，但你却不能说它没有情节——写它时，对于情节，我是按高尔基那个意思去理解，去处理的。我写了北京一个普通的市民家庭，它的几个成员和与他们有关的几个邻居、亲友。对于这篇小说来说，情节便是几个主要人物的性格的展现过程，这里面有来龙，有去脉，但更多的是现在的性格状况，而且这一组人物之间不断地爆发出性格冲突。我在剖析这些人物的性格的过程中，在描写他们之间的性格冲突的过程中，力图使读者理解他们，并在理解的过程中增加对善良、美好的品德的肯定和对市侩气息的憎恶。

有的文学爱好者，以为写生活是最容易的。其实编一个情节诡怪的离奇故事，远比准确生动地反映出你所熟悉的人物性格和生活场景容易。完成好后面一个任务是很难的。有一位业余作者来信问我，《立体交叉桥》是不是没有虚构，没有想象，没有剪裁，而完全是对居住在北京东单的一个具体市民家庭的实录？当然不是这样。北京东单并不存在我所写的这样一个现成的家庭，我那小说的情节更非是对这样一个现成的家庭作了一番"起居注"。当然，我有这方面的生活体验，我熟悉这一类的北京市民，我有一些具体的模特儿，也有一些确实直接撷取于生活的现成材料，但总的来说，从构思到写成《立体交叉桥》，我实在是很费了一番心思。小说是虚构的，但我要把它写得像生活本身一样，这就首先要精心安排结构。

结构这个概念，在小说创作中，是大于情节这个概念的。结构包含情节，但不等于情节。结构有个对时、空的安排问题。一群人，一台戏，搁在一个什么空间里演出？演出多久？《立体交叉桥》的读者不难发现，我采取了一种"紧缩法"，就空间而言，主要集中在一间十几平方米的住屋中展开，就时间而言，不过是一天的傍晚到深夜。表面上看起来，我似乎是信手罗列一家人的细琐的生活流程，实际上，我是有所剪裁，有所缝合，有所舍弃，也有所铺展的。在这个结构安排之中从一个人物过渡到另一个人物，从人物之间的这一场冲撞发展到另一场冲撞，人物之间的关系由冲撞而和解，又由和解而冲撞，以及人物之间关系的交叉，等等，依我的理解，也无须说就是故事，就是情节——而这当中也不能说没有悬念，没有"关子"，只不过主要是表现人物，表现人物性格，剖析人物心理，这悬念和"关子"对比之下显得比较淡薄，比较潜在罢了。

现在有一些作家不大写"情节小说"，而写"情绪小说"，不着重于讲故事，而着重于刻画人物的心理状态。有些人把这种做法叫"情节的淡化"。有些人很为这类小说摆脱了讲故事的常规而惋叹。我则觉得这种尝试值得欢迎。不会因为有人写了这种"情节淡化"的小说，故事性强的小说那固有的地位便发生动摇。大多数的读者总还是会热衷于读故事性强的小说的。不过，也总会有少数读者喜欢"情节淡化"的小说的。既然有读者读，有读者喜欢，那么这种小说当然也就有它自身的存在价值。让"情节小说"和"情节淡化小说"乃至于"非情节小说"并存，不是很好吗？

我也写过一点"情节淡化"的小说。不过，我还是主张重视情节的。只是不要把情节理解得太狭隘，弄成只是单纯地讲故事。美国作家欧·亨利的短篇小说情节性很强，他是个讲故事的能手，他的许多短篇小说写得很有技巧，特别是结尾的处理，常常出人意料，而又意味无穷。但他似乎不大注意塑造人物形象，他的许多短篇小说是只见故事不见人，因而不够深刻，也不够厚实，读多了，便有雷同感，使人觉得不过小巧而已。契诃夫的短篇小说完全是另一条路子。他主要是写人物，往往并不讲什么故事，结尾收束得也不那么突兀，但深刻、厚实，可以连续读他十几篇而绝无烦腻之感。契诃夫一生虽然没写过长篇小说，但他的那些短篇合在一起，却俨然是大家的气象。我想，欧·亨利的小说固然值得借鉴，但更应师法的，似乎还是契诃夫。当然，我们成不了他那样的大家，但努力使自己写的小说人物形象丰满厚实一些，生活气息真实浓厚一些，却总还是应当作为目标去追求的。

写小说也是一门手艺。安排情节，便是这门手艺中不可忽视的一项。情节安

排的失当，主要的原因，往往是脱离生活，闭门瞎编；但即使从生活出发，如果
不善安排，也会让人看了别扭。要力求自然。把精心安排的情节，使读者读去只
觉是顺流而下，而忘记了其间有作者的苦心。中外古今这方面成功的先例是很多
的。例如英国女作家艾米莉·勃朗特的《简·爱》，这部长篇基本上根据作家本人
的亲身经历写成，从结构上看大体上分三块：头一块写简·爱在寄宿学校遭到的
迫害，以展示她性格的形成过程；第二块写她到罗特斯契尔庄园后的经历，通过
她到罗特斯契尔的爱情充分展示她的性格全貌；第三块写她的出走和最后的结局，
把她的性格美升到一个新的高度。三块之间的过渡十分自然。这部小说中有一个
关键的戏剧性因素，就是罗特斯契尔的庄园中隐藏着一个他的疯妻，而简·爱很
长时间都并不知道，这个疯妻的存在大大地影响了罗特斯契尔和简·爱的命运，
并终于成为他们爱情和婚姻的障碍；作者在处理这一戏剧性因素时，设置了若干
悬念，卖了许多"关子"，直到男女主人公在教堂举行婚礼，突然被那疯妻的兄
弟插入打断，才交代出前面那许多迷离扑朔的细节的谜底。作者处理得非常巧妙，
使读者感到一切都很自然，同时又在谜底揭穿时使读者吃了一惊，获得强烈的印
象，从而更增进对前面所写到的一切的理解。《简·爱》这部作品艺术上的优点之一，
便是写了故事，而又使读者不觉得是写故事，并且是故事为人物形象服务，而不
是让人物形象淹没在一堆奇诡的故事情节之中。类似《简·爱》这样的作品，都
很值得我们认真揣摩，从而提高我们写小说的艺术。

1984 年 8 月 14 日写于青岛

这个孩子叫冷静

每篇作品，都是作者的孩子。

这个比喻，大概不会招来计划生育委员会的干预吧。

当然，不可粗制滥造，但"只生一个好"，对于广大作者来说，却恐怕很难成为一个信条。

还是要多写一点。因为生活在召唤，读者在期待。

我今年又写了几篇小说。有短篇，如《我可不怕十三岁》，有中篇，如《日程紧迫》，不过我主要的时间和精力，还是搞长篇《钟鼓楼》。

我写的都是我熟悉的人和事，里面都浸透着我对这些人和事的看法，但每篇所取用的笔法，却不尽相同。

好比生出了好几个孩子，都是我生的，自然都有我的血脉，我的遗传基因，光从模样上就能看出来那是我的孩子。

但孩子同孩子之间，却并不一样，甚至区别颇大。我们不是都有这样的生活经验吗？一对父母的几个亲生子女，单个拿出来，都能找到像父母的地方，但把他们凑到一起互相比较，有时却会感到他们之间竟毫无相似之处，仿佛并非同一父母所生。

我发表在今年《花城》第3期上的中篇《日程紧迫》，如果拿去同我近一阶段所发表的其他中、短篇相比，便会发现它与它们之间差异颇大。

当然，首先是这篇东西同生活贴得更近，而且从题材上说，所涉及的是科研战线中的改革问题，涉及到在世界范围内的信息大爆炸的背景下，我国科技情报工作所面临的严峻形势以及在这种日程紧迫的时刻，我们的"四化"事业所遇到的阻力，并表现了前进力量与阻力之间的和平斗争。这样的题材，在我近期的中、短篇小说中确是不多见的。

我写这篇东西，并不是往"热门题材"上"凑热闹"，而是我在了解了这一领域的某些情况，并熟悉了某些人物之后，被一种不可遏止的激情和责任感所鞭策，提笔写出来的。

下笔之前，我考虑了一番：以怎样的笔调来写呢？毕竟我写的是小说，是文学作品，因此我必得重视笔调——即叙述方式这一问题。

可以用慷慨激昂的笔调来写。过去我写《班主任》，不就用了那样一种笔调吗？那简直是从头到尾都在呼喊。

或者用一种抒情的笔调来写？时下杂志上经常登载用诗一般的情调写出的小说，借用许多诸如意象、绵连、跳跃性……一类的写诗的手段，用笔细腻，注重藻饰，很受到一部分青年读者的欢迎，我何不乐而为之？

也还可以用一种雄浑的笔调，追求一种强悍的力感，并从哲理上多加阐发。

但是，最后我却选择了现在这样的写法。

这是一种冷静的写法。全篇是冷静地叙述下来的。尽管题目是《日程紧迫》，我的目的也是希望读者能感受到"四化"的日程对我们来说有多么紧迫，但我却有意地把这篇东西写得很冷静。

这样写，不是因为前面提到的三种笔调，以及别的一些笔调，都不好，唯有冷静这种笔调最好。不同的笔调好比不同的性格，排除掉超正常的性格，不同的性格之间是很难以优劣评判的，活泼就一定比文静好么？憨气就一定比精明差吗？不能那样去理解问题。

又好比穿衣服。都是新衣服，但有的人穿出来就很难看，有的人穿出来就很美，罪不在衣服，也不在人，而在于没有为具体的人设计缝制出最适合于他的衣服。

这篇《日程紧迫》之所以选择了这样一种冷静的叙述笔调,是由我所表现的内容和人物决定的。

这里不是生产第一线,不是施工现场,而且整个事件发生在一个名胜地的宾馆之中,背景是幽静乃至闲适的:陶士铭等一群知识分子,是刚被充分解放出来的生产力,固然多数都有他们的可敬可爱之处,但他们既非久经沙场的斗士,又都还有各自的弱点与缺点,对他们形象的勾勒,呼喊似的大笔皴染固不相宜,抒情般的明艳水彩也难相衬,还是用铅笔素描或墨线勾勒一类的手段更为恰切吧;小说中所鞭挞的薛局长,他那思想境界和所作所为诚然令人鄙夷气愤,但细想起来,他也确非什么出奇的人物,像他这号角色,几乎到处都有,并且有些远比他更恶劣——他实在只是一个"平平常常"的阻力,因此,我在为他造型时,也就力求避免漫画式的夸张,并在叙述到他的那些心态和做派时,更注意下笔冷静。陶士铭等人和这位薛局长之间的矛盾冲突,看起来都极琐屑,而且双方在冲突中也都有所忍让,我以为这正是各条战线上每日每时所大量存在的现象——倘若"四化"的阻力都是些明目张胆反对"三中全会"的保守派、明火执仗的"三种人"、触犯刑律的贪污腐化分子,那倒还好办些,最磨人的——而且最影响我们在日程紧迫的境况中跑步追上世界先进水平的——往往反倒是薛局长这种似乎"无大恶"的人物给改革者所带来的一大堆琐屑的麻烦。为了表达这样一个内容,我以为把这篇小说写得冷静些好。激昂可以令人振奋,而冷静却更催人深思。

最近听到一位同志说,有个单位有那么个人,你说他有多坏,说不上,但任何有关改革的事,只要他一插进来,准让你陷于一大堆鸡零狗碎的麻烦之中,看起来此公与我这小说中的薛局长属同一类人物;结果气得单位中有志于改革者说:"别的单位是缺勤扣钱,咱们单位对他应当反过来——他缺勤一天,给他一天奖金,最好每月发他一笔'缺勤奖',他从此光拿奖金不上班,那咱们的改革就有希望了!"可惜听到这话时,《日程紧迫》已经写出来了,否则真可以用进去,由其中一位人物冷静地说出来——一定要冷静地说,越是冷静的调子,越让人心里起急。日程如此紧迫,哪一个有志于振兴中华的改革者能不心焦?

改革的阻力一定要排除。清除出党、撤销党内外一切职务、逮捕法办……这类排除法轻易不用，但用起来并不难。难的是对付薛局长一类的人物。你又不能真的发他们"莫参与奖金"，他们还偏要来同你缠夹不清。这就需要韧性。而韧性也是与冷静相联系的。

据说读者不怎么习惯读这种笔调的东西。况且我这里面连一个"角"的爱情也没有，没有什么惊险场面，没有引入具体的科技知识，也没有引用中外古今的名人格言，更没有加入一些插科打诨的作料。就是用冷静的笔调写了这么一段平平常常的生活。这也算是一种尝试吧。我希望至少有一部分读者也能接受这种用冷静的笔调写出的作品。

我的这个孩子叫冷静。我知道他一定有缺点，但他是我认认真真地生出来的（为写它我牺牲了春节期间的休息），所以我珍视他，并盼望他能得到理解。

1984 年 8 月 17 日于北京劲松中街

多层次地网络式地去表现人

写《钟鼓楼》，究竟干什么？我不想一般地反映生活，更不想表达一个能用一个句子概括的一般主题。从《立体交叉桥》开始，我已经重视立体地、交叉地，亦即多层次地、网络式地去表现人，人的内心以及人与人之间的关系。《钟鼓楼》继承了这一点，但更深入，它还要表现生活自何处而来，当今呈现何态，并将可能向何处而去……

《钟鼓楼》是一部多层次的、复调的、可供不同层次不同类型的读者各取所需的长篇。最低层次的读者，甚至可以用来消遣消闲。稍高层次的读者，可以引以为鉴，从中照出自己，得到启发。再高一个层次的读者，可以体味出我那力图记录下当代北京社会生态景观的苦心，并发现我是从政治、历史、经济、道德、伦理、社会学、民俗学、心理学、人类学乃至于生理学、物理学等多种角度来表现、剖析人物，来展现、研究世态的，因而表面上看去我写的是些琐屑的凡人小事，触及的却是当代北京市民文化的一部发生发展史，亦即通过当代北京市民的文明程度的展现和探讨，去完成一个为建设精神文明而发出诚挚呼吁并献计献策的重大主题。更高一个层次的读者，或许还能窥破我那"钟鼓楼"本身便是一个笼罩全局的象征，而围绕着这一象征的母系统，又有若干子系统的象征，如选择一个人类延续自身生命的婚礼事件作为主线，以一块镀金坤表这个计时器为"贯串道具"，特意几次写到四合院门洞顶上所悬挂的废而不弃的破藤椅等等。所有这些象征，都是力图把读者的思维空间从一个小小四合院的"点"上、鼓楼前大街的"线"上、整个北京整个中国的"面"上，最后拓展至全人类全世界的"体"上，并弥散开去，因此小说最后甚至于写到爱因斯坦的狭义和广义相对论，我的用意，是力图使读者体味到一种深沉的历史感和命运感，在小说本身提供的冲力下，以丰富的联想和深入的思索，去更有力地拥抱生活。

《钟鼓楼》写的是中国很土很俗的人和事，在我来说，却也有个雄心，想以这部长篇去汇入当代世界文学的一大潮流——通过对地域文化和民族心态的反映和剖析，参与构成对全人类全宇宙的更深层认识和更有力的把握。这也就是说，《钟鼓楼》的的确确既是现实主义的，却又自觉地去体味和传达了一种所谓的现代意识，因而又同现代主义的文学流派有相重合的部分，如思辨气息、象征色彩、情节淡化、多义复合等等。写作、修改《钟鼓楼》期间我两次去欧洲，在法国和联邦德国的感受，以及同当地文化人的讨论，自然有潜移默化的作用，使我一方面感到由于交通的发达，如今的世界仿佛变小了，要想避免各民族间文化波轮的撞击互融已不可能；另一方面又感到唯有牢牢扎根于自己民族的"圆心"，把半径扩大到外国文化的轮面中去汲取有益的养料，方能熔铸成一种坚实美丽的"合金文学"。

韦君宜同志称《钟鼓楼》为严格冷峻的现实主义，一点不错。过去我们文学界长期崇尚的那种封闭型的现实主义模式，早令一大批中青年作家所不满足。到处是一派突破的景象。有的采取变形的手法，将其夸张到荒诞的地步；有的采取抽象的手法，将其"纯净"到唯美的地步。我则与他们逆向而行，追求精确到"逼真"地步的手法去超越原有的规范，方向截然不同，目的却都是为了突破陈旧的文学观念和僵化的小说模式，所以我是把他们引为战友，并觉得我们各自的努力是相映成趣的。在《钟鼓楼》中，我继承了《如意》、《立体交叉桥》中的人道主义精神，但又超越出对善恶是非的强烈判断态势和爱憎色彩，表现为一种比一般人道主义更深厚浑实的宽容与谅解。这些因素，也许可以使《钟鼓楼》更接近于是一部具有现代精神的现代小说。

这样一种总体追求便决定了这部长篇的特殊写法。就人物而言，塑造单个典型形象虽然仍是一个任务，但已并非最高任务，我是要在流动的网络结构中，在展现一个互相依存、勾连、冲撞、和谐的当代市民群像，也就是说，在人物塑造上，我不想夺"单项冠军"，而妄想得"团体冠军"；正因为群像中的每一个人物都是作为考察社会生态群落的标本而出现的，因此对于他们的心态，我较少动用以他们为本体的模拟式心理描写，更绝少用意识流的手法，而是大量运用冷静到外科医生般的客观心理剖析。就结构而言，以往认为只有短篇小说，才该搞"横剖面"，我却打破这一金科玉律，偏把这个长篇搞成一个巨大的"横剖面"，三十万字只写了1982 年 12 月 12 日这一天自上午 5 点至下午 5 点这十二个小时的事，并且主要的场景都在一座只有九户人家的小四合院中展开，但我有信心通过这"横剖面"上那密密麻麻的年轮，使读者获得一种横向与纵向交叉融汇的立体感受。为此，我没有采取"串珠式"、"登梯式"、"锁链式"、"波涛式"等习见的结构方式，也没有采用时下颇为流行的"时空交错式"，而采用了"花瓣式"，或称为"剥橘式"，犹如从一个花托朝四周伸出若干重叠交错的花瓣，又犹如一个橘子剥开，各瓣可分亦可合；这样写，自然是吃力而近乎铤而走险，但为了搞出一个像样的、有个性的作品，我想用力与冒险乃是必经之路。我在《钟鼓楼》中穿插了大量的民俗描写，有人因此把它归入"京味小说"或"民族风情小说"之列，对此好意我受宠若惊，但我那些民俗描写是企图在展现当代北京市民的文明程度时，把积淀在他们心理中的历史因素加以揭橥，从而引起读者更深入的思索。当然，这类地方有的可能的确处理失当，有卖弄之嫌，我已在出书前作了些改动，并极愿在今后的创作中加以避免。

　　关于《钟鼓楼》的创作，从 1981 年到 1983 年准备酝酿了两年多，从 1983 年春到 1984 年秋写了约有一年有半，费时三四年，总算交卷。写时虽然信心十足，发表后却不胜惶恐——不知这《钟鼓楼》究竟于读它的人是否有益有趣，也不知这《钟鼓楼》于我们的文学森林是否算得上是一个有价值的增添？现在，《钟鼓楼》虽然获得了第二届茅盾文学奖，受到了评奖委员会的肯定；但它还需经受历史的冷峻检验。我期待着批评，特别期待着对我创作行程的整体性指引。

1985 年 12 月

试试看

1985年夏天，我写了篇《5·19长镜头》，《人民文学》刊登时标明为"纪实小说"。本想偶一为之，不曾想反响颇为强烈。于是在编辑部、文学界朋友，特别是读者们的鼓励下，我决心接着往下试验，这样就又有《公共汽车咏叹调》的产生。

自这两篇作品发表以后，不断有人来问我：什么叫"纪实小说"？它与时下常见的"报告文学"，以及已经出现的"报告小说"、"实录文学"有什么不同？

报告文学要写出真名真姓真单位，太受拘束。我不是揄扬先进人物，也不是揭露黑暗势力，我是想透过最平常的人与事来剖析最一般的心态，因此我要去找到最适合进入作品的原型，却并不使他以真名真姓进入读者的视野。

一般的小说，好比作者到生活中观察、体验了一百件事，然后加以熔炼，写出生活中原来所无的第一百零一件事。我这小说却是到生活中去观察、体验一百件事，然后从中选出一件本身便可移到纸上的事来，把它写透（倘若从一百件事中仍找不出这种素质的事来，那就再去找，直到找着为止）。

"报告小说"采取真人加假事的合成法，已引起是否得体的争论，我倒认为那也不失为一种有意义的尝试，但我所追求的是"非虚构性"，因而它的作法亦为我所不取。

"实录文学"不容易在一篇中具有鸟瞰性与穿透力，我想从一点伸而为线，推而为面，滚而为体，所以必得另辟蹊径。

于是试着写出了这么两篇"纪实小说"。它们是非虚构的，甚而具有一定的文献价值，是谓"纪实"，它们又采取了小说的写法，注意艺术形象的典型性，因而它们又是货真价实的小说。

写这种东西是苦而难的。

为写《公共汽车咏叹调》，《人民文学》编辑部给我打了一张通用月票，我拿着它挤了二十多天的公共汽车，一天有时挤五六个小时，时而去赶头班车，时而去乘末班车，时而去挤高峰车，时而去坐低峰车，时而市内，时而市郊，有时从起点坐到终点，又坐回来，引得有心的售票员侧目，以为我是个心怀不轨的"盲流"。光挤车也还不行，还要跑进调度室，使里面的人从讨厌自己到接受自己，从有问懒答到无话不谈，还要跟司机、售票员交朋友，最后进入他们的家庭，又从一般的交往而探进他们的心灵。还要去公共汽车总公司和公共交通研究所了解全局，最后还要细细阅读几大本关于伦敦、巴黎、莫斯科、布达佩斯的公共交通资料。

我从前写短篇和中篇，从未这么苦过。挤掉衣扣踩坏鞋子倒在其次，遭受白眼卷入争端过后也罢，最苦闷的是脑子里塞满了种种表象而透视不出内里，足见光有生活未必就能写出作品，最要紧的实在还是对生活的穿透性认识。当这种认识在生活积累中终于蚕蛾出茧般地进飞出来时，便可铺开稿纸任其流泻了。但我写出的第一稿——是用第二人称贯串始终，题目作《公共汽车和你》——送给了编辑部后，他们却不满意。确实也不该满意，因为下笔虽然波俏，却并未将社会心理理顺点透。于是乎再去挤车，再去司机家里做客，并且把一位司机请到我家长谈，再思索，再构思，不是修改第一稿，而是推翻了重来，这才写出了大家现在所看见的这篇东西。

现在我已接到不少读者来信。热烈赞扬的居多，但也很有几封是骂我的。我很高兴。有点苦尽甘来的感觉。特别是几位骂我的读者，给了我再往下试试的勇气。一篇作品有人读，有的读了以后强烈共鸣，有的读了以后大不以为然，而两种人里都有不惜在百忙中抽暇铺纸握笔的，写来往往是洋洋洒洒好几大张的长信，这对作者来说，正是最高的褒奖。对于不同的意见，我正在认真考虑．我今后也不可能对生活中的人与事提供出令所有读者都首肯的见解，但还要力争能以自己的作品，刺激出更多的读者作出他对那些人和事的独立判断，哪怕是与我迥异的不同判断。谁敢说唯有自己握住了真理呢？文学所作用于人的，应只是追求真理的热望与勇气。

　　搞这种纪实小说，只是试试看。我也还要写别的东西。我不想只在一条道上跑马。当然，我也希望每进入一条跑道，都尽量能跑出点成绩来；倘若实在跑不出成绩，留给人们的印象，总该还可以用"认真"二字概括吧！

1986 年 1 月 12 日于北京劲松东街

面对着期望的目光

我还记得茅公的目光。

1979 年的春天，全国第一次优秀短篇小说的发奖会上，茅公把我那份奖状递到了我手中，在一递一接之际，我的目光同茅公的目光相接，一刹间，我心际翻卷奔腾起万千思绪。我永难忘记他那慈蔼、关注的目光，特别是那目光中所充溢的对于我们这一代文学工作者的期望……

同年秋天，人民文学出版社在西郊举办了长篇小说创作座谈会。那时候短篇小说正雨后春笋般地大量涌现，中篇小说则方兴未艾，但对长篇小说创作的勃起和丰收的呼唤已经十分强劲。我清楚地记得，有一天茅公扶病到会，他不但事先仔细地阅读了几份中青年作家的中篇小说提纲，又当场认真地听取了几位中青年作家的中篇小说构思，最后他从那几个提纲和构思出发，谈到了中长篇小说创作中的一些带规律性的问题。话谈中，他提到了我的短篇小说《班主任》，并停下来问坐在他身旁的严文井同志："刘心武来了吗？"那天我坐在后排，本是引颈屏息地在倾听他的讲话（他声音较小，又有口音，听起来吃力），对他突然停下来特别关注到我，没有丝毫思想准备，所以一时竟不知所措。严文井同志当时便望着听众席说："请刘心武同志站起来一下！"我本能地站了起来，于是目光又一次单独同茅公相接，他微笑着对我颔首，仿佛在说："我还记得你……你要努力……"这一次他目光中所迸发出来的热切期望，更深深地烙进了我的心中。

没想到从此以后我竟再不能见到茅公。1981 年春天，我在杭州将自己的中篇小说《如意》改编为电影时，突然得到了北京传来的噩耗，我打着伞，久久地徘徊在西子湖畔，心中只浮现着茅公的目光，望着从七叶树叶梢滚落的如泪雨滴，我对自己暗暗地说：你不能辜负他的期望，这期望不是他一个人的，代表着好几代前辈的心愿，这期望更不是针对你一个人的，而是寄予于好几茬的后辈……

从那以后，我一面继续写着短篇小说和中篇小说，一面开始扩大视野、深入生活、积累素材、查阅资料、反复构思、调整提纲……经过大约两年的酝酿准备、一年多的笔耕，去年我完成并发表了我的第一个长篇小说《钟鼓楼》。

我是怀着忐忑不安的心情把这个作品奉献到大家面前的。这几年文学运动发展得不仅迅猛异常，而且人才辈出、佳作迭现，美学趣味越来越趋于多元，文学现象越来越绚烂纷繁。这凝聚着我心血的作品，在这样一个大背景下，能被读者接受吗？能被批评家理解吗？有它的客观价值吗？我在必要的自信心支撑下写完了它，但发表出来以后我确实惶然。

说实在的，我没想到《钟鼓楼》能获得第二届茅盾文学奖。我感到荣幸。

今天我又回忆起茅公那灼灼的目光。我感到对那目光的理解又深入了一层。原来，我只觉得那是对我们新一代文学工作者开创一代新文学的期望，现在，我感到茅公所期望于我们的，不仅是致力于去开拓与发展我们中国文学本身，更是去开拓与发展我们的社会生活。当然，这二者是有联系的，但我们往往容易把前者孤立地抽出来考虑。对于我来说，离开了后者也就谈不到前者，当然，光考虑后者不顾及前者也不可取。为人生，为社会进步，这样的文学宗旨是我自愿皈依的。我拥抱每一刻生活。我热爱每一片绿叶。我渴求美，但我不搞唯美。我希望能在社会历史和个人命运的交叉点上找到文学，并创造出一种具有特定时空色彩和个性色彩的美来。我写《钟鼓楼》便基于这样的追求。茅公冥冥中有知，会首肯吗？我究竟辜负没辜负他老人家的殷切期望呢？

今年秋天，我兜里揣着一张《人民文学》杂志给我买的通用月票，挤了一个月的公共汽车，平均每天四个小时，有时去赶头班车，有时故意在上下班高峰期去挤车，有时坐到终点又再坐同车返回，有一回竟惹得车上的售票员怀疑我是个心怀不轨的"盲流"……当然我还去过终点站的调度室，去过公共汽车总公司和公共交通研究所，并且还同有的司机、售票员交上了朋友，到他们家中去促膝深谈。这都是为了完成一篇纪实小说《公共汽车咏叹调》。在这个过程中我见到了无数最普通的中国人的目光，有意思的是我从这些目光中感受到了与茅公那目光相通的东西，都凝聚着一种深深的期望……

面对着这期望的目光，我想得很多。人们都说目前严肃文学面临着严重的危机，似乎读者们都只要看纯粹消遣消闲的东西，是有无数的例子能够导致这个结论。我也很赞成一些同志对这种危机所发表的意见和呼吁。但我想问题也有另外一面。我今年七月份发表的一篇纪实小说《5·19长镜头》，想来应算是严肃文学(这个称谓显然不科学，这里姑妄一用)吧，那里面不仅没有凶杀和破案，没有恋情与三角，不能用来消遣与消闲，甚至还会使读者感到沉重，但众多的读者还是对之有着浓厚的阅读热情，当我为写新的纪实小说搜集材料的过程中，人们一知道我是《5·19长镜头》的作者，眼里便往往冒出一种渴求与期望来，使我不能不听命于那吸石般的目光。我知道我写的东西存在着这样那样的不足，但在期望的目光面前，我怎能不兢兢业业地写作呢？

1985 年 12 月 21 日

关于长镜头和咏叹调的自白

1985 年我发表了《5·19 长镜头》和《公共汽车咏叹调》两篇纪实小说，应作家出版社之约，我将它们与 1981 年所发表的中篇小说《立体交叉桥》合为一册，定名为《都会咏叹调》出书。王蒙同志为此书作序，劈头便说："问题与生活同来。社会问题与社会同在。人受到各种问题特别是社会问题的激动与困扰与人生同在。以人为中心的文学作品自然无法不关注人所在的社会，所面临的问题。"

我自然同意他的观点。但我知道，时下有一些文学界的朋友，对这样的观点是不以为然的。

我以为，文学的多样化，首先是文学观的多样化。对"文学应当对社会问题作出反应"这一主张出现了歧义，恰恰是我们新时期文学走向多样化的一个例证。

新时期的文学发展，接近十个周年了。

从 1977 年到 1979 年，大体上是一个"伤痕文学"占主导地位的时期。1979 年到 1981 年或再往后，还有"反思文学"和"改革文学"的勃兴。这些自然都属于社会问题文学。它们的作者和支持者，都一致认为这类作品是恢复和发展了革命现实主义的优良传统。新时期文学的头几年里，革命现实主义是占主导地位的文学观。

但从 1980 年以后，情况已有了一些变化。随着对一桩桩历史旧案的翻案，以及对若干现代文学史上的作家和作品的再评价，掀起了对比如沈从文这样的老作家和旧作品的借鉴热。狭隘的"革命现实主义"的文学观不再能覆盖一批中青年作家的文学追求。而汪曾祺这样的沈门真传弟子的重新操笔,更为一种吸引人的文学观提供了新的范例。1980年以后应当说出现了现实主义广阔化和深刻化的浪潮。一些作家在讲述他们的文学观时不再在现实主义前冠以"革命"二字。这可以说是文学观走向多样化的一个前奏。

文学观进一步多样化的催化剂是外国文学作品的大量翻译出版。其数量之大,涉及面之广,重复翻译出版之多,为中国历史上所罕见。重温外国古典文学名著的热情很快便衰退了。苏联和东欧的作品也没行时很久。引起最强烈兴趣的是西欧和美国本世纪初以来的文学,后来又加上拉丁美洲的"魔幻现实主义"文学,以及某些东洋作家的作品。海明威、福克纳、斯坦培克、塞林格、劳伦斯、马尔克斯和川端康成是被借鉴得最多的作家。出现了所谓"西方现代派文学对中国当代文学的影响"的论争。据说外国的文学家反而不懂得我们使用的"现代派"这个称谓究竟是个什么意思。反正不管他们怎么困惑,我想我们中国人还是形成了那么个约定俗成的观念——西方"现代派"主要就是指那些非现实主义的文学流派,而最令一些中国年轻作家感兴趣的,便是文学原来完全可以不必再现现实生活,更不必纠葛于社会问题,文学不但可以用以表现"自我",而且可以从物质的"第一宇宙"进入意识的"第二宇宙",甚而可以只表现感觉,表现情绪,乃至于完全可以把文学看成是一种纯形式的东西,比方说,可以归纳为这样的命题:"小说只是一种形式",等等。

西方"现代派"文学对新时期文学的影响,有时被判定为"精神污染";有时论者立足于说明这种影响其实根植于我们民族文化之中,西方人倒是从东方包括我们这里偷去了构成"现代派"的诸种元素;更为集中的意见是认为西方"现代派"文学成分复杂,不可一概而论,总体评价宜慎重,但它们的若干特长,以及表现形式,如对人内心的挖掘,"意识流"的运用,对民间非规范文化的吸收,飞扬的想象力和极度夸张以至达于荒诞的手法,等等,都完全可以借鉴,这种借鉴对于我们新时期文学的发展不仅是有益的,而且是必要的。

到 1984 年左右，有三个想法被一些作家或含蓄或明确地提了出来。这三个想法便是：A. 作家应当使自己的作品具有长久的审美价值。B. 中国文学应当走向世界。我们一些作家的作品实际上已达到甚或超过了世界水平。C. 中国作家应当拿到诺贝尔文学奖。基于这样的思维定势，开始有作家和理论家明确而完整地提出了崭新的文学观，如"寻根"和写"文化小说"的观点，写感觉的观点，营造意向的观点，创造"美文"的观点，等等。在 1985 年，这种使文学"纯粹化"的浪潮格外引人注目。

这自然引起了我的兴趣，也促使我进行新的思考。

我何尝不想使自己的作品具有长久的审美价值呢？正是基于这样的思考，我到 1979 年便试图从《班主任》那样的写法中蜕变出来，于是先写了《我爱每一片绿叶》，继而写了《如意》，我以为最能体现我文学观由写"伤痕文学"向"人生文学"蜕变的，便是 1981 年发表的《立体交叉桥》。使我获得茅盾文学奖的《钟鼓楼》，也是基于《立体交叉桥》所开始的追求。

我自然切望包括我自己在内的中国当代作家的作品能够走向世界。我已有一些短篇和中篇被国外翻译出版，例如《立体交叉桥》就相继得到美国、联邦德国、苏联等国的译介。我为此感到高兴。

据我了解，对我国新时期文学的评价，在国外汉学界"行情看涨"。

但我们应当非常、非常清醒。

现在还远谈不上我们的当代文学在世界上产生了什么影响。

我们国家自己将我们一些作家的作品翻译了出来，发行到了国外。像《熊猫丛书》，有相当不错的反应。但是我们又必须知道，由于各种原因，它们的影响实在还极其有限。

一些主要的西方国家，他们那里的有影响的出版社，近年来开始出一点翻译成他们文字的我国新时期的文学作品，但数量非常之少，而且常常干脆当做关于中国政治动态和社会状况的参考材料出来。据我所知，翻译我国新时期文学作品最多的西方国家是联邦德国，但迄今所出版的书也还到不了十本。苏联的翻译界和出版社有国家作后盾,截止到 1985 年也只出了我们六本书(都是多人合集)。而我们这几年翻译出版了西方和苏联多少作品呢?他们的作家到我们这里来,惊讶地发现,连他们那里三流作家的书,我们也翻得有。

如果我们采取实事求是的态度,那就必须承认,这几年的形势主要不是我们的文学走向世界,而是世界的文学走向我们。

我们不必灰心。我们应当有这样的自信:我们的当代文学一定能在世界上产生影响。当然,距离那一天还有很长一个时期,还要经历一个艰难的历程。这毕竟不是我们单方面努力就能实现的。

据我的亲身感受,西方的作家很少有人知道我们当代作家的名字,更遑论读我们的作品。西方一般的知识分子大体如此。在西方读者当中,就更没多少人知道中国作家和作品了。

已经有一些文学界朋友对国外文学界忽视我们新时期文学的新发展而感到愤懑。比如,他们对此耿耿于怀:为什么外国人总愿意翻译介绍一些反映中国当代社会现状的"问题小说"、"改革小说"?他们想向外国人大声疾呼:那些东西的文学性并不强!我们有文学性很强的东西!我们有心态小说,不亚于弗吉尼亚·伍尔芙!我们有硬汉文学,不亚于欧内斯特·海明威!我们有魔幻现实主义,可以同《百年孤独》比美!再说,你们不是对中国古文化感兴趣吗?对老子、道教、《易经》、八卦,对东方神秘主义和东方道德观念感兴趣吗?我们有体现这些东西的小说!

但是,起码直到目前为止,外国人翻译介绍中国的当代文学,仍然主要着眼于作品的政治社会内涵,偏重于把这些作品当做供了解当代中国发生了什么变化,中国党和政府的方针政策有什么变动,中国城乡人民怎么生活和思想等等的信息源,而很少单纯着眼于作品的形式美。

西欧、北美、大洋洲的文学,实际上已基本融为了一种泛西方文学,它们之间的差异,大体上只类似我国各省文学间的差异;日本的一部分纯文学,拉丁美洲的"魔幻现实主义"文学,可以说是这个泛西方文学的分支。鉴于我们中国是一个社会主义大国，我们中华民族的固有文化历史是那么悠久，继承性又那么强烈，我们的文学市场又主要由大多数具有特定时代特定国情的特定审美趣味的读者所左右，因此，恐怕在非常非常长久的一个历史过程中，我们中国的文学都不可能与泛西方文学融汇，也不大可能成为它的一个分支。

如果有的中国作家现在就立足于为世界文学而创作，抱着与泛西方文学平起平坐的雄心，争取到诺贝尔文学奖的蟾宫里去折桂，我是佩服而且支持的。

但就我自己而言，经过一番考虑，我还是安心于为中国、为中国的读者而写作。我写出的东西倘有人能译介到国外去，自然高兴；倘若出不了国门，只要于中国有利，有中国读者读，那我也很满足。

我想，我也可以写一些为时代所催迫，为眼下一般读者所渴求的作品。

看来值得作这样的尝试：在自己的作品中把对现实的关注（包括对社会问题的关注）与对文学形式美的追求尽可能地结合起来，使自己的作品既能使一些高层次的读者感兴趣，也能被低层次的读者（包括并无文学理论素养的最淳朴的读者）所欢迎。实际上也就是力求雅俗共赏。

《5·19 长镜头》和《公共汽车咏叹调》便是在这种创作心理下产生的。

说这两篇小说使"问题小说"获得了"再度青春"（王蒙语），也许太夸张了一点。但它们所获得的强烈反响（包括外部世界的反响），确实证明了"问题小说"在所谓纯文学中是一个有生命力的品类。其实在泛西方文学中，纪实性的问题小说近年来也仍蓬勃地发展着。当然，那似乎是一种新闻和小说交错的边缘文学现象。在本世纪六十年代，美国就出现了所谓"新派新闻写作"（New Journalism），近来更发展为"文学化新闻写作"（Literary Journalism），在被认为是最高档的文学刊物，如《大西洋》、《纽约人》、《纽约书评》等杂志上，都常常出现这样的作品。

我很乐于承认，我写这样的作品，除了文学本身的考虑外，还有政治热情使然。我不隐讳这样的观点：我主张今天的中国作家为今天引领中国人民进行伟大改革的党和政府分忧。我有自己的政治立场。我拥护改革，我是个热诚的改革派。

其实泛西方文学中有相当一部分作家也是有鲜明的政治立场的。他们也常常把坚持一定的政治立场看得比献身文学更重要。比如备受中国一部分当代作家推崇的哥伦比亚作家加西亚·马尔克斯，就把坚持一定的政治立场看得比文学本身更为要紧。1975 年智利发生军事政变，左翼政权被暴力推翻，阿连德总统以身殉职以后，马尔克斯宣布实行"文学罢工"，并坚持了五年之久。他在接受 1982 年诺贝尔文学奖的发奖仪式上的讲话，简直是一篇咄咄逼人的关于拉美政治历史和社会问题的激进演说。他甚而宣称过："我不仅相信科学社会主义是有生命力的，而且认为，目前必须实行社会主义。"其言论简直令人吃惊。

当然，也可以不必尊崇马尔克斯。可以尊崇泛西方文学中不关心政治而属于唯美范畴的作家，如日本的川端康成。

世界既然如此之大，便应无奇不有。文学大师既然各不相同，也可自寻倾心的去尊崇。文学的天地无限宽广，每个作家可以自由确定自己的追求。值得注意的，是必须防止排他性。谁都可以认为自己找到了文学的真谛，并尽情地表现，但谁都别去宣判别人写的不是文学。

这几年我一直坚持这样的态度：我写我的。对于一个又一个的文学浪潮，我都认真观摩，但我不去认同。

我不打算只写一种作品。但不管我写什么样的作品，现在我的文学观念相对稳定在这样一些基点上：

文学应当表现人生。表现世态人心。

文学应当作用于人的情感，人的心灵，点燃和增强人的良知。

文学应当促进人与人之间的理解和最大限度的宽容。文学不仅是人学，更是爱学。

文学应当最充分地体现作家的个性。

文学应当充分重视它的形式，特别是语言。在文学形式上应当不断地刻意求新。

我现在是在这样一个三维的坐标上构成我的作品：一维是历史的发展，一维是人的命运，一维是我自己的艺术个性。它们分别使我的作品有可能具有时代的使命感、世态人心的认识价值，和我个人独特的理性思考的感召力。

不管是热闹，还是寂寞，我要在自己选定的路上继续前行。

1986 年 3 月 2 日北京

我所喜欢的和不喜欢的
——我与古典文学

　　我不想正襟危坐地写一篇《我与中国古典文学》。我想坦白我在这个领域里的好恶。也许这可以帮助批评家和读者更理解我的创作。

　　最近我写了两篇评论文章。一篇是评论电影导演黄健中的新片《良家妇女》，题目作《碧海青天夜夜心》，一篇是评论前辈冯亦代的散文集《龙套集》，题目作《池塘生春草》，选用这样的诗句作文章题目，实在是因为我对这两部作品的感受，自然而然地与记忆中枢中的这两个诗句碰撞在了一起。

　　这就说明，古典诗歌对我的影响，是潜移默化的。

　　我曾经在一个笔记本上，译过数十首《国风》，那些被圣贤指认为有着微言大义的爱情诗，对我来说并不存在着少男少女热恋以外的情愫，比如"青青子衿，悠悠我心"这一首，我便毫不犹豫地翻译为：

　　　　你为什么还不来？
　　　　我的心，我的心，
　　　　我的心里只有你，
　　　　只有你那着青衣的身影，
　　　　就算我不能去找你，

可你为什么就不通个音信？……

那时候，我大概 17 岁。《诗经》读过，《楚辞》啃过，乐府诗诵过，最后自然主要滞在唐诗和宋词上。早就听说领袖喜欢"三李"，也随着一种无形的潮流把三李的诗找来读了，李白自然是好的，李商隐的《无题》诗令我心醉，但李贺能让我喜欢的不多，他的想象力自然是丰富的，但我不乐于接受艰涩的东西，比如《杨生青花紫石砚歌》，后来被采入中学语文课本，我当中学教师时，费了老大劲，也还是没能让所有同学弄懂"佣刓抱水含满唇，暗洒苌弘冷血痕"的意思，就算终于弄明白了，也搞得意趣全无，所以，我还是喜欢平实、流畅、豁朗的风格。比如白居易的《村居苦寒》，在写过"回观村间间，十室八九贫。北风利如剑，布絮不蔽身……"之后，他能有这样的自省："顾我当此日，草堂深掩门。褐裘覆絁被，坐卧有余温。幸免饥冻苦，又无垄亩勤。念彼深可愧，自问是何人？"我以为这便是人道主义精神，是深可感佩的，也是我应当勉力汲取的。

宋词在精神内涵上对我没有太多的启示，但经常诵读的效应，是使我对中国文字的节奏感和遣词布句的奥秘有所领悟。

"文革"中我手边只剩下 3 册印造得很粗糙的《韦苏州集》，我把它们压在枕头底下，夜深人静，一灯如拳，我便偷偷地取出来，随便翻翻，于是那些表现空灵和静穆的诗句，在那样一种特定的形势下，竟仿佛一汪甘泉，深深地抚慰着我那颗被煎熬得焦蔽的心：

今朝郡斋冷，忽念山中客。

涧底束荆薪，归来煮白石。

欲持一瓢酒，远慰风雨夕。

落叶满空山，何处寻行迹？

现在时过境迁，再读这样的诗，感受又不一样了，但韦苏州却几乎成了我最熟悉也最喜爱的古代诗人。

　　据说一般人读中国古典长篇小说，总不免是先醉心于《水浒》，再热衷于《三国演义》，最后才是《红楼梦》。"少读《水浒》"尤其被认为是规律性现象。我少时也翻过《水浒》，但不知怎么搞的，感受似乎与同辈少年不同。我忍受不了卖人肉包子的行为，即使是英雄豪杰所为；李逵劫法场时，挥舞板斧一路砍下去，不仅砍了坏蛋，更砍了许多仅仅是看热闹或偶然路过的人，这类场面也刺痛着我的良知。还有若干让我不舒服的地方。冷静下来，我觉得一百单八位好汉中，唯有浪子燕青完全符合我的内心趋向。这种对《水浒》的态度大概是令许多人惊诧的吧！《三国演义》我不能耐心地一行行看下去，常常要把许多枯燥的段落跳过去，专拣那些有兴味的地方看。而《红楼梦》，是我所钟爱的。早在家长仍宣布那是我的禁书的时候，我便偷读了它。后来我不知又读了多少遍。常常不是逐回地读，而是翻到某一回，便读某一回。小红这个人物给我留下了很深刻的印象，可惜的是曹雪芹未及塑造完这个人物，而高鹗的续书简直把这个人物写丢了。"天下没有不散的筵席"这个话作者不让林黛玉说，不让晴雯说，不让平儿说，不让其他任何人说，而偏让小红来说，我以为绝非涉笔成趣。唯有小红看透了人情世态，她不随那一窝蜂似的少女们去追逐或幻想贾宝玉的爱情，而实事求是地衡量客观环境所能给予自己的幸福的最大限度，然后，她既不是一味地"春困发幽情"，也不是徒然地"俏语谑娇音"，而是精心地设计，果敢地行动，稳扎稳打地迎向自己的目标。就前八十回的描写，小红所追求的贾芸也并不是那么不值得追求。高鹗后来把贾芸写得那么不堪，我想断非曹雪芹原意。另外，对《红楼梦》中的赵姨娘这个人物，我的感受也许更与众不同。我不知道作者为什么写其他人物时都能够平心静气地采取"性格二重组合"（借用刘再复语）的方式，比如写作恶多端的凤姐，写淫荡无度的贾珍和贾赦，写荒唐霸道的薛蟠，都不仅"笔下留情"，而且细致地刻画出他们多方面的而且往往是矛盾的、又交融又拒斥的性格特征，如凤姐的机智爽朗、妩媚妖娆，贾珍的真情实意和贾赦的怨而不怒，薛蟠的天真憨厚、孝母怜妹，等等，但作者写到赵姨娘和贾环这一对母子时，下笔便不那么冷静蕴藉了，尤其对赵姨娘，简直是只写她的一面，让读者见而生厌，所以后来的评注者如"护花主人"之类，都用"蛇蝎"一类词语来给赵姨娘定性。但我通读《红楼梦》后，却不知怎么搞的，竟对赵姨娘生出了许多的同情。请设身处地为她想想，倘若说连晴雯，连司棋，以及那十二官们，生活中都毕竟有着乐趣，那么，对比一下吧，赵姨娘的生活状况，不是连她们都不如吗？她那些在作者笔下被描绘得十分可恶可厌的行为，难道不是一种对现实的反抗，和一种郁愤的发泄？她实在是极其不幸的。曹雪芹对她的同情和谅解何以几达于零，这真是一个谜。

去年我完成了一个长篇小说《钟鼓楼》，采取一种很特别的攒花式的结构方式，小说里出现了几十个人物，却没有主要人物，这惹得一位外国汉学家问我："你采取这种写法，是不是受到了《儒林外史》的影响？"我的回答是否定的。《儒林外史》写一组人物，丢弃一组人物，贯串到底的人物不多，而我的《钟鼓楼》，作为众多人物合组成的群像是贯串始终的。我读《儒林外史》时大约才20岁，我不喜欢这部小说，当然那是因为我社会经验太匮乏，对小说所反映的时代和社会也缺乏足够的了解，后来我没有再重读过这部作品。

中国古典文学这个范畴是极其宽泛的。诸子百家的著作，《史记》、《汉书》、《资治通鉴》……也都是这个范畴之内的东西，究竟从什么时候开始，哲学、政治、经济、科学、技术、历史、地理著作，才跟文学明显地剥离呢？我不知道。反正我读古书有时目的也不甚明确。比如读《洛阳伽蓝记》，我也不知道自己是想了解当时的佛教盛况，还是为了欣赏那生动的文笔；读《西湖游览志》大半只是为了对照我在西湖足迹所至之处，得到一种联想的乐趣；读《虞初新志》纯粹是为了猎奇。

也读过曲。读过传奇。不那么喜欢《牡丹亭》，尽管它的反封建礼教意识达到了一个令人敬佩的高度。《长生殿》竟未能卒读，太冷峭了。最喜欢的是《桃花扇》，读过许多遍。我特别喜爱《桃花扇》中第二十七出《逢舟》，人世沧桑之感，油然逸出，令人无法抑制种种切肤之想。不知为什么后来的昆剧并无这出折子戏的演出？

汗漫地扯了一通，总觉得挂一漏万。比如《聊斋志异》所给予我的滋养，竟险些忘了提及。除了对蒲老先生关于女人小脚的一再赞赏不以为然而外，他的全部爱情故事，都给我一种超俗的美感，而且他把文言文写得那么明白晓畅，读起来简直不觉得是在读文言文，也真够令人惊异的。

近年来，深感处在一个信息大爆炸的时代之中，该吸收的信息实在太多了，因此，中国古典文学作品和外国古典文学作品读得都不多了，主要是读中、外当代的文学作品，但偶尔也还是免不了要从书架上抽出一本《李贺诗集》之类的书来，随便一翻，权作调剂：

幽兰露，如啼眼。无物结同心，烟花不堪剪。草如茵，松如盖，风为裳，水为佩。油壁车，夕相待。冷翠烛，劳光彩。西陵下，风吹雨。

很好嘛！说不尽其中的丰盈意味！这样看起来，前面所说到的对李贺的印象，也终究是一种少年时代的没有水平的印象，看来许多过去读过的古典文学作品，都应在阅世渐多之后，一一重新体味，而许多以前未及读到的古典文学作品，实在应及时补课，只是人寿有限，时间无多，怎么办呢？兹引陶渊明《杂诗》其一最后四句自勉：

盛年不重来，
一日难再晨。
及时当勉励，
岁月不待人。

1986 年春写于北京垂杨柳

无数杨花过无影

外国文学对我的创作有没有影响？

答案当然是肯定的。

那么，有着怎样的影响？

这，我实在说不清。近十多年，常遇到别人问这个问题，也时有编辑约写这方面的稿子，我总答不出、写不成。

当我还没有从事文学创作的时候，我就喜欢阅读外国文学作品。1956年的时候，我14岁，已经上中学，我一方面从学校图书馆借，一方面自己花钱买，间或也从兄妹那里弄到，读了大量的外国文学作品，从1956年到1965年那十年间，人民文学出版社出版的全部外国文学作品，我大概都读过。这话并不怎样夸张，因为在那十年里，我国对外国文学作品的出版无论种类和速度，都远不能同近十年相比，对于一个热爱外国文学的阅读者来说，公开正式出版的外国文学作品，是完全可以"读完"的。那十年里所出版的外国文学作品，记忆中，粗分起来无非三类，占最大比重的一类，是苏联十月革命以后，特别是苏联卫国战争期间及那以后的文学作品；另外一类则是古典作品，所取的标准，除马、恩、列、斯直接肯定过的作家作品外，大体上是看苏联译介的走向，大凡在苏联被肯定的，我们这边就可以见到译本，例如伏尼契的《牛虻》，在西方一般不认为是怎样重要的作品，因为苏联大力肯定，且经《钢铁是怎样炼成的》一书作者用火热的语句加以推荐，所以那时在中国达到家喻户晓的程度。而例如蒲宁，虽在 1932 年获得诺贝尔奖，国际声誉很高，但因苏联当时视其为流亡国外的反动文人，所以我们中国当然也就不会出版他的小说，我那时就简直不知道世上还有这样一位作家；第三类则是其他社会主义国家的一些作品和我们认为是西方国家及其他国家和地区中的进步作家的作品，这类作品优秀的确实不少，但其出版却只带有明确而单纯的政治象征意义。1978 年我在一家大图书馆中就发现了一本 60 年代初期所出版的这类译作，厚厚的一大册，在书架上一直静静地戳着，竟始终没有一个人借阅过，其印装过程中未及裁开的篇页仍旧连接在一起。"文化大革命"前夕人民文学出版社（以作家出版社名义）曾办了一件事，就是出版了若干的"黄皮书"，全是一些供内部参阅批判的"修正主义"及"资产阶级"的"反面教材"，例如美国塞林格的《麦田守望者》、苏联冈察尔的《小铃铛》等。尽管印数很少，且规定只在当时有身份的文化人中发行，但世上哪有不漏风的墙，这批"黄皮书"很快成为一些文学青年想方设法借到手的珍本，我那时人微力弱，远在当时那"黄皮书"的流布圈外，所以只偶然见到过两三本，但我也承认，那"黄皮书"的冲击力确是非常之大的。"文革"中，出版"黄皮书"一事自然成为了有关部门和有关"黑线人物"的一大罪状，但据我所知，"黄皮书"大概并没有销毁多少，仍在暗中流传，一位比我小 10 岁的当年参与过"破四旧"的朋友告诉我，他就是从阅读被抄来的"黄皮书"开始，而萌发出文学创作冲动的。

1982 年苏联莫斯科进步出版社出版的中国当代短篇小说集《一个人和他的影子》一书前面，有热罗霍夫采夫和索罗金合写的长篇序言，其中介绍到我的小说《班主任》和《我爱每一片绿叶》时，分析到我所受到的俄罗斯古典文学及苏联文学作品的影响，这在《班主任》里不仅体现在作品内涵中，也直接显示在情节的构成和若干细节描写上。我想他们是有道理的。

1990 年香港中文大学翻译中心出版了我的英文小说集《黑墙——刘心武作品集》，内收我的 6 篇作品：中篇小说《如意》和短篇小说《黑墙》《公共汽车咏叹调》

《她有一头披肩发》《5·19 长镜头》《白牙》。澳大利亚汉学家杰瑞米·巴梅为该书写了一篇序。他说,《她有一头披肩发》的结尾使他想到欧·亨利的手法,《黑墙》有"黑色幽默"的味道,《白牙》中的"沉默试验"有某种超现实的气息,而《如意》则使他有一种恍如"中国的《金色池塘》"般的感觉。也许,他这是在从旁揭示我从外国文学作品中所获得的潜移默化的影响。《金色池塘》原是美国的一部舞台剧,剧作者为厄内斯特·汤普森,1981 年据此拍成了大受行家青睐和观众欢迎的影片,由老资格的好莱坞大明星凯瑟琳·赫本和亨利·方达联袂主演。亨利·方达的女儿简·方达出演他们所饰的片中老夫妇的女儿。我在几年后才在中国看到这部影片,当时我的中篇小说《如意》早已完成(它发表于 1980 年并于 1983 年拍成影片,我于该年秋天还随该片去法国参加了"南特国际电影节"),所以,我写《如意》不可能是受到了《金色池塘》这部作品的影响,但我却乐于接受杰瑞米·巴梅那个"中国的《金色池塘》"的说法,根据《如意》改编拍摄的影片(导演黄健中)在法国"南特国际电影节"放映时,确实很受欢迎。后来此片又在法国和西德的电视中播出,《如意》除了被译为英文外,也被译为德文和俄文,在西德和苏联都得到了介绍。我想这除了因为他们可以通过《如意》了解中国普通人在中国社会变迁中的生活风貌以外,也确实可以从作品中一对老龄男女的黄昏恋中,感受到某种人性中相通的东西,这其实也正是中外古今大量文学作品里贯串始终浸润整体永不枯竭永能出新的一脉文气。我写《如意》,首先自然是出于对中国社会生活和普通中国人心灵(尤其是北京这座古城的市民)的深切感受,但其次,就需谈到早已存在的文学(或扩而大之到整个文艺和文化)大河对我的沐浴与滋养,这当中除了本民族的文学传统外,外民族文学的影响,当然也融化在其中了。

鲁迅先生 1925 年 2 月 21 日在《京报副刊》上,应编者"青年必读书"之征,作答曰:"从来没有留心过,所以现在说不出。"又在"附注"中说:"但我要趁这机会,略说自己的经验,以供若干读者的参考——我看中国书时,总觉得就沉静下去,与实人生离开;读外国书(但除了印度)时,往往就与人生接触,想做点事。中国书虽有劝人入世的话,也多是僵尸的乐观;外国书即使是颓唐和厌世的,但却是活人的颓唐和厌世。我以为要少（或者竟不）看中国书，多看外国书。少看中国书，其结果不过不能作文而已。但现在的青年最要紧的是'行'，不是'言'。只要是活人，不能作文算什么大不了的事。"

这是 66 年前的话了，因为系鲁夫子所说，总不会被认为过时吧。中国书（我认为他所指的是本世纪以前的书）是否"虽有劝人入世的话，也多是僵尸的乐观"，我因没有深入研究过，以自己有限的读书心得，似也并不能如此概括，所以姑且勿论，但"读外国书时，往往就与人生接触，想做点事"，"外国书即使是颓唐和厌世的，但却是活人的颓唐和厌世"，却深合我自身阅读外国文学作品的经验——而且就我来说，即使印度如泰戈尔的作品，也并不例外。

近十年来，我步入文坛，写了不少作品，又出版了 30 本书，我主要是写小说，我自认贯串在这些小说中的，是一脉关注社会、拥抱生活、品味人生、探索人性的心搏，不同时代、不同民族、不同流派、不同风格的外国文学作品对我的影响，系融于其中，如春光烂漫般显著，但要我说出个子丑寅卯，却又理抹不清，正所谓"无数杨花过无影"，是当局者迷吧。

我不能直接阅读任何一种原文的外国文学作品，因此，同许多与我情况类似的作家一样，就文体与文气方面而言，与其说是外国文学作品影响了我，不如说是成功的翻译家那笔下的中文影响了我。这里且不细说。同那些具有直接阅读原文能力的作家们相比，我总是十分惭愧，也往往非常困惑。近十年来，我国在译介外国文学方面，不仅领域种类上有极大的拓展，数量上更是猛增。我以为至少有三个方面的现象是以往不曾有过的：一是出版了大量的外国通俗文学作品，一是出版了大量的非现实主义流派的作品，再有就是有种尊崇和追踪诺贝尔文学奖的倾向。不仅好几家出版社在出历届诺贝尔文学奖的获奖作家作品选集和单本著作，而且，近十年来每年诺贝尔文学奖的揭晓，似乎都成为了我国文坛关注的一桩大事，一般宣颁不久，我国的译文类刊物上便有关于获奖作家作品的介绍，单本的书出得也颇快，有时还有两种版本同时推出的现象。在近十年里，我想纵然是最热衷于阅读外国文学作品的人士（哪怕是以研究外国文学作品为职业的人士），也不可能把公开出版的译本都读遍了，我自己在这方面的阅读上，自然形成了大量的空白点。

西方文学中本世纪以来涌现的非现实主义文学作品，举凡现代主义的、超现实主义的、后现代主义的……种种创作，越来越体现于其文学语言的创新乃至"文体"和"语体"的"颠覆"上，这样，不能阅读原文，不能直接感受其"文本"，只依靠翻译介绍，至少在我，就常常陷于困惑之中；尽管我认真而细心乃至虔诚地阅读译文，往往还是茫茫然而不能入其堂奥，例如福克纳的那部《喧哗与骚动》，我懂得译者呕心沥血地将其译出真是不容易，了不起，但说实在的，我读起来却只有啃酸果的感觉。

我想一个作家在广泛阅读他人作品的过程中，一定会或多或少、或强或弱、或隐或显地受到某些影响，但一个有创造力有自尊心和自信心的作家，却不应有意去专门接受他人作品的影响，尤应如同逃避瘟疫般地戒惕自己不要堕入模仿、效法、追踪他人（又尤其是外国作家）作品的渊薮。

本世纪以来所存在的诺贝尔文学奖，固然是世界上现有各类文学奖中影响最大的一种文学奖，排除掉评奖中所潜伏着或直露出的某些非文学性的动机与标准外，总体而言，这项文学奖也确实评出了一些很不错的作家和作品。因此，关注、重视诺贝尔文学奖的颁布，研究、借鉴每年的获奖作家和代表作，我以为都是必要的。不过，摆脱掉这项文学奖对我们作家进行创作的阴影，即不仅不要赶潮流赶时髦地去主动接受它那历届得主特别是最新得主的影响，而且，坚持自己的创作完全体现出自己的心灵意志和自择自创的符号系统，我认为是非常重要的。

记得在 1980 年，当时西德驻华大使魏克特博士，曾请了我们几位中国作家到大使馆去聚会。魏克特本人也是一位作家，他写的广播剧《德语课》不仅在德国电台播出也由我国中央人民广播电台录制播出，译文也曾在我国《世界文学》上刊出过，他并著有以中国太平天国革命为题材的长篇小说。他那次请中国作家去聚会，是因为德国名作家君特·格拉斯作为他私人的朋友，到中国旅游，住在大使馆中，他想让君特·格拉斯能有一个与中国作家接触的机会。我在此之前已

经知道君特·格拦斯与伯尔同为当代德国最著名的作家，伯尔的写作风格比较写
实，君特·格拉斯在《铁皮鼓》中已显示出不拘泥于写实的文风，而他那次到中
国时，恰好正完成了以非写实手法写成的《鲽鱼》一书，记得那天聚会时他还举
起一幅木刻画给我们看，所刻的正是两条变形的富于装饰趣味的鲽鱼。魏克特博
士从旁介绍说，那是格拉斯自己所刻，他不仅能文，而且精于版画，那幅木刻便
作为了他新著的封面。当时便问及《鲽鱼》的内容，他略作解释，而翻译已极感
困难，我们都不得要领。两年多以后才在《外国文艺》上看到了一点摘译，译者
在附言中也说那作品只有直接阅读原文方能品出其中滋味，简直没有办法通过翻
译传达出作者的妙意。大家都知道伯尔已在 1973 年获得了诺贝尔文学奖，而君
特·格拉斯多次进入该奖的提名角逐却至今与该奖无缘。作家有必要去争取诺贝
尔文学奖吗？记得那回格拉斯微笑着说：提名，竞争，都是别人的事，作家写东
西，简直不要去管那一套，他写《鲽鱼》，就颇有如入无人之境的气概，全凭自
己的灵感一口气写下去。当然，他说，《鲽鱼》对许多读者来说，要比《铁皮鼓》
难于接受，但他相信，《鲽鱼》是一部比《铁皮鼓》更精彩的作品，终会获得若
干知音。格拉斯那天洒脱自信的音容笑貌，十多年后仍宛在眼前。

1988 年访问巴黎时，在法国文化部的一次招待会上，我又有机会同法国"新
小说派"开山祖，也是有名的"午夜出版社"主持人罗伯·格里耶接触，我们站
在宽敞的宫殿平台上，下面是气魄瑰伟的协和广场，广场中央竖立的楔形文字方
尖碑，以及四角配有古典圆雕的喷泉，给人留下了极深的印象，不过罗伯·格里
耶的某些谈吐，却更令人铭记不忘。那时候，罗伯·格里耶已然鬓发苍然，不再
是当年以《嫉妒》、《去年在马利昂巴》等作品披荆斩棘开创新业的猛将风姿，他
显得格外沉静、恬淡，"新小说派"的业绩通过头两年克洛德·西蒙的获得诺贝尔
文学奖，已然算是获得了世界文坛的稳定评价；据说克洛德·西蒙获得 1985 年诺
贝尔文学奖的消息传到巴黎时，街头行人大有面面相觑、互相询问"他是谁？"的；
报刊舆论上大有责问为何该奖不颁给罗伯·格里耶或其他几位远比克洛德·西蒙
知名度高业绩也大的"新小说派"主将的；但当我们几位中国作家通过翻译问及

此事时，罗伯·格里耶却称根本不存在一个什么"新小说派"，他说这个派那个派全是一些评论家捏合起来的，对于他来说，文学是一项无休止的试验，他现在所写的作品，就全然不同于以往所著，作家不仅要竭力摆脱他人的影响，摆脱评论界的影响，摆脱诸如诺贝尔文学奖之类的影响，而且，也要摆脱自己过去的影响。大意如此。

同格拉斯、格里耶这样的外国作家的接触，给予我的影响，似乎比阅读译成中文的外国文学作品，还更触动我的创作神经。

我也许并不具有多高的才能，我的写作，也许仅仅出于一种对文学的执著爱好，甚至只出于一种生命本能，但我一定要使自己的每篇作品，不仅不是任何中国或外国作家写出的作品的影子或摹本，而且，也不是自己以往作品的重复。

我乐于在无意识中接受潜在的影响——包括外国文学作品的影响；我却要戒惕自己有意识地去从阅读中捞取影响——尤其是时髦的外国文学作品的影响。

说不清，道不明，在我，也许倒是一桩好事。

1991 年 11 月

仲夏访谈录

［按：戴鹤白（Roger Darrobers）1998 至 2002 年曾任法国驻华大使馆文化专员，现为巴黎第十大学汉学副教授。他已将刘心武的长篇纪实作品《树与林同在》及小说《护城河边的灰姑娘》《尘与汗》《人面鱼》译成法文，前二种已分别在 2003 年 1 月、4 月于法国出版，后二种将分别于 2004 年 1 月、4 月在法国出版。此访谈于 2002 年仲夏在北京华侨饭店咖啡厅进行。］

戴：您认为您在中国当代文学中占了什么地位？

刘：这应该是别人来评定的事。我只是一个从小爱好写作的人，很幸运地有了发表作品的机会，进入了中国当代文学这个社会范畴，一度也算相当走红，挺中心的，但这些年我已经边缘化了，这边缘化有被动的一面，但也有主动的一面，也就是说，我越来越乐于自觉地放弃掉一些东西。我虽然边缘化了，但并没有出局。在边缘，我目前也还挺活跃的，有自己相对固定的读者群，有自己的话语空间，有自己精心构建的还算雅致的个人生存方式，有足够自己享受的文化乐趣。

当然，我这样说，似乎在回避一个评价问题。其实我也注意到外界对我的评价。比如，在 2000 年中国中央电视台纪录片组搞了一套片子叫《百年中国》，一共 100 集，每集都很短，大约 5 分钟，浓缩中国近百年历史上的一个重要事件，我偶然看到，其中有一集讲到"四人帮"倒台后思想解放运动和文艺复苏的进程，提到了1977年年底我的短篇小说《班主任》的发表,镜头里还出现了我写作的照片,打出了名字。还有美国人主编的《剑桥中国史》,其中最后一卷是《中华人民共和国史》,其中有一页半提到我发表《班主任》什么的。但我也翻看过某大学教授主编的中国当代文学史教材,他只有关章节的综述里提了一下我和《班主任》,在他看来,当代文学的复苏另有标志性作家和作品。由此可见,所谓"占地位"的问题,可以是此一时彼一时,也可以是此人眼中重彼人眼中轻甚至无,如果真去关心这件事,岂不忽而狂喜膨胀,忽而失落爆炸?《百年中国》仅是一家之言,美国人修订《剑桥中国史》时也可以删掉关于我的那一个半页码,以后的文学教授更可以在他的当代文学史讲义里连提我一下也免了。但我生活过,写作过,痛苦过,快乐过,我的生命尊严和创作价值都绝不是零,意识到这一点,也就够开心的了。我现在害怕的不是他人的眼光,而是自己到头来没能把该坚持的坚持到底,没能把该放弃的真的放弃掉。坦白地说,因诱惑而沉沦,在现在的时空里那真是太容易发生的事情了。

戴: 您的一些著作被收入北京作家丛书中,您是否自认为您是北京作家?北京作家有何特点?

刘: 从居住身份和写作内容来说,我可以算是北京作家。我8岁随父母从重庆来到北京,后来就一直定居在北京,至今已逾半个世纪,我的生命已经融入了北京市民群体,我是一个定居北京并长期从事写作的人,这当然可以归入北京作家的范畴。我的作品,以小说而论,只有少数是以比如说四川、海外为地域背景的,绝大多数都是写北京这个空间里,在流逝的岁月里北京市民的生死歌哭,这当然就更可以把我划入北京作家的范畴。但有一种划定范畴的符码是"京味小说",也有人用"京味"来界定北京作家群的创作特色。"京味"应该不是一个狭隘的概念,但主要指的是语言的味道,也就是用跟普通话有所区别的北京话来写作,特别是在叙述语言上,也保持一定的北京口语的风味,这构成了"京味"的内核。"京味"作家过去的代表是老舍,现在的代表我认为是王朔。但从语言这个角度来说,我认为自己够不上"京味"作家。我写北京市民对话时,为了尽可能地惟妙惟肖,会有些"京味"吧，但在叙述语言上，我多半不是用北京话而是用普通话，甚至用比较文气的书面语，因此，把我归入"京味作家"，我确实不敢当。

　　戴：您在 1999 年出版了一部《树与林同在》，是根据一个人的真实经历写的，主人公任众上世纪 50 年代被划为右派，他又是天主教徒。您写他有什么动机？

　　刘：我写作的眼光一贯比较关注社会底层，关注被侮辱与被损害的个体生命。一个人即使可以通过迁徙来摆脱其所在的空间，却不可能脱离他所置身的那个时代。我写《树与林同在》，是企图通过任众的个案，来折射出一个时代的悲喜剧。2000 年夏天在巴黎，我见到高行健，他送给我台湾联经出版社给他出的长篇小说《一个人的圣经》，那是写"文化大革命"的，他通过主人公的遭际和心路历程，皈依到禅宗，主张彻底地超脱，一个人守住自己就行了，升华自己，高于一切。我则把《树与林同在》送给了他。我们的书名体现出理念上的明显差别，我还不能做到"顿悟"，总还想把个体生命与民族之林协调起来，当然我的侧重点放在"林"不要总是毁"树"，强调如不善待一棵棵具体的树，最后也就没有葱润强旺的民族之林。我的写作动机在有些人士看来，是不够纯净的，你表现自己就行了，怎么总还想触及社会？但这也许是我写作上的宿命。我懂得，作家写自己，写自己的遭际，写自己的内心，绝对是当前最被看好的纯净的写作路数，但我总觉得这世界也还该有些能写自己以外的作家，写别人，特别是写跟自己年龄、经历、性格等方面差距很大的别人，也就是写芸芸众生、三教九流，这路数太古典吗？过时了吗？掺进了"非文学"因素了吗？我不管这些质疑，我还是要写。写社会，写他人，跟写自己，好比隔着一条鸿沟，但我想即使到了当前，也还应该有些作家，不畏难度，不怕嘘讥，去跨越这条鸿沟，写具有社会性的作品。当然，坚持这样写的作家也不止我一个，"跨沟"的目的也各不相同，我呢，写"树"，目的是期盼"树与林同在"。更具体地说，我的写作主张，是不能只表现人生而舍弃人道，不能只揭示人性而忽略人权，不能只面对性爱而抹杀博爱，不能只张扬个性而忘记还有那么多人还很不幸需要关怀，这是对中外古典文学固有的一种传统的继承吧，但同时我觉得自己也很现代，甚至很后现代，因为我反对一切方面和形式的极端，主张多元共存，主张冲突各方能对话谈判，找到双方都能接受的体面的妥协方案，以理性、宽容，使世界、人类能尽可能在和平中提升——也就是在同一空间中，使不同的心理时间得以从容地并置。

戴：《树与林同在》这本书里附有大量照片还有图画什么的，现在中国书店里有很多这类的书，这是不是一种新潮流？您的书是不是第一个运用这种方式的？

刘：第一个不敢说，但我确实是比较早就试图创造一种图文融合的文本。《树与林同在》是 1999 年出版的，早在那之前的十三年，即 1986 年，我就在《收获》杂志上开设了一个栏目叫《私人照相簿》，这专栏一直延续到 1987 年，用文字和照片构成一个独特的文本，照片不是作为一般的插图或配画出现的，不是文字的附庸，而是具有跟文字平等的，不可被文字取代的文本构成因素。后来这些文章集在一起出了书，先在香港出的，后来在内地也出了。我实验《私人照相簿》的文本时，追求图文并茂的出版物似乎还很少，更谈不到什么潮流。但这些年图文并置的书，包括文学书越来越多，确实成为了一个潮流。不过我觉得许多这类图文并列的书并不一定是想在文本上进行创新，基本上是出于"现在人们生活都很累，别再让人看那么多字，多给人看些一目了然的直观的东西吧"这样的想法。

戴：2001 年诺贝尔文学奖得主维·苏·奈保尔（V.S.Naipaul），他过去虽然写了许多小说，但现在他认为小说这种形式已经达到了它的完美程度，他现在不写小说而采取其他形式写作。那么您是否达到了同样的结论？您认为他的看法与中国文学现状是否接近？

刘：我认为中国小说也已走入了困境，因为好的小说已经积累得很多，想要再超越很困难。一些作家因此觉得需要通过在叙述方式和文字排列上玩花样，以求达到诡奇的效果，但这样一来往往会与社会上一般读者的阅读习惯产生疏离，很多人会觉得不好看不好懂而且即使懂了也没什么大意思，阅读这样的小说不再是一种享受而是一种痛苦。我自己直到目前也还在写小说，最近还新出了小说集《京漂女》，我很努力，但也觉得不要说超过别人，就是超过自己以往也很难。我现在也把自己的笔放开了，不仅写纪实性的东西，还写大量的随笔，写建筑评论，搞《红楼梦》研究还把研究成果用学术探佚小说的形式体现出来，当然，所有这些文字，我都注意到文学性，因此我觉得自己所写的这些也都还能算是文学作品。

戴：说到"红学"研究，我想知道，关于《红楼梦》已经有那么多人写过那么多书，您现在还能再说些什么呢？

刘：有人说"红学"已经走到尽头，该说的都让人说了。其实不然。我搞"红学"从研究秦可卿这个人物入手。"红学"已经有很多的分支，分析其思想内涵艺术成就是一大支，包括人物论，研究作者家世、身世又是一支称为"曹学"，研究各种版本是"版本学"，研究主要以脂砚斋署名的批语是"脂学"，包括研究大观园，研究书里的诗词歌赋、器物文玩、饮食茶点、服装饰物等等都构成不可忽略的分支，因为曹雪芹没能整理完全书而且现在八十回后的真本失传，因此探佚又是一个非常重要的分支，我以秦可卿这一人物为突破口，进行探佚研究，有人讥我搞的是"秦学"，我坚持这么几年下来，觉得把我的努力归结为开辟出了一个"秦学"分支也未为不可。我不敢说自己的研究一定是对的，但我确实能说出不少前人未说出来的发现与观点，如秦可卿的原型是康熙朝废太子的女儿，"三春过后诸芳尽，各自须寻各自门"这一谶语里的"三春"不是指三个人而是指乾隆元年至乾隆三年的三个春天，芦雪亭联诗实际是曹雪芹为家族写的诗史，"金鸳鸯三宣牙牌令"里的那些令词特别是"日月双悬照乾坤"影射的是乾隆四年发生的"弘皙逆案"，太虚幻境里出现的四位仙姑的名字不是随便那么一取，实际是影射着在贾宝玉一生中至关重要的四位女性林黛玉、史湘云、薛宝钗、妙玉……我的这些研究成果，得到了"红学"前辈周汝昌先生的支持、指点。我以为"红学"研究是一个公众共享的话语空间，不是什么机构或个人能垄断的，如果社会各方面能给予更多的鼓励、包容，"红学"研究是一定能再度复兴起来的。

戴：最后，您是否能谈谈对中国社会发展的看法？

刘：这个问题我很愿意回答却无法答好。我很困惑。我可以很坦率地告诉你我还看不大清楚。现在中国非常积极地加入世界上以跨国大财团为核心的世界经济组织，看样子是在努力地融入全球经济一体化的进程，中国的经济也确实在高速增长，这正迅速地影响到中国的各个方面，几乎渗透到每个中国人的日常生活里。但经济增长的成果似乎过分地朝"成功人士"方面倾斜，翻开中国报纸，你会发现它们非常热情地报道有关富人的信息，不断地告诉你美国福布斯杂志的100强是谁，中国的什么富人在什么样的富人榜上有位置了，等等。合法致富当然是好事。但减去"先富起来"的那部分以后的那个极大数目的人群，他们的尊严、利益如何保证？我也感觉在作出努力，要保证，但落到实处的地方似乎还不多，也就是说，与经济高速增长相比，社会保障机制的建立还比较缓慢滞后。这派生出了很多的问题。北京现在有六万人民币一平方米的高级公寓，每套里有多个卫生间，有冲浪按摩的大浴盆，据说已被购买一空，但北京也还有许许多多胡同杂院的普通市民，每天还不得不到院外有时要走上几十米才能到达的条件还很差的公共厕所里去蹲茅坑，经济高速发展的国度的首都，为什么就不能高速解决大量市民在拉撒上的迫切问题呢？对于当前中国社会发展中的问题，有的人士的"点穴"似乎挺准，但他们那解决问题的思路，是往比如说格瓦拉、"鞍钢宪法"、"东风吹战鼓擂"……甚至"红色风暴"里头寻觅资源，以成药方，这是我坚决反对的。说实在的，我现在还处在仔细观察、努力思考的状态里。我想起你在巴黎新出版的那本关于北京的摄影集里的那些照片，有一张是你去年在一个胡同里拍的，画面上是一个最普通的北京市民的家，小小的平房，家门旁一边码着蜂窝煤，一边码着冬储大白菜，屋檐下则挂着有八哥的鸟笼，令人对这家人的愁喜悲欢产生丰富的联想，这样的人家，其中那些个体生命，是我所最关注的，高速发展的经济进程究竟给他们带来了什么？怎样才能满足他们那卑微然而又满含着生命尊严的期盼？我对这些都还不大清楚，但我会作为他们当中的一员，去启动、开展自己的文学思维。

2003 年 8 月整理

你吃过泼妇鸡丁吗？

泼妇鸡丁是我偶然在乡间一家小餐馆发现的，尝后非常满意。此菜集辛辣之大成，麻烫刺激，外焦里嫩，嗅之异香，入口舌迷，令口腔黏膜陶醉，入喉更有痛快淋漓之感，胃肠为之歌咏，魂魄舒张欲仙。后来我多次带亲朋从市里远奔此小馆，品尝此菜，还建议该店干脆就以此菜冠名。

我近年来所撰文字，多有与菜肴点心水果零食结缘的，开始是不自觉状态，渐渐地自觉起来。我注意到，当前全球文学创作中，都有饮食文学涌现，比如美国名厨安东尼·伯尔顿的《厨师之旅》，影响就很大，我们这边三联书店也出了译本。我国台湾地区的二鱼文化事业公司，也推出了"饮食文学系列"，在已经出版了我一本《藤萝花饼》散文集后，最近又出了我中篇小说《泼妇鸡丁》单行本。这个中篇发表在去年的《当代》杂志上，目前人民文学出版社也正把包括它在内的9篇小说出成一个新集子。作为饮食男女中的一员，我已悟出，我们的生命其实是贯穿在一日不可废除的吃喝中的，从解饥渴求温饱的最低层次上提升以后，我们对美的追求，对情的寄托，对自己与对别人的慰藉，对今日与未来的期许，越来越多地体现在了我们食不厌精、脍不厌细的餐桌享受中。

在今春于台北举行的"回顾两岸五十年文学学术研讨会"上，焦桐先生提交的论文是《刘心武的饮食话语》，他在论文里把我涉及饮食的作品加以仔细品评，认为我首先刻意在这些作品里体现"教化之味"，如《空盒》借月饼讥讽暴发户的奢靡生活，及贪污腐化的官场；《佐餐》批判商潮下的各种不公不义；而《免费午餐》和《巴厘燕窝》"虽然都叙述了一顿豪华盛宴，却完全不是重点，叙述者在乎的是通过那顿盛宴，彰显某种理想的社会机制"。然后指出我的这类作品"叙述食物，真正的目的却在写人情"，具有"人情之味"。他还认为我的作品"标榜的饮食美学是一种生活的常态之美，一种庶民化的性格"，因此"平淡之味"也成了一个特色。还有就是"文化之味"。他引用台湾一位评论家逯耀东的话："刘心武谈吃，既有文人谈吃雅趣，又是文学家对饮食的文学创作，不同的平常饮食，与不同的人物结合，就出现了一个感人的故事，充满浓浓的人情味，这种浓浓的人情味，透过饮食发展出来，是中国数千年文化积累孕育而成，即使经过天翻地覆的社会变动，也是无法斩断的。"焦桐论文的结语是："他的饮食书写反映了各种政治、经济的变迁和人事的坎坷沧桑；他的饮食话语表现出一整个时代的变化。"当然，他的论文里也不是一味地肯定我，他批评我的这类文字"回避了与技艺、辨味的正面交锋"，过分地"转向意在言外的偏锋发展"，并就我的一些具体的饮食观，比如认为中国式的将原料混合煎炒"熟得过分""破坏营养"是个弊端，提出了强有力的质疑与反驳。焦桐的论文，说明饮食文学的概念已经被台湾地区文化界普遍接受，并且相关的创作、出版与批评、理论都相当地蓬勃兴盛。

《泼妇鸡丁》这部小说，是我自觉地进入饮食写作的一个值得特别纪念的成果。以前我这方面的结撰主要体现在散文随笔上，目前我更有兴趣以小说形式来体现饮食文学方面的追求。《泼妇鸡丁》不仅篇名是一道菜，整部中篇小说的每一节的标题也都是一道菜或点心，有土得掉渣的"人儿菜苞米面团子"，有昂贵得没道理的"极品金牌鲍翅皇"，有中国家常的"鱼香肝尖"，也有个性化的西式"巧克力黑莓派"。每一道吃食里包含着一段故事，也具有象征的意蕴。总而言之，我现在悟到：饮食男女，当有饮食文学，而在饮食文学里，揭人间真相，绘浮世风景，把人生百味、世态千滋汇为一席，力求以一粒米现大千世界、一盘菜显幽深人性，谁说只是菜谱的堆砌、唾沫的狂欢？实在是别有一番滋味，先入你眼，再浸你心，于谐谑中觉甘苦，于乱象中悟真谛。

也许有人一听饮食文学，就觉得不雅驯，甚至会以为是一种逃避社会责任玩世不恭的文字，或者含有可疑的颠覆动机，其实不必大惊小怪，我劝他们还是看了再加臧否。

你吃过泼妇鸡丁吗？尝过多半喜欢。我现在坚信：美从口入，情从口出，饮食之间，大义存焉，耙剔梳理、消化吸收、融会升华，此种文字，时之所需，道之所载，须自黾勉，再接再厉！

2004 年 4 月温榆斋

气盛出文

　　我的文章第一回变成铅字，是1958年，也就是现在"示众"于此的评论《谈〈第四十一〉》。全文大约1700多字，发表在《读书》杂志该年第16期，《读书》当时是半月刊，16开本，该文约占一个页码，颇引人注目。那一年我才16岁，是个高中二年级的学生。在那以前，我给若干报刊投过稿，都被退稿，这篇却被堂而皇之地刊登了出来。现在的读者来读此文，一定会感受到那时中国的文化语境，我的这篇文章的基本论点是阶级敌人之间不可能有共同的人性，这是那个时代的主流话语，在今天，这样的观点似乎已经边缘化了，但仍不失为一种严肃的观点。那时《读书》杂志的编辑接到这篇自发投稿，很快就将它编发了出来，记得封面的提要目录上还用粗黑字体标出，算是那一期的重头文章之一。寄来样刊时，编辑附信，看样子以为我是个成年人，甚至是个学者，希望我"继续不吝赐稿"，我当然"不吝"，我写得勤着呢，马上又寄了稿子去，但不得不说明我的真实身份，结果那稿子被客气地退了回来。我后来在经历了"文革"劫难终得复刊的《读书》上发表文章，是过了二十一年，37岁时，那时我已经正式进入文坛。

　　以一个16岁的少年，能写出这篇《谈〈第四十一〉》，起码是具备以下三个条件：一、广泛阅读，涉猎多，视野自然宽；二、掌握了理论以后，能够拿来实践，那时候文艺理论上的主流工具，是马恩列毛文论，恩格斯在给哈克纳斯的信件里所提出的"典型环境里的典型性格"的现实主义创作原则，是使用得最多的评论圭臬，这样的理论是大学课堂里才加以讲授的，高中语文课还涉及不到这样高深的内容，我是自己课外去读的，读了就结合具体作品思考，思考成熟了就写成文章；三、16岁少年，写出这样的文章，敢投《读书》杂志，当然是"少年气盛"的表现，但也正因为气盛，所以文章自我圆满，一气呵成，编辑没作什么修改，是全文照发。这三点里，气盛尤为重要。写文章最怕畏首畏尾，没有自信，哆哆嗦嗦，下笔如贼。16岁的我，并不认为自己只能写些"习作"投给报刊上的"少年园地"。记得17岁时读了法国作家罗曼·罗兰的《约翰·克利斯朵夫》《哥拉·布勒尼翁》和他的两部《文钞》还有《革命戏剧集》，就居然写了篇一万多字的《罗曼·罗兰论》，也曾投寄过，被退稿，但毫不气馁，作家文豪，宁有种乎？想到那时最了不起的大文人，势必每天也要如厕，就不信文章只能是由他们来写，书也总只能印他们的，后来把这样的"心得"跟一两个也想当作家的同学说了，他们先是惊诧，后来也哑然失笑，于是大家鼓舞起来，起劲地读，起劲地写，气盛出文，实际上，也出人——出作家，或者别的什么家。中国儒家学说教育我们要谦虚，这里面有精华，但往往弄得我们在权威面前无比谦卑，这就说明其中也有糟粕。我痛感当今的中国，比谦虚更重要的品德是敢为人先，勇于突破。

近来常有传媒记者来问我，对如今的少年少女作家怎么看？我羡慕他们。他们现在不但能在报刊上发表作品，更能出书。我那时候是因为被误会为"非少年"才能在《读书》发表这篇文章的，一旦真相大白便难以为继。另外你看我那文本，虽然文通句顺，却只是努力地去进入主流话语，还不大懂得凸现个性以别一般。我那以后憬悟到以我那么年轻的身份，只能先到报纸副刊上去争取发表"豆腐块"的机会，写些贴近我自己生活的小文章，积累经验，静候机遇，到"文革"前，我大约发表出了70篇文章，有散文、杂文、小小说、影评剧评、儿童文学等等。当然，后来"文革"爆发，只好惊悚地夹起尾巴；"文革"末期，"写瘾"复发，也曾在当时的准许框架内运笔；到"四人帮"覆灭，一个新时期发端，于是抓住机遇，写出、发表了《班主任》，总算从此走上了写作的正路，一步步走到今天。

对于今天的青少年写作者，我要说的概括起来就是三个字：要自信。展开来说，就是：不要被权威吓倒。不要被名家吓倒。不要被头衔吓倒。不要被辈分吓倒。不要被经典吓倒。不要被理论吓倒。不要被评论吓倒。不要被排行榜吓倒。不要被奖项吓倒。不要被潮流吓倒。不要被广告吓倒……天生你材必有用，你有了真实感受，有了灵感勃发，有了妙思佳构，你就气盛为文，一气呵成吧！

2003 年 2 月 23 日于绿叶居

含饴弄文度众生

《泼妇鸡丁》在《当代》发表时，该刊在目录提要里这样写道："像刘心武这样的名家，很多已经含饴弄孙或者含饴弄权去了。依然执著于小说创作，需要比青年还要多的勇气，继续关注芸芸众生三教九流，同样需要比青年还要多的敏锐。读《泼妇鸡丁》，我们在作品之外，还能有所收获。"我拿到刊物，读到编辑部写下的这些话，有些意外，但很受鼓舞。

别人含饴弄什么，是别人的事。在我，含饴弄文，特别是弄小说，真的非常愉快。用小说的形式写芸芸众生三教九流，更是乐中之乐。

今天上午去电视台录了一个节目，内容主要是介绍我的创作，也包括展示我的性格与兴趣。除了主持人与我对话，节目里也有答现场观众提问的安排，来的全是二十岁上下的文学青年，其中一位问我："现在不少作家都是写自己，小说的主人公以自己为模特，表达的主要是自己的生活与情感，是不是这样写比较容易？你似乎总喜欢写别人，还特别喜欢写些别的作家没怎么写到的人物，这是不是比写自己要困难些？"我是这样回答的：写自己也并不一定容易，写好了更不容易，我是很尊重那些主要写自己的作家与作品的。但相对来说，写他人，特别是写跟自己在年龄、职业、社会文化层次、心理定势、感情世界差异很大的那些人物，确实是桩困难的事。《泼妇鸡丁》里至少写到了十几个在当前城市商品楼盘空间里生活的各色人物，但这些角色里的任何一个于我来说都属于"异己"，特别是构成小说情节主线的几个保安队的小伙子，尽管我观察过他们，接触过他们，但探究他们的内心，谈何容易！我这篇文章的题目里"度众生"三个字，恳请不要误解为"普度众生"的意思，我哪有那种法力！再说小说也难以承担"普度众生"那样伟大的任务。我说的"度"，是"以己之心度人之腹"的那个"度"，就是去尽量理解他人。俗话里有"以小人之心度君子之腹"的说法，那样的"度"固然不可取，反过来，自命为"以君子之心度小人之腹"，恐怕也未必能度出个所以然来。《当代》编者概括我所写到的是"芸芸众生三教九流"，我觉得自己也是其中一员，以己度人，越发地觉得在当下的生活里，谁也不容易！我是站在跟我所描写的人物平等的地位上，来以我之心度他们之腹，或者换个说法，是以我之腹来揣他们之心吧。

　　小说的功能之一，以我的理解，就是增进人心与人心之间的沟通。努力去沟通，这是重要的人生乐趣。作家写他人，是以己度人的一种甜蜜努力。读者读这样的小说，既能检验自己对作家所写到的人物的了解、理解程度，也同时检验着作家对其笔下角色把握、阐释的水平。当然，小说毕竟是小说，如果只有认识功能，而不能有趣，那恐怕算不得及格的小说。我写这《泼妇鸡丁》，在结构上、叙述策略上，尽量让其有趣。有读过的人问到我，为什么小说取这么个题目？每一节又为什么以一种菜肴食品为小标题？这问题答不得，答它，那就弄得无趣了。

2003 年 3 月 28 日绿叶居

1978年春：为爱情恢复位置

改革开放被确定为国策，虽然是1978年底党的十一届三中全会才实现的，但是，从1976年10月粉碎"四人帮"开始，普通的老百姓就以各种方式，表达着变革的诉求，这些合理的诉求遭到过"两个凡是"等保守思想与禁锢政策的阻拦甚至打击，但是"野火烧不尽，春风吹又生"，终于被党内开明的改革人士所维护，所采纳，最后才在1978年年底出现了代表党心、民心的改革开放决策，从那以后三十年来，虽然经历了一些曲折，这个大方向始终没有变，绝大多数中国人都在改革开放的历史潮流里，程度不同地受益，这益处不仅体现于物质方面，也体现于精神方面，包括情感方面。

我在1977年夏天写出了《班主任》，以短篇小说的形式，发出了"救救被'四人帮'坑害的孩子"的沉痛诉求，作品在当年《人民文学》杂志11月号刊发后，引出了一个纷纷以小说形式表达清算"文革"恶果的潮流，1978年8月卢新华在《文汇报》发表了《伤痕》，使这个潮流获得了一个恰如其分的符码："伤痕文学"。《班主任》《伤痕》以及这个文学潮流引起了强烈的社会反响，共鸣者很多，也有为之担心"犯错误"的，更有直斥其犯了大过错的，但"青山遮不住，毕竟东流去"，在这个文学潮流达到高潮时，理论界开展了真理标准的讨论，"实践是检验真理的唯一标准"这个命题被绝大多数人所认可，为年底党的会议上确定改革开放的新路线，奠定了更坚实的群众基础。

　　1978年春天，因为《班主任》带来的巨大反响，刺激出我更强烈的写作欲望。应该对各方面说明的是：写作和发表《班主任》时，我已经不是中学教师，我在1976年时已经调到北京人民出版社（即现在北京出版社）文艺编辑室当编辑。中学教师是非常值得尊重的社会职务，但一所中学的天地毕竟比较狭小，在出版社当编辑，相对来说视野就开阔得多。那时出版社和北京市创作研究部在一个院子里，创研部的负责人赵起扬"文革"前是北京人民艺术剧院的党委书记，是一个文艺内行，"文革"中遭迫害，到创研部后，时逢"四人帮"垮台，他那里就成了北京市许多业余作者串门的地方，因为他开明，大家聚集聊天也就越来越口无遮拦，后来他爽性组织座谈会，让大家通过畅言解放思想。记得在一次座谈会上，大家说起"样板戏"，原来的"腹诽"，全震动了声带。我在大家激发下，也就畅所欲言，说"样板戏"里不仅把爱情斩尽杀绝——比如歌剧《白毛女》、电影《红色娘子军》里原来男女主人公还有爱情影子，但据之改编的"样板戏"里生怕观众"误会"，强调二人之间只有纯净的"革命战友关系"——连夫妻关系也都淡化、净化到讳莫如深的地步，《红灯记》有祖孙三代，却绝无夫妻、恋人的踪影；《沙家浜》里只出现阿庆嫂，说阿庆跑单帮去了，尽量让观众想象阿庆只是个以丈夫身份掩护自己的地下工作者，与阿庆嫂并无"男女之事"；《海港》女主人公从造型上看老大不小了，却绝无涉及爱人、子女的言辞细节；《龙江颂》女主人公也不见其丈夫，只是她家门楣上有"光荣军属"字样，但观众也可以理解成她家其他男子在部队上；《智取威虎山》《奇袭白虎团》里当然更没有爱情、夫妻的影子。难道一提爱情，甚至一涉及夫妻，一表现完整的家庭，就是不革命吗？正是由于这种首先从"革命文艺作品"里取消爱情的做法，使得社会生活里爱情乃至正常的夫妻关系也都只能转入地下，而一些年轻人甚至也就懵懂到完全不晓男女之间除了"共同把革命进行到底"以外还可以发生什么关系，我就知道一位到生产兵团"屯垦戍边"的女青年，新婚当晚，忽然衣裳不整地跑到连指导员那里去哭诉："他跟我耍流氓！"她竟只知道男女结婚要戴大红花、接受许多套"红宝书"的礼物，然后就在一起"斗私批修"，而不知道丈夫和她可以在床上做什么，甚至也就不清楚小孩子都究竟是怎么冒出来的。这不是笑话，而是真事，我们听了，可能先会笑，然后可能就再也笑不出来！

正是在这种情况下，我决定构思一篇作品，主题先行，题目一定要定为《爱情的位置》，为爱情在文学艺术领域里面恢复名誉，获得应有的位置。1978 年春天，我们出版社的同仁，决定创办一份大型的文学双月刊，以《十月》命名，当时无法立即获得期刊号，就先以丛书名义"以书代刊"，在筹备过程里，我写出了《爱情的位置》，编辑部和创研部联合召开座谈会，把《十月》创刊号拟定的目录拿给大家征求意见，一见其中有《爱情的位置》，都很兴奋，记得参加座谈会的老作家严文井不禁喟叹："爱情总算又有位置了！"

现在不要说"80 后"对我讲到的这些情况会目瞪口呆，就是一些"70 后"恐怕也会觉得匪夷所思。但"四人帮"推行的文艺专制就是达到了那样的程度，而突破那种在公开话语中对爱情禁绝的局面，竟必须"从零开始"！

《十月》创刊号正式发行以后，虽然那上面有若干远比我《爱情的位置》更出色的作品，但《爱情的位置》引发的轰动不仅超出了创刊号中其他作品，也超出了此前几乎所有作品，强烈到不可思议的程度。《班主任》那时已经使我每天得到超过 10 封的读者来信，而《爱情的位置》经过许多报刊转载和电台广播以后，短短一个月里我就收到了超过 7000 封的读者来信！有封来信寄自遥远的农村，是一位"插队知青"写的，他说是在地里干活的时候，听见村旁电线杆上的高音喇叭传出"现在播送短篇小说《爱情的位置》"的声音，当时他"觉得简直是发生了政变"，当然后来他知道那是良性的政治变化的"前兆"。还有一位海边的渔民给我写信，说听了广播激动得不行，才知道原来自己藏在心底的爱情并不是罪恶，他现在可以跟女朋友公开地来往了，为了感谢我的文章给予他们的解放感，他们决定寄给我一个巨大的海螺。不久我收到了他们寄来的大海螺，现在这海螺还放在我书房里，不时让我重温新时期 30 年文学发展初期那离奇的轨迹。

不待方家评说，我自己早就一再检讨：《爱情的位置》就文学价值而言是不足道的，那时的轰动完全是特殊历史时期的特殊现象。但我曾以《班主任》《爱情的位置》《醒来吧，弟弟》等文字参与思想解放的进程，在 1978 年党的十一

届三中全会之前，大胆以小说形式承载呼唤社会变革的民间诉求，并且取得了
明显的效果，也算为推进改革开放贡献了绵薄之力，这毕竟是我人生中的亮点，
我为之珍惜，并愿在步入老年之后，继续把自己这一滴水，融汇进民族复兴的
洪流之中。

2008 年 3 月 30 日于绿叶居

巴金与章仲锷的行为写作
——一封信引出的回忆

上

一位帮我整理书橱的"80后"小伙子，从一本旧书里抖落出一样东西，他拣起向我报告："有封信！"我问他："谁写给我的？"他把信封上的落款报告我："上海……李寄。"我听清了那地址，忙让他把信递给我："是巴金写来的啊！"他愣了一下，才恍然大悟："是啊，巴金原来姓李！"我抽出信纸，巴金来信用圆珠笔写在了《收获》杂志的专用信笺上，现在将其照录如下：

心武同志：

　　谢谢您转来马汉茂文章的剪报。马先生前两天也有信来，我写字吃力，过些天给他写信。我的旧作的德译本已见到。您要是为我找到一两本，我当然高兴，但倘使不方便，就不用麻烦了。

　　您想必正为作协代表大会忙着。这次会开得很好。我因为身体不好，不能参加，感到遗憾。

　　祝好！

巴金

一月三日

　　说实在的，我已经不记得那是哪年的事了，仔细辨认了信封前后两面的邮戳，确定巴金写信是在 1985 年的 1 月 3 日。

　　我在"80 后"前持信回忆往事，他望着我说："好啦！你又有回顾改革开放三十年的活材料啦！"我听出了他话音里调侃的味道。跟"80 后"的后生相处，我不时会跟他们"不严肃"的想法碰撞，比如巴金的《随想录》，他一边帮我往书架上归位，一边哼唱似的说："这也是文学？"我不得不打破"不跟小孩子一般见识"的自定戒律，跟他讨论："文学多种多样，这是其中一种啊！"最惹我气的是他倒一副"不跟老头子一般见识"的神气，竟欢声笑语地说："是呀是呀，这是一部大书！好大一部书啊！"巴金的《随想录》，确有论家用"一部大书"之类的考语赞扬，用心良苦，但从眼前"80 后"的反应来看，效果并不佳。

　　在和"80 后"茶话的时候，我跟他坦陈了自己的一些看法，供他参考。我感叹，个体生命在时空里的存活挣扎，其悲苦往往是隔代人不解不谅的。"为什么那么'聪明'？""怎么不敢当烈士？"是不解不谅者最常用的"追问"。记得萧乾先生晚年曾对我说："有的年轻人那么说，可以理解，但要不了太久，他们当中的绝大多数会比我们更'聪明'。"其实全人类都有此类现象，上世纪五十年代美国"垮掉一代"的代表人物，如金斯伯格，到七十年代也都成了那社会守规矩的纳税人，会心平气和地接受他们以前骂死的媒体采访，其著作会交由他们以前鄙夷的主流出版商包装推出。

　　巴金无疑是写过无可争议是正宗文学作品的大书的，不仅有"激流三部曲"《家》《春》《秋》及其他长篇小说，还有无论从人性探索到文本情调都堪称精品的《寒夜》《憩园》等中篇小说，当然，他后半生几乎不再从事小说创作，他的最后一篇小说也许就是《团圆》，从文学的角度来看，那不是一篇杰作，更不能称为他的代表作，但根据这篇小说改编的电影《英雄儿女》自上世纪六十年代初拍成放映后，影响极大，不过看过电影去找小说看的人，恐怕很少，电影里那首脍炙人口的插曲《英雄战歌》，小说里是没有的，词作者是公木。巴金后半生没怎么写小说，散文随笔写了一些，我记得少年时代读过巴金写的《别了，法斯特》——

法斯特是一个上世纪四五十年代颇活跃的美国左翼作家，写过一些抨击资本主义的小说，但在斯大林去世、赫鲁晓夫否定斯大林的"秘密报告"泄露出来以后，感到幻灭，遂公开宣布退出美国共产党——法斯特当然可以评议，但巴金那时写此文是奉命，是一种借助于他名气的"我方""表态"。这类的"表态"文章他和那个时代的另一些名家写得不少。那当然不能算得文学。可是，粉碎"四人帮"以后，巴金陆陆续续写下的《随想录》，却和之前的那些"表态"文章性质完全不同，他这时完全不是奉组织之命，而是从自我心灵深处，说真话，表达真感情，真切的诉求，真诚的祈盼，这样的文字，在那一特定的历史阶段，得以激动人心，获得共鸣，我作为一个过来人，可以为之见证。"那也是文学？"年轻人发出这样的质疑，我也理解，拿眼前的这位"80后"来说，他觉得像帕慕克的《我的名字叫红》那样的著作才算得文学，这思路并没有什么不妥，帕慕克并不是一位"为文学而文学"的作家，实际上这位土耳奇作家的政治观念是很强的，《我的名字叫红》里面就浸透着鲜明的政治理念，但无论如何帕慕克不能凭借着一些说真话的短文来标志他的文学成就，他总得持续地写出艺术上精到的有分量的小说来，有真正的"大书"，才能让人服气。

巴金后半生没能写出小说，这不能怪他自己。他实在太难了。"文革"十年他能活过来就不易。粉碎"四人帮"后他公布过自己的工作计划，他还是要写新作品的，包括想把俄罗斯古典作家赫尔岑的回忆录翻译完，但他受过太多的摧残，年事日高，身体日衰，心有余力不足。尽管如此，他仍不懈怠，坚持写下了《随想录》里的那些短文。特殊情况下的特殊写作，我们除了尊敬，别无选择。巴金晚年公开声明，他不是作家，只是一个通过写文章把心交给读者的人，我以为这不是谦虚，而是他已经非常明了自己作为一个特殊的生命，应有一个什么样的坚实的定位。

我不赞同那种因为巴金在粉碎"四人帮"后不但恢复了"文革"前的名誉地位，甚至更上层楼，就把他奉为神明，甚至非要把大白话的《随想录》说成巅峰"大书"的夸张性评价。那也实在是辜负了他自己最后为自己的定位。

"80后"小伙子问我："巴金给你的信讲的究竟是什么啊？怎么跟密电码似

的？"其实也不过二十多年，但拿着那张信纸重读，我自己也恍若隔世。我和巴金只见过一面。从这封信看，我起码给他写去过一封信，这是他给我的回信。"你既然见过巴金，还通过信，前几年他逝世的时候，怎么没见你有文章？"我告诉他，以前的不去算了，粉碎"四人帮"以后，跟他交往频密的中青年作家很多，通信的大概也不少，算起来我在他的人际交往中是很边缘、很淡薄的，对他我实在没有多少发言权。不过既然发现了这封信，却也勾出了我若干回忆，而与眼前的小青年对话，也激活了我的思路，忽然觉得有话要说。

我跟"80后"小伙子从头道来。而这就不能不提到另一个人——章仲锷。"他是谁？也能跟巴金相提并论？"我说，世法平等，巴金跟章仲锷，人格上应享有同样尊严，他们可以平起平坐。确实，巴金跟章仲锷平起平坐过。那是在1978年。那一年，我和章仲锷都在北京人民出版社文艺编辑室当编辑。当时只有《人民文学》《诗刊》两份全国性的文学刊物，我们北京人民出版社文学编辑室的同仁以高涨的热情，自发创办向全国发行的大型文学刊物《十月》，一时没有刊号，就"以书代刊"，兴高采烈地组起稿来。章仲锷长我八岁，当编辑的时间也比我长，他带着我去上海组稿。那时候因为我已经于1977年11月在《人民文学》杂志发表了短篇小说《班主任》，在文学界和社会上获得一定名声，组织上就把我定为《十月》的"领导小组"成员之一，章仲锷并不是"领导小组"成员，所以他偶尔会戏称我"领导"，其实出差上海我是心甘情愿接受他领导的，他无论是在社会生活经验和文学界情况方面都比我熟络，去巴金府上拜见巴金，我多少有些腼腆，他坐到巴金面前，却神态自若，谈笑风生。巴金祝贺《十月》的创办，答应给《十月》写稿，同时告诉我们，他主编的《上海文学》《收获》也即将复刊，他特别问及我的写作状况，向我为《上海文学》和《收获》约稿。他望着我说，编辑工作虽然繁忙，你还是应该把你的小说写作继续下去。现在回思往事，就体味到他的语重心长。他自己的小说写作怎么会没有继续下去？他希望我这个赶上了好时期的后进者，抓住时代机遇，让自己的小说写作进入可持续发展的轨道。我说一定给《上海文学》写一篇，巴金却说，你也要给《收获》写一篇，两个刊物都要登你的。

《收获》也要？那时记忆里的《收获》，基本上只刊登成熟名家的作品，复刊后该有多少复出的名家需要它的篇幅啊，但巴金却明确地跟我说，《上海文学》和《收获》复刊第一期都要我的作品。我回北京以后果然写出了两个短篇小说，寄过去，《找他》刊登在了《上海文学》，《等待决定》刊登在了《收获》。我很惭愧，因为这两个巴金亲自约去的小说，质量都不高。我又感到很幸运，如果不是巴金对我真诚鼓励，使我的小说写作进入持续性的轨道，我又怎么会在摸索中写出质量较高的那些作品呢？回望文坛，有过几多昙花一现的写作者，有的固然是外在因素强行中断了其写作生涯，有的却是自己不能进入持续性的操练，不熟，如何生巧？生活积累和悟性灵感固然重要，而写作尤其是写小说，其实也是一门手艺，有前辈鼓励你不懈地"练手"，并提供高级平台，是极大的福气。

作家写作，一种是地道的文学写作，如帕慕克写《我的名字叫红》，一种是行为写作，巴金当面鼓励我这样一个当时的新手不要畏惧松懈，把写作坚持到底，并且作为影响深远的文学刊物主编，向我在有特殊意义的复刊号上约稿，这就是一种行为写作。巴金的行为写作早在他的青年时代就已十分耀眼，他主编刊物，自办出版机构，推出新人佳作，我生也晚，上世纪前半叶的事迹也只能听老辈"说古"，但上世纪五六十年代他和靳以主编的《收获》，我作为文学青年，是几乎每期必读的，却留有若干深刻的印象。别人多有列举的例子，我不重复了。只举两个给我个人影响很深而似乎少有人提及的例子。一个是《收获》曾刊发管桦的中篇小说《辛俊地》，写的是抗日战争时期游击队员辛俊地，他和成分不好的女人恋爱，还个人英雄主义，自以为是地去伏击给鬼子做事的伪军通信员，将其击毙，没想到那人其实是八路的特工……让我读得目瞪口呆却又回味悠长，原来生活和人性都如此复杂诡谲——《辛俊地》明显受到苏联小说《第四十一》的影响，但管桦也确实把他熟悉的时代、地域和人物融汇在了小说里，这样的作品，在那个不但国内阶级斗争的弦越绷越紧，国际范围的反修正主义也越演越烈的历史时期，竟能刊发在《收获》杂志上，不能不说是巴金作为其主编的一种"泰山石敢当"的行为写作。再一个是《收获》刊发了儿童文学作家任大霖的系列短篇小说《童年时代的朋友》，跳出那时期政治挂帅对少年儿童只进行单一的阶级教育、爱国教育、品德教育的窠臼，以人情人性贯穿全篇，使忧郁、惆怅、伤感等情调弥漫到字里行间，文字唯美，格调雅致，令当时的我耳目一新。这当然是巴金对展拓儿童文学写作空间的一种可贵行为。

其实中外古今，文化人除了文字写作，都有行为写作呈现。比如蔡元培，他的文字遗产遗留甚丰，老实说其中能有几多现在还令人百读不厌的，但说起他在担任北京大学校长期间以及跻身学术界那兼容并包宽容大度的行为遗产，我们至今还是津津乐道、赞佩不已。哥伦比亚的马尔克斯，《百年孤独》固然是他杰出的文学写作，而他一度履行的"文学罢工"，难道不是激动人心的行为写作吗？晚年的冰心写出《我请求》的短文，还有巴金集腋成裘的《随想录》，当然是些文字，但我以为其意义确实更多地，甚至完全体现为了一种超文字的可尊敬和钦佩的文学行为。

"80后"小伙子耐心地听了我的倾诉。他表示"行为写作"这个说法于他而言确实新鲜。他问我："那位章仲锷，他的行为写作又是什么呢？难道编刊物、编书，都算行为写作？"我说当然不能泛泛而言，作为主编敢于拍板固然是一种好的行为，作为编辑能够识货并说动主编让货出仓，需要勇气也需要技巧。当然前提是编辑与作者首先需要建立一种互信关系。章仲锷已被传媒称为京城几大编之一，从我个人的角度，以为他确实堪列于中国进入改革开放时期的名编前茅。

下

这篇文章还没写完，忽然得到消息，章仲锷竟因肺炎并发心力衰竭，在10月3日午夜去世！呜呼！我记得他曾跟我说过，想写本《改革开放文学过眼录》，把他三十年来编发文稿推出作家的亲力亲为"沙场秋点兵"，——娓娓道来，"你是其中一角啊！"我断定他会以戏谑的笔调写到我们既是同事又是作者与编者的相处甚欢的那些时日。但他的遗孀高桦在电话里哽咽着告诉我，他的肺炎来得突然，他临去世前还在帮助出版机构审编别人的文稿，"苦恨年年压金线，为他人作嫁衣裳",自己的这样一部专著竟还没有开笔!

从这段文字起我要称他为仲锷兄。他的音容笑貌,宛在眼前。1980年我一边参与《十月》的编辑工作一边抽暇写小说,写出了我的第一个中篇小说《如意》,这是我写作上的一个转捩点,我不再像写《班主任》《爱情的位置》《醒来吧,弟弟》那样,总想在小说里触及一个重大的社会问题,以激情构成文本基调,我写了"文革"背景下一个扫地工和一个沦落到底层的满清格格之间隐秘的爱情故事,以柔情的舒缓的调式来进行叙述。稿子刚刚完成,被仲锷兄觑见,他就问我:"又闯什么禁区呢?"我把稿子给他:"你先看看,能不能投出去?"过一夜他见到我说:"就投给我,我编发到下一期《十月》。"我知道那一期里他已经编发着刘绍棠的《蒲柳人家》,还有另一同仁正编入宗璞的《三生石》,都是力作精品,中篇小说的阵容已经十分强大,就说:"我的搁进去合适吗?"他说:"各有千秋,搭配起来有趣。听我的没错。"我虽然是所谓《十月》"领导小组"成员,但确实真心地相信他的判断。那时《十月》的气氛相当民主,不是谁"官"大谁专断,像仲锷兄,还有另外比如说张守仁等资深编辑,也包括一些年轻的编辑,谁把理由道出占了上风,就按理发稿。

后来有同辈作家在仲锷兄那里看到过我《如意》的原稿,自我涂改相当严重,那时一般作者总是听取编辑意见对原稿进行认真修改后,再誊抄清爽,以供加工发稿,仲锷兄竟不待我修改誊抄就进行技术处理,直接发稿,很令旁观者惊诧,以为是我因《班主任》出了名"拿大",仲锷兄却笑嘻嘻地跟我说"人怕出名猪怕壮,活猪也能开水烫,说你几句是你福,以后把字写清楚!"他后来告诉我,他是觉得我那原稿虽较潦草但文气贯畅,怕我正襟危坐地一改一誊倒伤了本来不错的"微循环",你说他作为编辑是不是独具慧眼?

1981年我又写出了中篇小说《立体交叉桥》,写居住空间狭窄引发的心灵空间危机,以冷调子探索人性,这是我终于进入文学本性的一次写作,但我也意识到这个作品会使某些曾支持过我的文坛领导和主流评论家失望甚至愠怒。写完了我搁在抽屉里好久不忍拿出。那时我已离开出版社在北京市文联取得专业作家身份。仲锷兄凭借超常的"编辑嗅觉",一日竟到我家敲门,那时我母亲健在,开门后告诉他我不在家,他竟入内一迭声地伯母长伯母短,哄得母亲说出抽屉里有新稿子,他取出那稿子,也就是《立体交叉桥》,坐到沙发上细读起来,那个中篇小说有七万五千字,他读了许久,令母亲十分惊异。读完了,我仍未回家,他就告辞,跟母亲说他把稿子拿走了,"我跟心武不分彼此,他回来您告诉他他不会在意",我怎么不在意?回到家听母亲一说急坏了,连说"岂有此理",但那时我们各家还都没有安装电话,也无从马上追问仲锷兄"意欲何为",害得我一夜没有睡好。第二天我才知道,他拿了那稿子,并没有回家,直接去了当时《十月》主编苏予家里,力逼苏予连夜审读,说一定要编入待印的一期,苏予果然连夜审读,上班后作出决定:撤下已编入的两个节目以后再用,将《立体交叉桥》作为头条推出。《立体交叉桥》果然令一些领导前辈和主流评论家觉得我"走向歧途",却获得了林斤澜大哥的鼓励:"这回你写的是小说了!"上海美学家蒋孔阳教授本不怎么涉及当代文学评论,却破例地著文肯定,这篇小说也很快地被外面汉学家译成了英、俄、德等文字,更令我欣慰的是直到今天也还有普通读者记得它。如果没有仲锷兄那戏剧性的编辑行为,这部作品不会那样迅速地刊发出来。

我的第一部长篇小说《钟鼓楼》,责任编辑也是仲锷兄(那时他已调到人民文学出版社)。《钟鼓楼》获得了第二届茅盾文学奖,记得颁奖活动是在国际俱乐部举行,我上台领奖致谢颇为风光,但三部获奖作品的责任编辑虽然被点名嘉奖,却没有安排上台亮相,仲锷兄后来见到我愤愤不平,说就在后台把装有奖金的信封塞到他们手里完事,抱怨后还加了一句国骂。"80后"小伙子今天又来跟我聊天,听我讲到这情况说:"呀,这位章大编确实性格可爱,其特立独行的编辑方式也真是构成了行为写作!"

再回过头来说巴金给我的那封信。原委应该是1984年冬我应邀去联邦德国(西德)访问,其间见到德国汉学家马汉茂(Martin Helmut),他虽然原本以研究中国清代李渔为专长,但在上世纪七十年代末和八十年代初,对中国当代文学产生了浓厚兴趣,那时他对巴金等老作家的复出和改革开放后新作家作品的出现都很看重，当时他是波鸿大学的教授，他也是行为写作胜于实际写作，他自己翻译中国作家作品并不多，主要是写推介性文章，积极组织德国汉学家进行翻译，并且善于利用自己在学术界的地位和社会影响，说动出版社出版中国当代作家作品的德译本，还从基金会或别的方面找到钱来邀请中国作家到德国访问，联系媒体安排采访报道以扩大影响，他并且具有向瑞典文学院推荐诺贝尔文学奖候选人的资格，尽管他后来的立场和观点具争议性，而且不幸因患上抑郁症在 1999 年 6 月跳楼身亡，但他那一时期对中国当代作家作品进入西方视野的行为写作，我们不应该遗忘抹杀。我从德国回来，应该是把马汉茂在境外发表的与中国当代作家作品特别是与巴金有关的文章、访谈的剪报寄给了巴金。马汉茂那时候跟我说，后来我又从瑞典汉学家马悦然等那里听说——他们虽然观点多有分歧，但在这一点上却惊人一致——中国当代作家的作品本来不错，但缺少好的西文译本，特别是由中国自己外文局组织翻译的那些译本，几乎都不行，他们认为中国文学要走向世界，必须要有好的外文译本。马汉茂很具体地跟我议论了巴金作品的英、法、德文的译本，其中德译《寒夜》的一种比较好，他说要是巴金其他小说的译本都能达到或超过那样的水平，那么西方读者对巴金的接受程度会大大提升。我大概是带回了《寒夜》的德译本转给巴金，所以他信里说"我的旧作的德译本已见到"。那时巴金在浩劫后手里已经没有几个自己小说的境外译本，他希望我能替他多找到一两本，心情可以理解。

改革开放对中国当代文学带来怎样的生机？一是无论从作家的生存方式到作品的面貌都呈现多元了，这是以前难以想象的。还有就是对外面的文学敞开了门窗，而中国文学也确实走出了国门，尽管到目前还是"入超"的局面。从巴金二十三年前的这封来信，你可以看出像我这样的新作家已经得到他那样的老前辈的平等对待，我们已经完全不必惧怕"里通外国"的嫌疑，坦率地谈论与外国汉学家的交往以及中国作家作品在境外的翻译出版情况。"80 后"小伙子说他从网络上查到一个资料，天津一位用世界语写诗的苏阿芒，写的诗完全不涉及政治，因为投往境外世界语杂志发表，竟被以"里通外国"的罪名锒铛入狱，直到胡耀邦主政才平反昭雪。我说你应该多查阅些这类的"近史"资料，有助于理解祖辈父辈是通过怎样的历史隧道抵达今天的，而几辈人也就可以更融洽和谐地扶持前行。

巴金信里说"您想必正为作协代表大会忙着"，他的猜想不确，我这人不习惯开会，到了人多的会场总手足无措，他说的是中国作协的第四次全国代表大会，我没等会议开完就回家去了，那以后我没有参加过类似的会议，我从未为开会而忙碌过。中国作协的"四大"是中国进入改革开放以后，文坛共识破裂的开端，巴金认为"这次会开得很好"，但另有地位显赫的人士认为开得很糟。

改革开放进程中，共识的形成、凝结、发酵和歧见、破裂、分驰，是必然的，文化界包括文学界莫不有这样的现象，现在大体上歧见各方对问题的"点穴"几无差别，但如何化解这些问题，则择路不同。作为一个改革开放进程的参与者与见证人，我的想法是无论如何不能往回走。巴金的一封信，使我对老一辈肩住因袭的闸门，自己走不动了，鼓励后辈冲出闸门，去往广阔的天地，那样一种悲壮的情怀，深为感动，同时回忆到仲锷兄那样一起往前跑的友伴，就实质而言，我们的生命价值可能也都更多地体现于行为写作，我对"80后"小伙子说，创作出真正堪称"大书"的作品，希望正在他们身上，他没有言语，只是拿起那封巴金的信细看，似乎那上面真有什么"达芬奇密码"。

2008 年 10 月 6 日写完于绿叶居

"神秘的姑娘"及其后代
——我和《花地》

我和《花地》的交往，少说有三十年了！

三十年是个什么概念？"80后"会说："唔，三十年前，我爸我妈也许刚刚认识。""90后"更会觉得，讲三十年前的事情是十足的"说古"。

三十年仅就其跨越生命的长度，便会引出人们深重的喟叹。孔夫子强调"三十而立"，这标准放在今天也四海皆宜，三十年前诞生的一个生命，他或她若能受到好的教育，二十三岁念完本科成学士，二十五岁成硕士，二十八岁成博士，三十岁成为专家、教授并不稀奇。人们譬喻世态，"三十年河东，三十年河西"，三十年足够令一个生命体验到沧海桑田、风云变幻。现在人们的平均寿数比之于古人是大大地提升了，不说很古，就以二百多年前的清代乾隆朝而论，曹雪芹写《红楼梦》，开篇就说自己"一技无成，半生潦倒"，据考曹雪芹也就活到四十岁，他拉出《红楼梦》的初稿正是三十岁上下，那时候人们普遍认为六十是"全寿"，三十年就是一个人的半生！曹雪芹的合作者脂砚斋在其批语中，往往事过二十年就要感叹，他在第十三回的批语里更以三十年为时段发出惊呼："三十年前事见于三十年后，令余悲痛血泪盈面！"但是，我今天拿出一册1980年广东人民出版社出版的我自己一个小说集《绿叶与黄金》，却并没有因三十年前书见于三十年后而"惊呼热中肠"，更不会"悲痛血泪盈面"。

恰恰相反，回想起三十年前改革开放初期的社会景象和自己参与其中的种种细节，应该说是"令余欢欣回味无穷"。

三十年前的1980年，几乎月月都有好消息，天天都有新气象。"四五"天安门事件平反了，勇于正视失误的《关于建国以来若干历史问题的决议》正在讨论起草中，曾被批判、禁演的电影、戏剧纷纷公开亮相，新的剧目和电影也如春花蓬勃绽放，《收获》杂志重新出刊，以肯定知识分子为主旨的中篇小说《人到中年》引出轰动，北京举办了"新星音乐会"，柔曼的曲调、气声的演唱、电子琴的蛙音进入人们的生活……而《羊城晚报》的《花地》副刊，一方面努力涤荡"四人帮"文化遗毒，发表出令人耳目一新的文学评论，一方面活跃地向全国各处的写作者热情约稿，组织出一版又一版具有突破性的文学新作。

就在那时候，我接到《羊城晚报》《花地》的约稿信。《花地》有个悠长的传统，一直延续到今天，就是舍得拿出版面，容纳五千字内的短篇小说。我把一篇四千多字的短篇小说《神秘的姑娘》寄了过去，很快被刊登出来。这篇小说引起了当时担任广东人民出版社总编辑岑桑的注意，他就又与我联系，看能不能再加上那前后发表的一些小说，出个集子？我那时三十八岁了，却还并没有去过广东，在文学上充其量算刚刚出道的我，却忽然被英雄花盛开的地方所看重，报纸副刊大篇幅刊发作品不算，出版社还要给我出单行本，真是受宠若惊。1980年夏天收入《神秘的姑娘》的小说集《绿叶与黄金》出版，第二年春天又改换《这里有黄金》的书名再版，1981年我应日本文艺春秋社之邀访问日本，当时中国作家协会外联部副主任毕朔望对我说："带上你那《黄金》！显示一下中国文学的新气象！"我说："人家那边的书印得漂亮啊。"老毕说："咱们现在印得也不错！你那书的封面就既无'帮味'又蛮脱俗！有多的要给我一本！"当然，一个作家如何代表得了一国的文学气象？但于我来说，《花地》和广东人民出版社不以南国自囿的气派，确实属于改革开放后的文化新气象，对我个人的写作往出新方面发展，也确实起到推动作用。

从二十世纪跨越到二十一世纪，我算得《花地》的一个贯穿性投稿者，后来所发表的文章，都可算是"神秘的姑娘"的后代。大约有十多年时间里，是一位从名字上看得有一千多岁的编辑跟我联系，他叫唐朝人。后来知道他原名唐炳佳。他在退休前编发了我两个短篇小说《变叶木》和《偷父》。后来跟我联系的《花地》编辑有吴小攀、黄咏梅等。黄咏梅编发了我的短篇小说《美中不足》。上面提到的三个短篇小说我都自绘了插图，很不专业，但《花地》都予容纳。当然，我还在《花地》发表了不少随笔，也接受过他们多次采访。究竟一共发表过多少篇，已难以统计。2010 年夏天，吴小攀和唐朝人误听了我到广州参加活动的消息，兴冲冲地联袂跑去会我，结果落空，这令我非常抱歉。后来小攀把他编的版面和老唐的墨宝寄给我，更让我感动。

人生能有几个三十年？我还能再写三十年吗？答案是否定的。我只是目前仍有文思仍想写也写得动，只盼《花地》能继续以一角容纳而已。但民族常存，社会长在。唯愿我们置身其中的民族、社会，能把三十二年前开创的改革开放持续全面地推进，而在《花地》上，也仍能持续听到不倒退、朝前迈的时代足音。

2010 年 11 月 11 日北京

大悲悯情怀

　　最近我出了一本新书《命中相遇——刘心武话里有画》，我从自己这小小的生命，辐射开去，涉及到社会上的很多方面，很多不同的生命。

　　我的第一个故事讲的是一个传奇女性胡兰畦。很多人可能都没有听说过她。说到另外一个人你肯定知道，这个人叫陈毅，胡兰畦和陈毅有什么样的关系？这两个人在见到以后，曾经紧紧拥抱在一起，恨不得把他们的身体熔为一团。他们当时都很年轻，在动荡的中国，坚持追求理想，他们所从事的工作不一样，还要分开。他们就发誓，三年之内，绝对不娶不嫁，三年之后如果相逢，就一定结成连理。

　　胡兰畦还交往过什么人呢？她和斯大林有来往；交往过高尔基，高尔基把她请到家里做客；和法国著名作家巴比塞是好朋友；她和宋庆龄、何香凝都有很深的关系，做过她们的助手。但是这样一个生命，当我跟她相遇的时候，我还是一个少年，她灰头土脸地出现在我家在北京小院子里面，出现在我母亲面前，她那个时候沦落为"右派"了。一个人的生存是很不容易的，会经历很多的诡谲的事情，会有很多意想不到的曲折和坎坷。在她生命最沉沦的时候，我的父母接待了她。我那时候年龄很小，不懂事，但是模模糊糊感觉到，这个人到我家，是求援来了，除了想获得人间温暖，也为借钱——她连日常生活的费用都不够。而我的父母，在阶级斗争弦绷得很紧的时候，不但接待她，留她吃饭，而且还给她资助。

在这个故事后面我有这样一段话：胡兰畦在走投无路时来到我家求助，现在想来毫不奇怪，即使在最苛酷的斗争风暴里，我的父母也还能保持一份对个体生命的温情与怜惜，我认为这是我爸爸妈妈给予我的最宝贵的心灵遗产。他们也相继去世多年了，但我感谢他们，使得我即使后来在生命历程上经历很多阶级斗争的狂风骤雨，经历很多河东河西的变化，经历许多人间生死歌哭，但是我穿越了那么多的仇恨与狂暴，到现在仍然还没有丧失大悲悯的情怀，所以我这本书是悲悯之书，我希望和读者分享大悲悯的情怀。

大悲悯的第一个层次，叫做"人们到处生活"。我年纪大了以后，身体不太好，经常有助手陪着我，一起旅行，参与一些活动。我对我的助手传输这样一种观念，要懂得人们到处生活。原来年轻人比较麻木，走在大街上，觉得来来去去移动的一些人物，跟自己没什么关系，挤得很，烦都烦死了。慢慢眼界开始发生变化，觉得这些人虽然很陌生，跟我没有关系，我们在街上交错而过，彼此的生命轨迹，可能再也不会交叉。但是，都是活泼泼的生命，都是一条命。要有这种情怀，你自己活，要懂得别人也在活。坐火车，看到车外的风景，本来很麻木，特别是经过比较荒僻的地方，突然发现半山上似乎只有一两个人家，冒出炊烟。这个时候，我的助手，突然问了一句，说刘老师他们到哪儿去打酱油呢？我就表扬他，说你有这样一种思维，非常宝贵。火车很快就开过去了，这个冒炊烟的人家消失了，但是心里留下了一丝人间的温情。

懂得人们到处生活，他们也在生存，都值得尊重，都值得关怀。不要变得那么冷酷，那么势利，那么功利，他能够给我什么？我用什么换取他的什么？不能总是这种想法，他对你没有好处，给不了你好处，你也很难去解决他的问题，但是要懂得人们到处生活，都需要尊重。

第二个层次也是一句很朴素的话，叫做"谁都不容易"。这个情怀一定要有，在现在这样一个比较讲功利的社会，讲利益交换的社会，人们往往会为自己着想，为自己着想比较多，当然还说得过去，有的完全为自己着想，很自私。对其他人，不要说有善意，连理解的愿望都很欠缺，总觉得世界上所有的委屈都集于自己一身，所有人都对不起自己，而别的人都没有什么道理，别人都占了便宜，就算比我混得差，某一方面比我强，我也嫉妒，我也不高兴，容易产生这样一些不好的意识。

世界上个体生命的生存总是从比较贫穷的地方向富裕的地方流动，总是希望提升自己的生活质量。不要轻易责备有些人爱钱财。只要不偷不抢，不贪腐，不做恶劣的事情，希望自己生活富裕，希望自己手里钱多一点，希望自己有一个像样的居住空间，买一套房子，都要尊重。一定要有大悲悯的情怀去包容他们。不要动辄去教训他们，批评他们，鄙视他们。扪心自问，我自己不也是这样的，总是希望今后的生活比现在更好一些。"谁都不容易"，有这样的情怀，很要紧。不同的阶层之间，不同的个体之间，就能够得到沟通，易于互相理解，互相理解了，有碰撞有摩擦，就比较容易互相谅解。世界人这么多，大家的价值观、世界观、人生观有那么多的不同，碰撞难免，到头来，对抗、仇恨不是一个好办法，甚至不是办法。我觉得到头来和解，双方都让一步，妥协达成协议，恐怕是比较好的解决问题的办法。

那么第三个层次呢？也是很简单朴素的一句话，叫做"人是会犯错误的"。我们有时候往往揪住别人的一个错，死咬不放，一棒子打死，往往和他没有个人的仇恨，就是见不得他具体的缺点、错失、毛病。当然你可以见不得，你见不得是有道理，但是为什么要彻底否定，一棒子打死，恨不得他立刻死在你面前，你才觉得后快呢？你就没有缺点吗？你就没有犯过错误吗？你原来没有犯过错误，今后就不会出错吗？人都会出错的。这个就牵涉到比较高深的一些学术上的话题，关乎人性，关乎伦理，关乎宗教信仰。

在我们中国的古典经典里面，孔夫子的《论语》里面，就有"吾日三省吾身"这样的一种说法，不是宗教信仰的说法，但是等于也是告诉你，一个生命，不能老是盯着别人对不对，抓着别人一个错，痛痛快快地批判一顿，打倒，还要踏上一万只脚，大家想想，一万只脚互相踩踏，很多人在打倒一个人的过程中，一定会无辜死去，或者受伤。所以要懂得人是有错的，首先自己就可能有错。要自我反省，当然，也不要把自己完全否定，人会犯错，悔了就好，改掉就好。对别人来说，别人有错，错就是错，不要去为这个错误辩护，所谓江湖哥们儿义气，那不可取。但是第一要懂得人都可能出错，这次他出错了，为他惋惜。第二我们就错论错，帮他改错。但是他是一个生命，不要轻易地因为一个错把他给抹杀了，其他不错的地方，我们要予以肯定，这也是我理解的大悲悯情怀当中的一部分。

当然还可以再往上提升，再往上提升可以有更宏阔的思路，怎么为自己忏悔，怎么对别人宽容，以及怎么对社会奉献，对宇宙天地敬畏。人只能生存一次，过去的一秒钟不会再回来，你说生存容易吗？要把我们的感情弄得细腻一些，精致一些。生活当中的很多困扰，往往把我们的灵魂磨得非常地粗粝，非常地粗糙，最后导致非常地粗鄙。大悲悯情怀，能使我们获得救赎。

你读茅盾了吗？

又一届茅盾文学奖评出来了，相对而言，尽管有不同的声音，人们对茅盾文学奖还是比较看重的，但对茅盾本身，近二十多年来似乎颇遭冷落。尤其是推崇沈从文、张爱玲的一些人士，对茅盾很是不屑。有人感慨若干评上茅盾文学奖的作品"究竟有多少人在读"？其实更应喟叹的是"究竟有多少人在读茅盾"？

不过我的一位"80后"小朋友前两天兴冲冲地跑来跟我说："德国人又开始读《资本论》了！"我回应说："知道。媒体都报道了。"没想到他接着说："我们宿舍里的伙伴们又开始读茅盾了！"这倒真让我吃了一惊。他说有的同学把《子夜》当做理解眼下世界金融海啸的一把钥匙，有同学从网上下载了电影《林家铺子》，看完大叫："哇噻！一点不概念，好生动哒！"更有读完《蚀》坐在那里发愣的，可见茅盾至少对一部分"80后""90后"仍有某种特殊的吸引力。

应当敬重茅盾。在上世纪前半叶，茅盾是左翼文学的拓荒牛，他写小说，尤其是中、长篇小说，会列出很详尽的提纲和人物表，说他是概念出发，那是不准确的，应该说他是从唯物史观的立场出发，他的小说构思，是把自己熟悉或努力去了解的生活与人物，以唯物史观统领，然后以娴熟的技巧和具有个人特色的文本，融为一炉，具有强烈的可读性和艺术感染力。出于真诚的政治信念，茅盾对沈从文小说的反政治取向是持严厉批判态度的，对张爱玲当然也是排斥。我们后辈回望他们，应该懂得，文学本是多元的，茅盾追求的是一种，沈、张追求的是另外的，而文学各元的命运，会随着世事"三十年河东、三十年河西"而沉浮变幻，"鲁、郭、茅；巴、老、曹"占据中心的时候，沈、张等几乎无立足之地，但当沈、张以及钱钟书的《围城》大红大紫的时候，读茅盾也就成为很偏僻的事情了。不过，茅盾的小说从来不是具体政策的宣传品，而是基于其哲学理念与政治立场的艺术创造，因此，浸透其中的社会剖析与人性探索，也就具有永久性，冷热交替并不稀奇，我们应该注意到的是其"耐寒力"，在一定条件下，其小说文本在读者中"回暖"，是早晚会发生的事。有的人对茅盾一笔抹杀，只对沈从文、张爱玲一唱三叹，当然他有审美上的自由，但这样的人有的是随潮而动，我就遇到过一位仁兄，他表示"人家夏志清早有定论啦"，我与夏志清有交往，没觉得夏本人以"定论者"自居，他那本推崇沈从文、张爱玲和《围城》的《中国现代小说史》的中译本我是通读过的，我发现那位仁兄只是"听说"而并没有读过，且不说夏只是一家之言，在他的论著里，对当年左翼作家多有专章论述，关于茅盾的一章比关于沈从文的一章还要多两个页码，夏是不满意茅盾的，最后的结论却是："但尽管如此，茅盾无疑仍是现代中国最伟大的共产作家，与同期任何名家相比，毫不逊色。"我向"80后"小朋友推荐茅盾的长篇小说《腐蚀》以及黄佐临改编导演的同名电影的光盘，仅从细腻入微的心理刻画和撕心裂肺的人性挣扎来说，与近年一些诺贝尔文学奖得主的作品相比，毫不落伍。

茅盾在上世纪后半叶担任过文化部长，担任过《人民文学》杂志主编，他的行为写作也是亮点频现的。林斤澜那时还不知名，写出的小说怪怪的，编辑看不懂却又不敢轻易退稿，最后把两篇"怪小说"送达主编案头，以茅盾自身固守的文学观，林的那种主题晦涩刻意艺术的文本不在他那一元，但他读完却以包容的胸怀指示：全发！于是在《人民文学》某期上就同期岔开版面刊发了林的两个题材、写法迥异的"怪小说"。茅盾虽然政务繁冗，却抽暇细读刊物上的作品，像茹志鹃的《百合花》，如果不是茅盾著文推荐，也不过是刊发了而已，作者也未必会踏上创作的畅途。在极左思潮涌来之时，杨沫的《青春之歌》因写了林道静的多次恋情而被粗暴指责，茅盾挺身而出，著长文有理有据地为其辩护。"文革"前夕，据他作品改编的《林家铺子》被铺天盖地地批判，"文革"爆发时他被破格保护，但他没有像有的人那样否定自己，更没有去向"四人帮"示好，始终保持沉默。粉碎"四人帮"以后到他去世的五年里，他为文艺回春、文学复苏做了许多实事，捐出个人多年积累的稿费创建"茅盾文学奖"更是感人的壮举。他的后代一直低调。

　　你读茅盾了吗？如果没有，建议先读他的《蚀》和《腐蚀》。

不改初衷

有个杂志要重发我的一篇旧作《我爱每一片绿叶》，并让我谈谈创作心得。

近年有评论家指出，我的创作心理中有一种"底层情结"，意思是，心中总萦回着对那些社会地位不高、物质生活清贫、活动圈子较窄、出头机会不多的小人物的关爱体谅。批评家的概括，我基本认同。我关爱体谅"底层"，那是因为我自己长期生活在"底层"，直到如今，我也还是与"底层"的市井朋友混在一处，并且，我坚持认为，从他们当中，可以更多地感受到人性善美的闪光。

《我爱每一片绿叶》是二十年前的一篇旧作，于我，于读者，都是一张发黄的照片了。这张"照片"，以今天的眼光来看，其"落伍"、幼稚、粗糙之处，是很明显的。但我觉得，"照片"中那种对"底层"小人物的关爱之心，理解之情，还是难从心中减弱割舍的。这篇小说的题目，后来几乎成为了我的一道"宣言"，从那以后，我一直把自己写作的处所称为"绿叶居"，我多在夜间写作，于是又把自己写出的作品，视为从叶尖渗出的"夜凝珠"。从那以后，我又写出了《这里有黄金》《如意》《立体交叉桥》《5·19长镜头》《公共汽车咏叹调》《小墩子》《护城边的灰姑娘》等中、短篇小说，其中的主人公，几乎都是"底层"的小人物，我的几个长篇，《钟鼓楼》也是由"底层"的人物构成"群像"的主体；到《风过耳》《四牌楼》《栖凤楼》，有人说我小说所描写的生活面和人物越来越"上层"了，我当然应该展拓自己笔下的生活面与人物群，但是，细心的读者和论家一定会注意到，即使像《栖凤楼》那样，以一群文化人和小官僚的矛盾纠葛，写到不少宾馆楼堂、歌厅舞榭的场景，然而，我也还是忘不了把九十年代都市生活中那些最"底层"与最卑微的种种生存状态，揭橥于读者眼前。当然，从《立体交叉桥》开始，我就不仅只是从"底层"中去开掘人性的"黄金"，我也试图从中去认知与剖析人性的阴鸷一面。对这个创作路数，我至今不改初衷。

有的初学写作者可能会问：你别光是讲自己的这个"情结"，这只是个选材的问题，或至多是个观察生活的角度问题和确定角色分配的问题，技巧呢？你为什么不谈谈技巧？

技巧确实值得大谈特谈。但我总觉得，不少初学写作者，没能产生出"文学意绪"，便急于侈谈技巧，那谈不出个名堂来的。

什么是"文学意绪"？九月份我应邀访问日本，在一处游览地，遇到一大群秋游的日本中学生，他们游完该地排队等着坐渡船，人人手里，都提着一大兜当地的特产"枫叶馒头"。这本是不足为奇的景象。可是，我注意到，队伍中有一个少年，唯独他所提的特产兜子，比前后左右的同学们提得小，而且瘪。日本虽然普遍富裕，但仍有少数家庭收入不丰，生活是艰辛的。这位日本少年虽然与同学们一起来秋游，但他家里给他的钱，只能买很少的"枫叶馒头"。我观察周围同学对他的态度，有的毫无感觉，有的发现他买得那样少，用自己的大兜子故意去撞他的小兜子，有的似乎还跟他说着打趣的话……再观察他，脸上的表情、提兜子的手的抖动……我顿时心旌摇曳，联想多多。陪游的日本朋友见我发愣，问我怎么了？待那些学生走了，我告诉她自己的心绪。她说："啊，您到底的小说家……我就完全没注意到这个细节，并且，现在知道了，也产生不出您那么多的感慨联想……"

我的"文学意绪"未必多么高明深邃，但我珍惜它。因为我坚信，一切曼妙的文学技巧，倘无这种意绪为魂，恐怕都只是沙上之塔。

"别他"与"排他"

　　"有别于他人"，我们姑且将其意简缩为"别他"。对于一个作家来说，"别他"不仅是必要的，甚至可以说，这是令其创作具有真价值的关键。所谓"主体性"，除了意味着不受外来异力的干扰，也就是必须高扬自己的创作个性。在创作上，模仿是无能，赶时髦追浪头是盲目，主动皈依一个流派是缺乏自信，跟着批评家的指挥棒转是愚蠢，以得奖为驱动力是可笑，唯有时时注意"别他"，甚至于在创作每一个新作品时，还刻意地要有别于自己的"前一作"，以非功利之心，酣畅淋漓地书写出胸中块垒，方有可能进入大家气象，庶几可望留下扛鼎之作！

　　但"别他"不可混同于"排他"。"排他"，就是对他人的创作采取一种排斥的态度，甚至于从情绪上的排斥，发展为口头与文字的攻伐，有的更干脆进行人身攻击，干涉、阻挠别人的创作与发表。这是一种狭隘的心态，一种病态人格，一种不道德的行为。

　　你当然应该恪守自己的美学见解，你完全可以不同意别人的美学见解，你更可以不喜欢别人的作品，乃至于不看别人的作品，但你一定要懂得，正如你有自己的创作个性一样，别人也一样可以拥有独立不羁的个性、惊世骇俗的见解与千奇百怪的创作尝试，且不说你作为一个写作品的人无权对他人的写作采取侵略性的态度，就是你已成为一个大批评家，一个美学权威，那也只能是意味着：你有很高的审美思辨能力，你建构了一个自我圆满的美学体系或一套批评方法；而绝不是说你就有权担当"美学裁判官",在美学领域实际上也不需要"一体化"的裁判官,你如果成为一个自以为是的"美学暴君",或"定一尊"而禁绝百家的"美学专制主义者",那就更糟糕了。

在你的园地里辛勤耕耘,种植你喜欢的东西吧!别人在他的园地里种什么,基本上是别人的事。或者,你可以在埋头躬耕之余,伸腰引颈望望别人的园地,有的,所种植的可能与你喜欢的相近,如果你有兴致,对方也不反对,你们无妨互访,切磋一番园艺心得,也可开展一点满怀童心的竞赛,当然,那目的也还是为了让自己种出的植株,所展的叶、开的花、溢的香、结的果、蕴的味,都更"同中有异",乃至"别有境界"!有的别人所经营的园地,种植的东西与你有所不同,甚或所好相反,你可一笑而不再顾,也可在对方善意呼应的情形下,爽性也进去参观一番,在那观览中,或竟多少有所借镜,或仍是深感其"非我所悦",这都不要紧,要紧的是你应有这样的胸怀:他种的东西多滑稽呀!但是他喜欢,你尊重他的那份喜欢,因此你祝他丰收,祝他在丰收中获得更多的欢悦!而且,你更应深深地体味到,惟其有那么些与你的种植取向和喜好不同的园丁与园地,你所居住的这个世界才得以如此斑斓,如此多趣,倘若这世界上所有的园地都弄得和你经营的那块一模一样,你对自己园地的喜爱,恐怕也就很快被触目惊心的单调与雷同所消弥,那时候,人们在面面相觑中,会寂寞而委顿的。

"要是别人在种植鸦片、培植毒果……怎么办?"

起码在我们中国,在近几十年里,某些作家、批评家是很爱钻这个牛角尖,也是很积极卖命地以这样的理由,或带头往他人的园地里横冲直撞,或尖声抢先揭发检举他人园地里的"毒草"的,而效果究竟怎么样呢?许多的事实说明,凡是由作家、批评家带头查抄拔除毁灭的文学园地,冤案最多,后遗症最烈,是最令人切齿痛恨、遗丑久远的了!

所以,依我说,从今以后,作家、批评家,最好不要充当这号角色。我不是说真有人在他的园子里以耕种为幌子,搞危害社会的勾当,也随他去,不管;不过,那是公、检、法部门的事,作家、批评家最好不要错乱了自己的本职,不要生出这样的心思：我写不出作品，弄不好文章，那么，爽性当一当警察，充一充法官，乃至于过一过提搜查、提审、行刑的瘾，"哼，我种不出东西来，那么，我宣布——你种的全是鸦片！"

说到这儿，我得把自己的想法表达得更精确一点：作家、批评家都应"别他"而不"排他"，不过，只有一种是必须大家踵足侧目、群起排斥的：那便是上述那种"自己种不出东西，便毁别人园地以发泄"的心思、嘴脸与行径。

1994 年 11 月 26 日绿叶居

宝贵的一角

　　我很早就对《红楼梦》感兴趣，但直到九十年代以前，我都未曾将这种兴趣发展为写些有关的文章。到了九十年代以后，因为无官无职一身轻，有更多的时间读书、思考、写作，所以在写小说、随笔之余，开始写起了关于《红楼梦》的文章。我对《红楼梦》中秦可卿这个形象琢磨得最多，有若干文章都是围绕着秦可卿来写的，主要是探讨曹雪芹在创造这个形象的过程中，为什么将已写好的长达数页的文字忍痛删却，从而使流传至今的本文中，关于这一角色出身来历的交代，与她的风度见识及在贾府中的得意地位的描写，有着那么强烈的反差与错位；我认为这是因为在曹雪芹原来的构思及写成的文字中，她都是作为一个出身皇族罪家而藏匿在贾府的"潜公主"出现的，只不过曹雪芹最后听从了其合作者脂砚斋的劝告，为避文字狱，才一方面大砍大删，一方面"打补丁"，营造出一个引人探幽发隐的大谜团。我这方面的探佚文章，篇幅长的，都在杂志上发表；短一点的呢，便很希望有报纸的副刊能够容纳；而且，我写的关于《红楼梦》的文章，也不光是关于秦可卿的，其中不少短文，是我学习这部民族瑰宝美学造诣的心得，即分析它的艺术性和写作技巧的。哪家报纸的副刊会欢迎这样的文章呢？

　　正在这个时候，《团结报》当时的副刊编辑韩宗燕女士又来跟我约稿。此前我的一些随笔已经由她编发在了《团结报》副刊上，她也常给我寄赠报纸。我们很谈得来。她是我所接触的报纸副刊编辑中，既热情又耐心，既给予信任又善于督促的那一种；这样的编辑真有如春风细雨，可以将作者的文思"吹绿"，使作者的文章"漾鲜"。于是，在她与《团结报》诸同仁的支持鼓励下，大约从 1991 年起，我便在其副刊上开了一个《红楼边角》的专栏；美术编辑给绘制了好漂亮好醒目的一个栏头；因为谈"红"的文字少不了要引用"红"书中的若干僻字怪字，排字的人士要格外费工，而宗燕女士在校对时更要比一般文章费心，有时她便打来电话，与我在电话中核对某个字的正确写法；文章见报后，舛错很少。这样断断续续，几年来竟发出了很不少篇"边角"，积少成多，我的关于《红楼梦》的文字，竟已够出成一本书了，于是 1994 年有华艺版《秦可卿之死》这样一部专著的出现，并且今年可望再印一回增订版。每当我翻阅着自己的这本书，便不由得想起所有支持我在这方面努力的报刊与编辑朋友们，其中便包括《团结报》的诸多同仁，特别是宗燕女士。《团结报》副刊不吝篇幅，容纳我的《红楼边角》，对于我来说，那是多么宝贵的一角啊！没有这一"角"，也便难成《秦可卿之死》这一"本"啊！

更令我感到兴奋的是，由于"红学"大家前辈周汝昌先生是《团结报》的老作者与老读者，他读到了我的"边角"，发生兴趣，便写了几篇鼓励、指导我的文章，也发表在了《团结报》的副刊上；我们也便由此通起信来，使我获益不浅。而宗燕女士更借此促成我圆了拜望汝昌前辈的愿望。这都令我十分感激。

惭愧的是，这两年因为我集中精力写新的长篇小说，没能再给《团结报》副刊投稿，《红楼边角》这个专栏也断档了。值此《团结报》创刊四十年之际，我祝《团结报》版面更加流光溢彩，并且，也盼自己能再有幸得到《团结报》宝贵的一角，来容纳自己的新作。

1996 年 10 月 4 日绿叶居

关于小说的若干想法

虽然视听这种"第一信号系统"的文化越来越发达，但是"第二信号系统"的文学仍有旺健的生命力。

文学中的小说，生命力尤韧。

小说不会亡。

在探究人性奥秘这一点上，小说的潜力几近于无限。

个人在世界上，最大的困境是必须面对人性，他人的，群体的，又特别是自己的。

人性当然难以用文字穷源究底，但，视听文化在这方面就更无能为力。也许，大作曲家的大交响乐能深入到人性的表层以下，但他的乐思与听者的领悟，之间往往横亘着巨大的鸿沟。小说对人性的揭橥与探究，当然也可能被读者误读，但终归是认同的可能性，较之为大。

文学中，诗与小说的距离最大。诗或许更接近高等数学。诗更具文字符码的外观效应。小说却不能不在符码的承载内容上下工夫。我认为单纯搞文字符码的变化、变异、颠覆的小说，不可能是好的小说。当然，由于任何一种艺术总需在发展变化中获取新的生命力，小说也不例外，所以，小说家刻意以新奇的语码展现与探究灵魂，当然可能构成创新之作，但，请注意我的前提——小说家要有内容上的目的；也许诗人写诗也强调内容，不过，我以为不考虑内容光弄形式的诗，也有可能构成好诗,诗在表达久蓄情感、瞬间感觉特别是直觉上有优势,在"魂学"上却让小说不止一筹。

小说可以有社会性,也可以没有;小说写得好不好,与其内容具否社会性无必然关系。

小说可以不触及人性吗?我以为不可以。当然触及的手段很多,不是说一定要露出那只去触人性的"手"来。

我这里说的小说,是高雅小说。通俗小说是另一回事。二者有重合处,如都有人物,有情节;但分别甚大,其最大差别是通俗小说不管人性探究。

就我看过的小说而言,最具这一艺术样式特点的,中国当以《红楼梦》为楷模,外国则以俄国的陀思妥耶夫斯基的作品为明鉴。

探究人性犹如食苦果,但不是一味地苦,是苦瓜那样的苦,或橄榄刚入口那样的涩,入其境久了,自会由苦涩转甘甜;所以读高雅小说或许确非一桩开头就轻松的事;不过,既然苦瓜、橄榄乃至榴莲都永有嗜好者,永有市场,那么,令人从痛苦中获得领悟,从而又得大欢喜的小说,其生命力的长久,当无可置疑。

人性的混沌面,特别是狰狞面,小说最难写出,亦最值得写出。

也未必能提升我们对人性的认知。小说不是哲学。

小说对人性奥秘的探究,不是为了结论,而是为了穿越那过程的苦楚、酸辛与甜蜜、欣悦。

人在有聊时,可能会享受通俗文艺。

人在无聊时,可能会钻研哲学。

人读小说,是在有聊与无聊之间。

1993 年 12 月 28 日

可信程度
——关于"编造"与"虚构"

陈心悦同学:

你好!

你提的问题,很有代表性。许多学写小说的人,都遇到过这种情况:辛辛苦苦写圆了一个故事,可是编辑却说:"你这小说编造痕迹太重!"给否定掉了。你的提问,还是从认可"小说都是虚构的"出发的;有的作者比你更不服气,他说:我写的,基本上是我在生活里遇上的真人真事,你怎么还说我"编造痕迹重"!

我想,所谓"编造痕迹重",也就是可信程度差的问题。小说是写给读者看的。所以,你在写小说时,心中一定要有读者。读者对于你来说,是"他人",这"他人"可不是那么容易让你征服的。因为,你有你的生命体验和心理空间,"他人"也有他的生活经验和心理空间,要把你的心灵感受传递给另外的人,唤起他的共鸣,使你用文字架构出的心理空间与他阅读时的心理空间相叠,那可不是一厢情愿的事儿。你觉得你编的故事挺合理,可是人家读来却觉得不可信;甚至你根本是在记录一桩生活中真有的事,人家还是觉得"未必如此"。这可怎么办啊?

我想,要解决这个问题,就必须懂得:(1)写小说,是营造一个让人读来可信的虚构世界;(2)要虚构得让人可信,不合生活逻辑的胡编乱造固然必定失败，就是一味地照着你个人所闻所见所感的"葫芦"画"瓢"，那也很可能还是"砸锅"；（3）你得重视读者的接受心理，让你的叙述不是单纯地符合"亲见亲闻"，更不能"自己相信了便罢"；（4）你要努力达到所写的并非"都是真的"，可是让人读来却"像真的一样"；在传统的美学理论中，这是一个"典型化"的过程，也就是说，你要努力使你笔下的人物和情节具有通过特殊性达到展示某种共同性的程度；如果你笔下的人物和故事过分地罕见离奇，唤不起读者关于生活中另一些具有某种共同性格或遭遇的人与事的联想，人家便会认为你在"编造"；倘你笔下的人物和故事只是一些概念和理念的化身，唤不起读者丝毫的鲜活感和新奇感，那人家更会说你是在"生编硬造"。读者想从你的小说里读到"熟悉的陌生人"和"似曾与可能经历的场景"。你得从这个方向上去努力。当然，关于小说的美学理论不止这一种。也有些"新潮"小说不讲究"典型塑造"，但不管哪一种小说，包括写非现实的梦境的小说，也都要求"让人读来就像真能那么样似的"，也就是说，到头来还是得有"可信程度"；（5）小说最重"细节"，"细节"的真实能激活读者的"信任力"，"细节"的失真又最能导致读者的厌弃。有的小说其人物和基本情节架构都站得住，可就是在一两个"细节"上栽了跟斗，读者本来还挺愿往下读，可一下子出现了"破相"的"细节"，读者便免不了给那小说"一大哄"。不少学写小说的人，都有这种"细节失误"，有时竟导致"一粒耗子屎（一个不真实的'细节'）坏了一锅粥（整篇小说）"，令人扼腕。所以请你牢记：把握"细节"，是提升小说"可信程度"的重要关键。

编辑往往是作者小说的第一读者，至少是第一审视者，编辑们一般都有丰富的阅稿经验，倘若编辑说你写的小说"编造痕迹重"，一般来说，也就意味着你那小说的可信程度还比较差。你可以再请教编辑：是我小说里的人物"不像真有那么个人"，还是我小说的情节"不像真有那么回事儿"？为什么您觉得不像？是我太拘泥于真人真事，还是我太从概念（既定的主题）出发了？也许，是"细节"上出了破绽？哪些"细节"？特别是哪个"细节"？相信负责任的编辑有可能耐心地帮你诊治你那小说"编造痕迹重"的病症。

　　不过，说了归齐，最灵验的提高自己小说可信程度的方法，还是多读中外古今著名小说家的名篇。读多了，心领之，神会之，下笔自然就不会"留痕"了。

　　我的这些想法仅供你参考。祝笔健!

我面对的斯芬克斯

一位同行对我说，他现在的写作完全成了一种游戏，智力的，结构的，叙述方法的，文句排列的……总之，他顿悟，小说就是把一串串的字符，舒舒服服编排起来那么一种东西，所以他现在写作很放松，写起来很愉快，速度也很快。

我很羡慕他，真的。

我读他这样写出来的东西，我觉得他的文字里，其实还是承载着许多的意思，也就是蕴涵着若干并非他刻意要表达的思想和情绪，由于他彻底地放松，文字凭借意识流涌现，所以自然而又奇诡，颇具特色。

我自己呢，创作状态却与他有所不同，我虽然也不再主题先行，不再直奔主题，不再充当万能的表现者与阐释者，不再按刻板的计划往下写，不再为自己的小说规定明确的主旨，不再给予小说中的人物明确的定位，不再有意导引读者，不再耿耿于预期的阅读效果，不再忽视叙事方法，不再忽略语言的张力……可是，到头来我不都"不再是"，我毕竟不是把写小说当做仅仅是一种生存习惯，一种自娱也娱人的游戏，我写小说时还保持着一种宗教式的虔诚，我总觉得，当我在表现一个个人物的性格和命运，展示一幕幕人世的悲欢离合、生死歌哭时，我面对着一个斯芬克斯。

希腊神话里的斯芬克斯，人面兽身，长着一双肉翅，他（她？）向俄狄浦斯（就是弗洛伊德总强调的那个有"恋母情结"和"弑父情结"的主儿）说了一个谜："早晨四条腿，中午两条腿，晚上三条腿，这是什么？"猜不出，他就要吃掉俄狄浦斯（在这以前他已吃掉了许多猜不出的倒霉蛋），但俄狄浦斯猜出来了：那是人！（人在婴儿期爬着走，老了拄拐棍走。）于是斯芬克斯凄厉地嚎叫一声，自杀了。

面对俄狄浦斯的斯芬克斯羞愤而没，面对我的，却还雄踞于前，我怎能稍有懈怠？

我面对的斯芬克斯，他的问题是：

个体生命，在这世上存活的意义，究竟是什么？

这个个体和别的个体之间，和许多个"别人"组成的群体之间，为什么不可能完全没有差异，乃至会有矛盾、冲突，甚至是很激烈的冲撞和争斗？怎样才能达到和谐？

人性究竟是什么？其深处究竟涌动着些什么？人性是可以抑制的么？可以改造的吗？

也许还不止于此，但我现在所面对的斯芬斯思，起码已用这三大问题，困扰着我，也诱惑着我。

我写小说，比如，写《四牌楼》时，我的文思里，丝丝缕缕与人物的性格命运展现，与情节，与叙述的角度，与叙述语言的调式，相生相扣的，便是对这三大问题的不可摆脱的探究。

没有现成的答案。当然，前人也曾探究过，莎士比亚借哈姆雷特之口，将上述三个问题并作一个沉吟过："活着，还是死去，这是一个问题！"曹雪芹借甄士隐作《好了歌注》，发表了相当鞭辟入里的警世阐释，但最后也还是循环于"乱烘烘你方唱罢我登场"的迷阵中，到了还是道不出透亮的谜底，托尔斯泰算是和盘托出了他的答案："毋以暴力抗恶"，可是世人都摇头，斯芬克斯虽没直接吃掉他，他那离家出走、病逝于荒凉小站的生命结局，也足令人喟叹！

这是古典情怀，没错，古典的，大概也就是所谓的人文精神，即对我们自身这个个体生命的珍惜，又由己及人，念及每一个个体生命应有的尊严、不可免的艰难、往往自身亦未意识到的悲苦，并渴求与他人沟通，与群体和谐，这里面有理性的痛苦和欢乐，也有非理性的惶惑与顿悟，有对必然的肃敬，也有对偶然的惊悚，当然，再进一层，那就该是我们面对的斯芬克斯的第四个问题了：

什么是死亡？死亡后，个体生命的存在方式是什么？不存在了吗？不存在是什么？那与生存相对应的彼岸，究竟是什么？

这是哲学了吗？

我这文章开头所说的那位同行，他是反哲学的，他尤其主张文学与哲学分家，他说：哲学让人脑仁儿疼，小说可不然，小说应当让人什么也不想，只是好玩，好小说是让人脑仁儿松弛的。

我想世界如此之大，什么样的小说都无妨存在，谁爱写什么样的小说他就去写什么样的小说好了，当然，读的人更不能勉强，你也勉强不来。

我还写这种有古典情怀的小说。当然，我觉得自己的小说在某些方面，也够新潮的，比如结构，比如叙述方式，比如最新一茬的市民语言的录用，等等，但我面对我的斯芬克斯，没有扭头走开（虽然走开未必会被吃掉），我一边写我的那些人物的命运，一边探究那几个问题，《四牌楼》就是这样，一位评论家说，这是一部情调苍凉的书，苍凉当然不能比拟为甜苹果或冰激凌，而很可能是一种苦涩的味道，也就是说，接近于悲剧，在这个喜剧、调侃、丑星大行其道的"后现代"，我的苍凉，我的悲怆（不是消极的悲，不过也还没有达到悲壮），也许，能升华出一点崇高感来？

我面对我的斯芬克斯，没有现成的答案，我尽力用我的探索来使我的小说充溢着多义性（因为必然会从许多个角度来猜谜），使我小说的语言有一种孜孜以求的调式（有时化为忏悔，有时苍凉，有时则圆通而温馨），使我的人物与情节有一种原生态的朴实（既不追求所谓的巧妙，却又时时显露出偶然性介入时，人事的波诡云谲）……

正因为不仅是我，就是世界上那么多的作家，都未能一劳永逸地解开我所说的那个斯芬克斯之谜，所以，我们这个流派的作家，才不断地写出新作，而且总觉得这一回写的，比上一回的，离那谜底，又近了几分……纵使在这"消解了历史感"和"深层意识"的"后现代",这个流派在商业上是比较地背时,可仍绵绵不绝,相信会一直地流淌下去,因为人类中的一部分,是永会乐于这样写,并乐于读这样的东西的。

这也就是一种不放弃终极追求的文学。

是的,我不放弃,在我的斯芬克斯面前。

1994 年 3 月 30 日

故事与人物
——评点《笔友》

　　这篇《笔友》可以算是一篇小小说。它讲了一个故事。故事要有悬念。这篇小小说的悬念是：谁是那个署名"春"的笔友？虽然作者还不够狡狯，一句"多美的字体，真像高老师的字那般端庄秀丽！"过早地消除了悬念的力度（聪明的读者会马上猜出"春"就是高老师），但整篇文章在讲故事的技巧上应该说还是有板有眼的，包括自然段落的分列，节奏明快，推进得层次分明。

　　作为一篇小小说，立意也是很不错的。说明指导作文不能生硬催逼，"强扭的瓜不甜"，反而是不把作文当成一项作业来要求，在自然而然的文字交流中，有血有肉的好文章轻轻松松地就产生出来了。

　　但这故事似乎经不住仔细推敲。既然高老师原来视《第二课堂》这样的杂志为有害之物，加以没收，那他怎么会在退休以后忽然成了《第二课堂》的热心读者，读得那样仔细，连一般只印在边角上的寥寥一行小字的"友谊寻呼"也能注意到，并由此对芸实施了长期、隐蔽而有效的作文指导？更令读者不好理解的是，既然高老师在退休后能把作文指导搞得那么好，比如说启发芸写自己最熟悉的家乡名山等等，那么，他为什么在学校教芸的时候，不去启发她"利用假日游览名山，收集有关名山的传说，并精雕细刻写出自己的得意之作"呢？

　　这篇文章的作者名叫曹庆升，估计是个男生。文章里面的学生叫芸，是个女学生。

写小说这样处理是可以的。这说明曹庆升同学虚构的能力还是比较强的。

写小说，讲故事，需要虚构。如果写散文，一般不提倡虚构。这篇文章如果作为一篇散文来看，先不纠缠虚构还是写实的问题，那它的缺点就更突出了。像这样的散文，重点应该是写人。但整篇文章对高老师的描绘未免过虚，没有什么音容笑貌，更没什么性格勾勒，他为什么在课堂上教学生作文失败，只有在退休后匿名指导才大获成功，就更让读者摸不着头脑。

其实，真正成形的小说，一般来说，也不能只有故事，而疏于人物刻画。这篇《笔友》如作为短篇小说来处理，整体框架可以完全保留，但应该加强人物刻画。前面高老师未退休前，可以用些笔墨点染其性格特点，把他之所以在指导芸作文方面失败，归结为急于求成；后面则应该增加一点穿插性情节，比如芸曾偶然见到他在钓鱼（但并不知道他就是"春"，而且他并未发现芸），其耐心令人吃惊，最后再把悬念的"扣子"解开。为使悬念有力度，最好去掉"春"的字迹与高老师酷似的细节，甚至可以写成"春"的来信全是电脑打印的。

写文章写多了，便会发现，编个故事并不怎么难，但把一个人物写活，难度就比较大。如何能既写好故事也写出给人印象深刻的人物形象来？这是一个应该反复探讨的课题。

给自己的小说画插图

《京漂女》这部我最新的小说集，共收了我十八篇小说，我为每一篇都画了一幅图。说是插图，那是沿用习惯的称谓。其实，严格来讲，撷取小说中的一个场景，画出来，插放到相应的页码间，才是插图。我的画法却不是这样。所画的未必是小说中的某一场景，而是将一种涵盖整篇小说的意象，用图形展示出来。目前为自己的文字配图的作者不少，有的是用软笔画，还总要配上相当不少的文字，那些文字一般都带有哲理意味；有的则似乎是用钢笔来画，线条比较纤细，也着重文字的配合，追求禅悟般的效果；有的或富有中国明清时代绣像画的意趣，或借鉴西方现代漫画中的幽默感。我从阅读他人的自绘插图里获得过不少的审美乐趣。但临到为自己的小说作图，却牢记"别人嚼过的馍不香"的俗训，决定别辟蹊径，画出自己的名堂来。工具材料上，我选择了比较粗的油性笔和相当挺括的复印纸；技术上，我尽可能一气呵成，以流畅的弧线来抒发胸臆中的情绪。

我的这十八篇小说，大体上分为三类，一类是逼近最当前的现实生活，如《京漂女》写漂在北京以求打入影视圈的年轻生命的诡谲遭遇和心灵悸动，《尘与汗》《蓝玫瑰》等写外地来京民工的艰辛哀乐与坚忍善良……另一类则以怪诞手法折射现实，如《贼》《最后金蛇》等，着力探索人性的底蕴与人生的终极意义；第三类属于题材奇特的，如《戳破》是写日本"奥姆真理教"在东京地铁放毒事件的，这样内容的小说在中国到目前为止还是独一份的吧。我的小说观，还是看重写人生、人情、人性，要重视塑造人物形象，要给读者讲故事，要有一定的悬念，要给读者留下一定的想象空间，要争取读者在阅读中和阅读后有一定的参与性。

我为自己这十八篇小说画图时，重视构思的程度高过技术上的完成。有几幅一遍即成。多数则是在构思稳定的情况下，一再地下笔，淘汰率很高，最后才选出一幅被自己认可的来。除了题上小说的名目，以及署上自己名字的拼音代号，一律不再配合文字。我在构思时要求做到：要既自然却又出人意料地奇突；要有动感，绝不能板涩；讲究留白，计白当黑，没布置线条的地方可能更有画境在；不写实却又不离实，让一般的读者都能看出点名堂，不故弄玄虚；尽可能地简洁，却又要注意不能有贫乏感；因篇置宜，避免雷同。书上把每幅图都印在了每篇小说的前面，最好读者读完了小说以后，还愿意再翻到那幅图，有所领悟，有审美怡悦感产生。

这本小说集发行以后，我得到了一些来自读者的反应，一位说他最喜欢《小样儿》那一幅，他认为就小说而言，《小样儿》是整个集子里最弱的一篇，但这幅画超越了小说文本，在他眼里成为了一幅可以独立欣赏的画儿，从中可以玩味人性中的酸涩。还有一位则说他喜欢《杀星》那一幅，他说画面充满动感，两个畸形的人又似企图接吻又似正在对骂，很有趣。其实我画的是一个人被撕成了两半，当然，画时也有故意让人又把裂成两半的他看成两个人的蓄谋。就我自己而言，我喜欢《人面鱼》《吉日》《贼》这几幅。《人面鱼》里的仰面女子没画眼睛，既是构图精简的需要更有深意存焉；《吉日》所画并非小说文字里所道及的，却又与小说的内蕴息息相通；《贼》那幅右下角的"嚓声"符号是盘活全图的关键。

给自己的文字配图，《京漂女》并不是第一次。上海文艺出版社出的《刘心武侃北京》一书里，就配有我的多幅水彩画，大多是风景画，也有人物画。工人出版社出的随笔集《深夜月当花》里也有我自绘的多幅图画，其中《蝴蝶窗》等幅也是我足以敝帚自珍的。

目前有"阅读进入了读图时代"一说。我以为这个说法夸张了一点。"图文并茂"带给阅读者的快乐，不说是古已有之，也早有前例。幼年的鲁迅先生从保姆阿常手里接过上图下文的《山海经》时，是何等地激动啊。绣像全图的四大古典名著，也曾风靡一时。改革开放初期，文学杂志里的作品多配有精彩的插图，许多现在名声很大的画家，当年都为杂志文章绘过插图，倒是现在的文学杂志，几乎都取消了为当期作品专配插图的做法。

今后我还会为自己的文字配图。不是为了追逐潮流或者卖点，而是为了满足自己内心的一种欲望，那就是让涌动在心灵中的形象思维能无拘无束地释放出来。

答《解放日报》记者问

1. 您主讲的"揭秘《红楼梦》"系列讲座受到很大的欢迎,您为什么要采用"悬疑式"的讲解方式?

是进行一种尝试。以前《百家讲坛》还没有过这样的讲法,节目组鼓励我试一下。"悬疑式"的好处也许是可以吸引人接着往下收看,但也会让一些希望直接知道结论的人士不满。希望各方面人士对这样的讲法进行评议。《百家讲坛》他们不会都请讲演者用这一方式来讲,我自己以后不管在哪里讲,也不会只采取这一种讲法。

2. 您曾说过"雅皮、白领可能也不愿意读我的作品,我也不指望这批人来读我的作品",但现在您的"揭秘《红楼梦》"系列讲座却受到很多年轻人包括白领的欢迎。这是否说明《红楼梦》这样的中国古典名著在年轻人中还是有吸引力的?

我8月27日上午在北京西单图书大厦签售讲座文字修订稿,发现这次来买书的年轻白领和在校学生成了主体,这是出乎我意料的。我不是科班出身,不是这方面的正式研究人员和教授,只是一个爱好者和业余研究者,我参与这个讲座并不是要观众都来认同我的观点,我希望的是引起人们的兴趣:没读过《红楼梦》的能找来读,原来读不下去的人能产生出往下读的兴趣,读过的还想再读……现在看来,有这样的效果。一位小读者说,他原来只热衷看动漫,现在他觉得《红楼梦》也好看,这位小读者的话让我特别高兴。

3. 您说自己对于历史和红学研究是个门外汉，说的是外行话，但您从对秦可卿的身世揭秘，开辟出一条独特的研究路径——"秦学"，您觉得您的红学研究不同于红学家的价值在哪里？

上世纪 80 年代以后，随着我们国家改革开放，外来文化，主要是西方文化进入我们的视野，产生很大影响，就文学而言，像马奎斯、乔依斯、福克纳、博尔赫斯等的翻译文本对作家们影响很大，我当时也如饥似渴地阅读，从中汲取营养，以为借鉴，而且确有收益。但我认识到，自己是一个定居北京的中国作家，只用母语写作，因此，最应该汲取的营养，最应该引为借鉴的，应该还是自己民族的经典文本，而在所有的民族经典文本里，《红楼梦》对我又是最具魅力的，所以，我是以这样一种心情，这样一种目的，进入红学这个领域的。我自己的写作，一直基本上循着写实的路子前进，《红楼梦》正如鲁迅先生所说："叙述皆成本真，闻见悉所亲历""正因写实，转成新鲜"，所以我要向曹雪芹学习从生活真实升华为艺术真实的本事，学习他将生活原型转化为艺术形象的本事，研究秦可卿的原型，就是这样动机下一步步发展过来的。我 1993 年由上海文艺出版社出版的长篇小说《四牌楼》，就是向曹雪芹"偷艺"的一个成果。这应该是我与正规红学家不一样之处。

4. 您说过"我知道现在许多平民红学研究者非常地受压抑，因为他们许多很有价值的意见很难发表出来"。您觉得除了红学研究协会之类的官方研究机构，是否还应有其他渠道让民间智慧也能拥有话语权？

现在在互联网上可以看到许多民间红学研究者的见解。国家拨款的专业红学杂志应该容纳民间的成果。现在已有的文化、文学类刊物和报纸的文化类副刊，应该设立红学专栏，既容纳专业红学家的文章，也容纳民间业余红学爱好者的文章。

5. 有人认为知识分子研究《红楼梦》是一种文化的腐败和堕落，您认为这样的观点是否过于偏激？

这种看法是不对的。我在《刘心武揭秘〈红楼梦〉》《说在前面》里指出："一个民族，她那世代不灭的灵魂，以各种形式在无尽的时空里体现，其中一个极其重要的形式，就是体现在其以母语写出的经典文本中。正如莎士比亚及其戏剧之于英国人，是他们民族魂魄的构成因素一样，曹雪芹及其《红楼梦》，就是我们中华民族不朽魂魄的一部分。阅读《红楼梦》，讨论《红楼梦》，具有传承民族魂、提升民族魂的无可估量的意义，而所有民族发展的具体阶段中的具体问题，具体的国计民生，无不与此相关联。我们如果热爱自己的民族，希望她发展得更好，那么，解决眼前切近之事，和深远的魂魄修养，应该都不要偏废，应该将二者人和贯通在一起，不能将二者割离，更不可将二者对立起来。"

6.（接上个问题）在您看来，研究《红楼梦》的当下意义在哪里？

[上面已答，此问题可取消。]

7. 其实您之前就发表过很多关于红学研究的文章，例如《红楼三钗之死》、《红楼望月》等，但现在走上电视就产生了比原先更大的影响，您是如何看待电视媒体在现代生活中的巨大作用？

我原以为《百家讲坛》播出时间最不"黄金"，参与一下也不会有多少人关注，没想到引出了这么强烈的反响，可见电视这一传播方式厉害。

8.（接上个问题）您觉得现在纯文学渐渐被边缘化与电视有关系吗？

有些关系，但不是最主要的因素。

9. 您发表过关于足球世界杯外围赛的报告文学——《5·19长镜头》，发表过《我眼中的建筑与环境》，现在又把红学研究搞得那么红火。一个是红学家，一个是作家，您觉得这两种身份哪个给你的天地更大？

我现在只有一个身份，就是退休金领取者。我热爱写作，热爱《红楼梦》，只要身体情况和精神头还行，就会继续写小说、随笔、建筑评论，进行《红楼梦》研究。我不喜欢热闹，我企盼安静。这次去《百家讲坛》讲《红楼梦》，又"红火"起来，非我所求。我现在多数时间住在乡下，我觉得只要心灵空间大得令自己舒畅就行了。

10. 说起刘心武，就必然会讲到您的《班主任》。可现在《班主任》也成了您绕不过去的障碍，一些人动不动就把《班主任》拿出来说事。如果让您站在现在的角度回过头去看，您自己对这部作品有什么评价？

敝帚自珍。是我生命历程中一个与时代和社会进步吻合的足迹。

11. 您最近的小说集《站冰》以及像《心灵体操》这样的随笔集还都是贴近现实的，您的小说中多具有社会思考的色彩。您觉得关注社会是否是一个作家最重要的职责？

不能对所有作家提出单一的职责。社会关注也应该是一个能够包容很多的概念，丁玲的《太阳照在桑干河上》和张爱玲的《金锁记》都可以说是有社会关怀的作品。我自己在小说创作中一直体现出社会关怀，特别是关怀社会中的普通百姓，最新的一篇5000多字的短篇小说《偷父》发表在8月14日《羊城晚报》副刊，写一个矿难遗孤在城市里的故事。

12. 您会不会因为无法推却而写一些约稿，还是一定坚持要有感而发？

我坚持有感而发，但有的约请也会觉得是无法推却而加以接受，比如您的访问，和应约而写的其他文章一样，您看，我因有感可发才接受，不是吗？

13. 有网友评论说：文学愤青也有三重境界。第一重境界是见山是山，见水是水。见有不平直言不讳，一点也不加掩饰，像《皇帝的新衣》里那小孩。第二重是见山不是山，见水不是水。看到什么都不顺眼，都要扯到国恨家仇，就像那位发表《从刘心武"包二奶"看知识分子的堕落》的网络愤青。第三重又是见山是山，见水是水。看多了，气平了，心淡了，躲进小楼成一统了，既有愤懑抒泄，也是微言大义、百般委曲。刘心武现在的境界大概如此。您觉得这样的评论契合您现在的情况吗？

我从来不是"愤青"，但我理解眼下某些"愤青"愤从何来。社会应该容纳多种声音，"愤青"的声音是其中一种，可以不同意他们的意见，但不要堵塞他们的言路。

14. 您高中毕业时就报考了北京戏剧学院表演系，因为政审不合格才没上成。生活中总充满了这样奇妙的阴差阳错。您从小就对演员这个职业很感兴趣吗？是不是觉得自己身上也挺有表演天分的？如果您成为了演员，您觉得您会比现在当作家更成功吗？

我报考的是导演系。我从小就热爱戏剧，上小学的时候我经常在家里，拿把椅子，用鞋盒毛巾什么的布置成一个舞台，再用纸片剪成些小人，坐在小板凳上，用手动方式让那些"演员"演戏。我想不出来如果那时候真被中戏录取了，后来会是怎么个生命轨迹，反正，《班主任》是肯定写不出来的。我感谢生活,感谢时代,感谢机遇，感谢所有给予我鼓励支持，以及善意批评指正的人士。

对我影响最大的十本书

(1) 曹雪芹:《石头记》(即《红楼梦》前七十八回，不包括高鹗的续作)

曹雪芹的文本给予我的阅读快感是全方位的。我常为自己是中国人，从小学会阅读方块字、能以无隔阂地亲近《石头记》的文本，并一生从中得到不竭的审美快感，而感到庆幸。

(2) [法]罗曼·罗兰:《约翰·克利斯朵夫》(傅雷译)

在我的少年时代，这本书使我懂得了"个人主义"其实有着不可轻亵的积极一面。

(3) [俄]陀思妥耶夫斯基:《罪与罚》

阅读它，内心里总生发出一种煎熬感。它让我接近了救赎意识。

(4) 李劼人:《死水微澜》

(5) 鲁迅:《野草》

这本书表面上虽然极薄，于我来说却非常厚重。比如其中的《好的故事》《死火》，我多次阅读以至背诵，只觉得胸臆中满溢着奇气。

(6) [苏俄]拉甫涅尼约夫:《第四十一》

初读它时，十五岁。反复琢磨，终于写出了一篇《谈〈第四十一〉》，于十六岁时(1958 年)发表在了《读书》杂志上。那是我第一次发表文章。

(7) 恩格斯:《反杜林论》

(8) 毛泽东:《毛泽东选集》第四卷

特别是后半本,又尤其是《新民主主义论》。

(9)[丹麦]安徒生:《安徒生童话全集》(叶君健译,实际上由 16 册单行本构成)

于我而言那不是童话,是人生启示与情感教育。

(10) 孔尚任:《桃花扇》

其中《逢舟》一折,尤动我心。

这里特别要多说明一下的,有两本书。

李劼人的《死水微澜》,从二十来岁初读到如今,我每隔一两年总忍不住要拿出来重读一遍,总是兴趣盎然,不减当年。这本书把时代、人生、个性、命运,成功地糅合在个案里,其文本仿佛山泉出谷,潺潺奔流,从容摇曳,小中见大,俗处出雅,状似清浅,而蕴意深刻;又特别善于把四川的风土人情,以四川官话娓娓勾勒,创造出一种特别有味道的叙述文本。其续集《暴风雨前》也好。第三部《大波》若干片段也很不错,但写作时可能干扰多了,不能坚持自己的写作个性,频频离开个案,企图面面俱到,绘所谓"全景"、"群像",结果给人以强弩之末的感觉,且未能完篇,叹叹!《死水微澜》对我的小说创作,潜移默化的影响实在太大。我八岁前生活在四川(成都、安岳、重庆),八岁后生活在北京,后来写小说以描绘北京市井生活为主,所以评论者多以为老舍作品对我影响最大,其实不然,李劼人对我的影响,远强过老舍。

恩格斯的《反杜林论》,使我懂得什么是雄辩的文风,而且真正使我慑服于这样的论点:马克思主义是一门科学,而且,是建立在对人类到那时止几乎全部已有的自然科学、社会科学及哲学的全面把握与批判上的。我得承认,虽然这本书我读得很细,并且曾在上面画了不少重点线、问号、惊叹号,以及在书边上写下了一些心得,但其实我并不能记忆住它里面的具体内容。不过,光是它留给我的那总体的文本印象,也够我今生消受的了。

《班主任》后记

　　收在这个集子里的十二篇小说,都是1977、1978两年里写成的,分别发表在《人民文学》、《中国青年》等报刊上,其中《母校留念》一篇未在报刊上发表过,选自中国少年儿童出版社出版的同名小说集。这两年里我所写的短篇小说,除纯儿童文学范围的以外,大体都收在这个集子里了。这次出书,有的作了若干文字上的改动。

　　正当我校阅着这个集子的清样时,《班主任》在《人民文学》举办的1978年全国优秀短篇小说评选中获了奖。这次评选活动,是在群众投票的基础上,由前辈专家们组成的评选委员会研究决定的。我感谢广大读者对我的支持与鼓励,也感激前辈专家们对我的扶植与指导。写《班主任》时,我只是觉得骨鲠在喉,必须一吐为快;我凭着一种真挚的责任心,一股遏制不住的激情,提笔勾勒着我所熟悉的人物,呼唤人们警觉起来,"救救被'四人帮'坑害了的孩子!"当然,我也努力地追求着一种适合于我所要表达的内容的新形式,我尽其所能,力图把这篇小说搞得能够打动人心,使读者感奋。不过,坦率地说,在这次校阅《班主任》清样的过程中,我时时发现出缺点与不足,痛感应当写得更好一些,才不辜负大家的鼓励与期望。有的读者来信问我:《班主任》成功的秘诀是什么?我没有什么秘诀。《班主任》是我十多年在中学里"摸爬滚打",真情实感的产物,是我久蕴在心、发于一朝的结晶,特别是谢惠敏这个引起大家兴趣的形象,设若我前十来年没有在中学里经历过那场运动，没有良知被煎熬、爱恨相交织的切身体验，是不可能提供给读者们的。这使我再一次认识到，归根结蒂，对生活的熟悉、对生活中的人与事的喜怒相关、休戚与共，是决定作者反映这一生活的作品成败的基本因素。今后我要写出达到或超过《班主任》水平的新作，看来主要还需到生活中去，不是当一个冷静的旁观者，而是继续当一个与革命事业血肉相联的战斗一员。我坚信，只有根植在生活的沃土之中，用真情实感、真知灼见浇灌的艺术之花，才能有持久的感人力量。

最近，《光明日报》开始在《文学》专刊上，就我的创作风格展开了争鸣。一个青年作者，能沐浴着艺术民主的阳光，在"百家争鸣"的和风细雨中成长，这是多么幸福的事。这样的争鸣，督促着我更刻苦地提高艺术修养和艺术技巧，使今后的作品不但能在思想性上有所突破，在艺术性上也能有所提高。当然，在艺术风格上，我是试图有所追求的。我尊重某些同志提出的关于文学和短篇小说的定义，但我相信，文学现象总是多于定义的规定范围的。定义应当随着新的文学现象的出现而不断丰富和发展，也就是说，定义应当是一条不断向前延伸的轨道，而不应当是一个僵死的框子。在这个催人思考的时代，面对着一代思考的读者，我以为应当有思考的文学。就短篇小说而言，形象思维和形象化的确是作品万不可缺的要素，但逻辑思维并非不可与之相辅相成；思辨的气息，哲理的意味，从来就不是文学中的陌生客人。目前．我的探索仍处在幼稚阶段，前面路还长，我愿把"学习、学习、再学习"当做自己的座右铭。

感谢中国青年出版社的同志，为我这样一个不成熟的作者，提供了出版习作的机会。收在这个集子里的十二篇习作，水平是参差不齐的，之所以还有勇气把它们拿出来，主要是因为全国各地有许多热心的读者，不断来函向我索取作品，偏爱我的青年读者，因为不能得到载有拙作的报刊，竟从广播中记录，然后制成精致的手抄本，留在身边翻阅。这令我无比感动，同时也促我决心把这些习作集为一束，献给那些关怀我的读者。我恳挚地期待着大家的批评指正。

1979 年 4 月 3 日

《班主任》的前前后后

　　由罗德里克·麦克法夸尔与费正清主编的《剑桥中华人民共和国史（1966—1982）》卷中，613页，由荷兰乌特勒支大学比较文学教授杜维·福克马执笔的《1976年和"伤痕文学"的出现》一节里，他这样说："在新作家里，刘心武是第一个批判性地触及文化大革命的不良后果的作家，他的短篇小说《班主任》（1977年）引起了全国的注意。他涉及了文化大革命给作为其受害者的青年人正常生活带来的不良影响和综合后果。"800页，由加州大学东方语言学教授塞瑞尔·伯奇执笔的《毛以后的时代》一节里，则说："'伤痕文学'的第一次表露，也是实际上的宣言，应推刘心武（1942年生）1977年11月发表的《班主任》。书中的那位中学教师，是个刘在后来的几篇小说中也写到的第一人称叙述者和受人喜爱的人物。那位老师所讲的故事本身并没有什么戏剧性，但仅寥寥数笔就勾勒出几个互成对照的青年形象。一个是'四人帮'时期遗留下来的失足者，那位老师不顾同事们的怀疑，为他恢复名誉。但这个失足者倒不成问题，问题出在那个团支书思想受到蒙蔽，甚至比那个小捣蛋都不开窍，但她热情很高，而且动不动就天真地把自己看也没看过的文学作品斥为淫秽读物。相比之下第三个学生就是个被肯定的人物了，在整个动乱期间，她的家庭环境保护了她的心灵健全，因为她家书橱里还继续放着托尔斯泰、歌德、茅盾和罗广斌的作品。"然后又说："刘心武向来是正脱颖而出的一代青年作家雄辩的代言人……"接着引用了我在1979年11月四次文代会上的一段发言；又说："在运用短篇小说的技巧上，刘心武进展很快。1979 年 6 月他发表了《我爱每一片绿叶》，这篇故事成功地将隐喻、戏剧性的事件和复杂的时间结构，全部融合进长留读者心中的人物描写里，描写了一个才华横溢而又遭受迫害的怪癖者。故事中心意象是主人公藏在书桌中的一张女人的照片……刘心武将藏匿的照片这一象征物，触目惊心地暗喻为知识分子的'自留地'……在中国这样一个环境中，这真是一个可能引起爆炸的想法。"（译文引自上海人民出版社 1992 年 10 月第 1 版）

引用这些"洋鬼子"的话，确实不是"崇洋迷外"，而只是为了简便地说明以下几个问题：

（1）《班主任》这篇作品，产生于我对"文化大革命"的积存已久的腹诽，其中集中体现为对"四人帮"文化专制主义的强烈不满；

（2）这篇作品是"伤痕文学"中公开发表得最早的一篇；

（3）人们对这篇作品，以及整个"伤痕文学"的阅读兴趣，主要还不是出于文学性关注，而是政治性，或者说是社会性关注使然；

（4）这样的作品之所以能引出轰动，主要是因为带头讲出了"人人心中有"，却一时说不出或说不清的真感受；也就是说，它是一篇承载民间变革性诉求的文章；

（5）这样的作品首先是引起费正清、麦克法夸尔等西方"中国问题专家"——他们主要是研究中国政治、社会、历史——的注意，用来作为考察中国社会政治、社会发展变化的一种资料，这当然与纯文学方面的评价基本上是两回事儿；

（6）就文学论文学，《班主任》的文本，特别是小说技巧，是粗糙而笨拙的；但到我写《我爱每一片绿叶》时，技巧上开始有进步；到 1981 年写作中篇小说《立体交叉桥》时，才开始有较自觉的文本意识。

《班主任》的构思成熟与开笔大约在 1977 年夏天。那时我是北京人民出版社文艺编辑室的编辑。我 1959 年从北京六十五中高中毕业，后在北京师范专科学校学习，1961 年至 1976 年我是北京十三中的教师，但我 1974 年起被"借调"离职写作，1976 年正式调到北京人民出版社（现北京出版社）当文艺编辑。《班主任》

的素材当然来源于我在北京十三中的生命体验，但写作它时我已不在中学。出版社为我提供了比中学开阔得多得多的政治与社会视野，而且能更"近水楼台"地摸清当时文学复苏的可能性与征兆，也就是说，可以更及时、有利地抓住命运给个体生命提供的机遇。直到现在（2008 年）仍有一些提及我写的《班主任》的报道、评述，说我写作、发表这个短篇小说时是一个中学教师，不准确。中学教师是一个应享有尊严的社会职业，我为自己在中学任教十五年感到自豪。但就我个人而言（不代表其他过去与现在的中学教师），中学校园的天地小，见闻窄，尽管有丰富的与之相关的生活积累、文学素材，但是，要写出《班主任》这样的有一定独立思考深度的作品（以当时的社会环境和意识形态控制而言），走出小校园，进入出版社，这种职业转变带来的视野展拓，是重要因素，不可不强调一下。

　　写《班主任》时，作为出版社文艺编辑室的编辑，我分工抓长篇小说，当时手里比较成熟的稿子有两部，一部是《雅克萨》，写清朝抗俄的，这是那时很时髦的题材，后来好多出版社都出了该题材的长篇小说，我责编的那本 1978 年也出版了，作者谢鲲是非常有才能的人，他本来可以写出脱离时髦题材，特别是脱离"主题先行"那样路数的，体现其个性的纯文学佳作的，可惜却因肝功能衰竭而英年早逝。另一部是两位农民作者合作的，写农村修路的《大路歌》；他们的稿子生活气息浓冽，文字也活泼流畅，可是，虽说 1976 年 10 月打倒了"四人帮"，1977 年 2 月 7 日，当时的最高领导人通过"两报一刊"的社论明确提出："凡是毛主席做出的决策，我们都坚决维护；凡是毛主席的指示，我们都始终不渝地遵循。"这"两个凡是"，决定了还得强调以阶级斗争为纲，当然也不能否定"文化大革命"，我们编辑部对稿子的取舍，也就不能不以此为准绳，这可难为了我这个责编和两位作者——我们必须使稿子里有阶级敌人搞破坏，还得歌颂"文化大革命"；可他们那里修路，实在并没有阶级敌人搞破坏，于是我出差到他们所在的农村，跟他们翻来覆去地编造阶级敌人破坏的故事，可是怎么也编不圆；结果，这部书稿到头来没能出版。与谢鲲的接触，使我感到我们那一代人必须抓紧做事（1977 年我三十五岁，已不能算是很年轻了）；编《大路歌》的失败，使我产生出弃瞎编、写真实的求变革的想法。

1977年夏天我开始在家里那十平方米的小屋里,偷偷铺开稿纸写《班主任》,写得很顺利,但写完后,夜深人静时自己一读,心里直打鼓——这不是否定"文化大革命"嘛! 这样的稿子能公开拿出去吗? 在发表欲的支配下,我终于鼓起勇气,有一天下了班,我到离编辑部最近的东单邮电局去投寄它,要把它投给《人民文学》杂志;柜台里的女工作人员检查了我大信封里的东西,严肃地跟我指出,稿子里不能夹寄信函,否则一律按信函收;我心理上本来觉得自己是在做一件冒险的事,她这样一"公事公办",毫不通融,令我气闷,于是我就跟她说我不寄了;从东单邮局我骑车到了中山公园,在比较僻静的水榭,我坐在一角,想作出最后决定:这稿子还要不要投出去? 还是干脆拉倒? 后来我取出《班主任》的稿子,细读,竟被自己所写的文字感动,我决定,还是投出去吧,大不了发表不出来,还能把我怎么样呢? 过了若干天,我到另一家邮电所寄出了它。

《班主任》小说稿在《人民文学》杂志编辑部的具体处理过程,我自己并不十分清楚。我是一个性格内向的人,不善公关交际,有人问我为什么不把稿子直接送到《人民文学》编辑部去? 其实从我当时居住的地方骑车过去只需十多分钟,可是出于羞涩,我还是宁愿花钱费时通过邮局寄去。小说发表出来时已是12月(刊物脱期了),我从报纸上看见目录,自己骑车到编辑部,没好意思见编辑,直接到总务人员所在的大屋,拿现金买了十本,那屋里的人当时也不知我是谁;出了编辑部,我赶紧骑车回家,展读那油墨喷香的刊物,心里很高兴。直到现在,也仍有报道或评述说《班主任》是我的"处女作",也不准确,那是我的"成名作"而非"处女作"。那并不是我头一回闻见自己文章印出的油墨香——我第一篇公开发表的文章是《谈〈第四十一〉》,发表在1958年《读书》杂志第16期上,当时我还是个高中生,十六岁。我在"文化大革命"前发表过约七十篇小小说、散文、评论什么的,大都非常幼稚;1974年到1976年,为调离中学,我为当时恢复出版业务的机构提供合乎当时要求的文稿,发表出若干短篇小说,一部儿童文学中篇作品(出了单行本),一部电影文学作品,这虽然都是些现在提起令我脸红的东西，但它们也可能使当时《人民文学》的编辑们多少对我有些个印象，因而能及时审阅我的稿子。我对《班主任》敝帚自珍，因为那毕竟是我第一篇根据自己的真实感受，写出自己真实认知的作品，我并因此成名，为世所知。

《班主任》发表后，读者反应强烈，随着杂志发行，看到这篇作品的人纷纷给我来信，尤其是当中央人民广播电台改编成广播剧播出后，影响就更大了；北京一些来往密切的业余作者，也都纷纷给予鼓励，我所任职的出版社的同仁们也都为我高兴，我在当时与大家在一起，兴高采烈地创办了《十月》（开头还不叫刊物，叫丛书，实际就是大型文学刊物），我趁热打铁，在《十月》创刊号上发表了《爱情的位置》，电台也马上就广播了；我又在复刊不久的《中国青年》上发表了《醒来吧，弟弟》，电台又予广播；这些作品虽然"思想大于形象"，但也有读者向我表示，他们在阅读中感受到一种审美愉悦，如有个工厂的工人，打听到我家地址，找上门来，他手里拿着一本发表《班主任》的杂志，递给我看，他在那小说的很多文句下画了线、加了圈，他说那些地方让他感到很生动，比如小说里写到工人下班后，夜晚聚到电线杆底下打扑克，他就觉得那细节"像条活鱼，看着过瘾"。当时文学界一些影响很大的人物，像张光年不消说了，正是他拍板发出了《班主任》这篇作品，此外像冯牧、陈荒煤、严文井、朱寨等，都很快站出来支持。到1978年，涌现了从各种角度控诉"文革"恶果的作品，那年8月，上海《文汇报》用一整版刊发了卢新华的短篇小说《伤痕》，这篇在《班主任》面世后半年发表的作品，使得那股文学潮流获得了一个为绝大多数人认同的符码："伤痕文学"。当时为人们津津乐道的"伤痕文学"作品还有王亚平的《神圣的使命》、陈国凯的《我应该怎么办》、孔捷生的《在小河那边》、宗璞的《弦上的梦》、郑义的《枫》等等，广泛流传，大受欢迎，但反对的意见也颇强烈，有人写匿名信，不是写给我和编辑部，而是写给"有关部门"，指斥《班主任》等"伤痕文学"作品是"解冻文学"（这在当时不是个好谥号；因为苏联作家爱仑堡曾发表过一部叫《解冻》的长篇小说，被认为是配合赫鲁晓夫搞"反斯大林"的修正主义政治路线的始作俑之作；"伤痕文学"既然属于"解冻文学"，自然就是鼓吹在中国搞"修正主义"了，这罪名可是泼天大）；也有身份相当重要的人指责有的"伤痕文学"作品是"政治手淫"（倒不是针对我的《班主任》，不过在那种情况下，"伤痕文学"绝对是"一荣俱荣，一损俱损"，所以我也闻之惊心）；更有文章公开发表，批判这些作品"缺德"；我还接到具名的来信，针对我嗣后发表的《这里有黄金》（那篇小说对"反右"有所否定），警告我"不要走得太远"（来信者称曾犯过"右派错误"，而那之后对他的批判斗争和下放改造都是非常必要的，收获很大，不容我轻易抹杀）；而同时，港、台及海外对《班主任》又大力介绍，有些言辞相当夸张，如说我是"大陆伤痕文学之父"，等等——那时候，这样的"海外反响"越多，便越令一些人对当事人侧目……因此我在颇长一段时间里，心里都不是非常踏实。1981 年，我应日本《文艺春秋》社邀请访日期间，主方带我们参观一座日本古代监狱模型时，翻译林美由子小姐"触景生情"地对我说："你是不是差一点被关起来？"她是"文化大革命期间"在中国待过的人，她根据切身体验，在初读《班主任》时（那时已回日本），确实为我捏了一把汗——这种心理状态，三十年过去，不要说现在的年轻人难以理解，就是我这个当事人，回想起来，也恍若一梦！但以下的事情却绝不是梦，而是切切实实经历过的——在 1977 年 11 月《班主任》发表之后，1978 年 3 月，报纸上还刊登出当时最高领导人的讲话精神，强调"两个凡是"，强调要"继续批判邓小平的右倾翻案风"，甚至强调"文化大革命"的必要性和"伟大战果"（只是说"这一回"的"文化大革命"结束，而以后必要时还要搞），还说"四人帮"是"极右"，以此阻挠党内外批极左的强烈要求；1978 年，《光明日报》发表了《实践是检验真理的唯一标准》，随之《人民日报》转载，这让我心情为之一振，我意识到这些事情都与我生死相关；1978年 12 月，党的十一届三中全会召开，政治格局发生了根本性变化，同时"四五"天安门事件获得平反，我欢欣鼓舞；1989 年，复苏的文学界第一次评选全国优秀小说，《班主任》获第一名，当时茅盾在世，我从他手中接过了奖状，同时有多篇"伤痕文学"一起获奖；1981 年，党的十一届六中全会通过了《关于建国以来若干历史问题的决议》，正式彻底否定了"文化大革命"，它被指认为是一场浩劫（现在一些年轻人总以为"四人帮"一被捕，就可以说"文革""坏话"了，实际上在那以后仍有人因为"恶毒攻击文革"而被判刑甚至枪毙，1981年中共的这个决议才算正式否定了"文革"，但从那以后，这个《决议》还常被人有意无意地淡忘）；紧跟着，改革开发的势头风起云涌，呈难以逆转之势；说实话，这时候我才觉得悬在《班主任》上面的政治性利剑被彻底地取走了——但《班主任》作为特殊历史时期里，以小说这种形式，承载民间诉求的功能，也便完结；它被送入了"博物馆"（各种当代文学史，或《剑桥中华人民共和国史》这一类的资料性著作），它不可能再引得一般文学爱好者在阅读中产生出审美愉悦了，甚至于，反而会引出"这样的东西怎么会一时轰动"的深深疑问。进入上世纪八十年代，想再靠这样的创作路数和文本一鸣惊人，获得荣誉，是越来越难了。自《班主任》以后，我笔耕不辍，一方面坚守社会责任感，越来越自觉地保持民间站位，不放弃以作品抒发浸润于我胸臆的民间诉求，一方面努力提升自己美学上的修养，努力使自己的小说更是小说，并大大展拓了以笔驰骋的空间；虽然我的写作已然边缘化，但从不违心，袒露个性，褒贬由人，自得其乐；到眼下，我在海内外已出版的个人专著，各种版本加起来已达一百六十四种，此外还有八卷文集；我这三十多年里也摔过筋斗，有过不小的挫折，但我毕竟穿越了八十年代，穿越了九十年代，把我的创作跨越到了二十一世纪。

《班主任》发表至今已有三十一年。我本不愿重提这粒"陈芝麻"，但编辑打电话来催稿，指定我回忆有关情况。最近我从年轻一代那里听到了两种绝然不同的说法，一种说，《班主任》的写法，以及一度的轰动，是畸形的文学景观；另一种说，像那样的作品，在适当的社会发展阶段，还一定会卷土重来，是文学史上惯常的一元、时不时会一闪的正常景观。我不能确定他们谁说得更有道理。也许，唯有未来文学发展的轨迹本身，才能确认或否定种种不同的预测。

2008年3月9日修订于绿叶居

《班主任》里的书名

一位中文系的年轻人来问我："你那《班主任》里出现了许多书名，我统计了一下，除毛选四卷、《共产党宣言》《马克思主义的三个来源和三个组成部分》以外，共出现文学作品十一种。你为什么要把这些书写进小说？"

我就先从1977年初在新华书店卖书说起。那时候我是北京人民出版社（即现北京出版社）文艺编辑室的编辑。每隔一段时间，编辑们要到书店站柜台，这是接触社会、亲近读者的一种好办法。1976年10月"四人帮"虽然垮台了，但到1977年春末，出版界的状况还没有什么太大的变化，在"文革"中被当做"封资修毒草"扫荡的如我在《班主任》中列举的那些书都还没有得到平反，更谈不到重新出版。当时新华书店书柜里摆的大体还是些"四人帮"在位时印行的图书，"四人帮"垮台后出版社也还在依照惯性出版着一些"以阶级斗争为纲"的、按"三突出"的写作规范写出、编出的文学书。我那时发稿的长篇小说，以及我本人的《睁大你的眼睛》，都属于那样的"惯性出版物"。但是，"四人帮"的垮台，毕竟使得民众有了新的思路、新的诉求，我在站柜台时，就有不止一个顾客来问："有《青春之歌》吗？""有《唐诗三百首》吗？""有外国小说吗？"我一律答曰："还没有，但是很快都会有的。"其实那时候我并没有听到可以重印这些书籍的"精神"和"安排"的传达，我说"很快会有"，实际上也是作为一个普通中国人在表达自己的诉求。

我印象最深的是，一次一位能说中国话的洋人来问："有李白的诗集吗？"那时候即使北京，外国人也不太多，能说中文的外国人，估计不是使馆的，就是外文局的专家或来华学中文的学生，我的回答依然是："暂时没有，但会有的，您过些时候再来看看。"没想到那洋人接着问："究竟什么时候有？也会有徐志摩的诗吗？……"面对他的追问，我觉得气闷，白了他一眼，不再理他。但那位洋人给我的刺激，却成了我后来构思、写作《班主任》的因素之一。难道我们国家的公开出版物就永远还是以"破四旧"为前提吗？

我构思和写作《班主任》，是在 1977 年的夏天。那时候"两个凡是"的氛围依然浓郁。但我决定不再依照既定的标准去写《睁大你的眼睛》那类东西，尝试只遵从自己内心的认知与诉求写"来真格儿"的作品。我此前在中学任教十多年，长期担任过班主任，有丰厚的生活积累，从熟悉的生活、人物出发，以中学生和书的关系，来形成小说的主线，质疑"文革"乃至导致"文革"恶果的极左路线，从而控诉"四人帮"文化专制与愚民政策对青年一代的戕害，发出"救救孩子"的呐喊，以期引起社会的关注。要完成这样一个主题，在小说里必须写进一些书名。

为什么会选择现在大家看到的这些书名？那是因为，我个人的精神成长，从文学角度来说，是从四类文学里汲取到营养的。第一类，是中国古典文学作品，《唐诗三百首》《辛稼轩词选》就是它们的代表性符码。"文革"一开始就把几乎所有中国古典文化全彻底否定掉了。到"文革"末期，"四人帮"出于政治功利，肯定了一部分"法家著作"，也还肯定《红楼梦》，但中国古典文学的长河基本上是被他们截断了。第二类，是 1919 年至 1949 年的现代文学，"四人帮"除了肯定一个鲁迅，也是基本上全盘否定。我刻意肯定性地提到《茅盾文集》，确实是"别有用心"，那时候茅盾虽然被"保护"，但对他的《林家铺子》的批判并未取消，他的文集仍不能重印，在图书馆也仍被冷藏。我是觉得这三十年的白话文学的成绩是不能一笔抹杀的。第三类，是 1949 年到 1966 年前半年的文学。这十七年的新中国文学竟也被"四人帮"诬为"黑线""毒草"，唯一的例外是浩然。我刻意提到《暴风骤雨》《红岩》《青春之歌》，还让《青春之歌》成为人物冲突的一个重要道具。第四类，是外国文学。我青年时代阅读的外国文学主要是苏联文学和俄罗斯古典文学，所以出现了《战争与和平》《盖达尔文集》《表》这样一些书名。盖达尔是牺牲于反法西斯战争的一位苏联儿童文学作家，现在的中国人很少有阅读他的了，但上世纪五六十年代翻译过来的他的那些作品，感染过不少我的同代人。我把苏联班台莱耶夫的《表》加以强调，是因为它是鲁迅最早翻译为中文的，以此为例，可能"各方面没话说"。"文革"前我们国家也正式出版了不少其他的外国文学作品，我提到了巴尔扎克的《欧也妮·葛朗台》，而作为小说中最重要的符码，则是《牛虻》。《牛虻》的作者英国女作家伏尼契在西方文学史上不占地位，《牛虻》更远非经典，但这本书由于特殊的历史原因，曾在上世纪五十年代成为在中国大陆发行量极大、影响极深的一部外国小说。

当然，任何历史叙事也总不能将方方面面的特例涵括进去。现在有的"50后"、"60后"站出来说："我在'文革'那会儿读到很多书呀！"是的，他们由于这样那样的具体机缘，比如说能从被图书馆里抄出来的旧书里挑拣出自己想读的书来尽情尽兴地阅读，再比如由于家长的地位而能获得阅读"禁书"的特权，或能从一些渠道获得"文革"前和"文革"后期专供一定级别以上干部阅读的"内部参考书"……但这些特例都无法将《班主任》里写到的最一般的、大面积存在的生命——从"坏孩子"宋宝琦到"好孩子"谢惠敏——所遭遇到的文化专制与心灵闭锁加以抵消。

而且，有的历史叙述，还往往会故意"忽略"或筛汰掉一些被认为是"错误得毫无价值"的存在。"文革"后期，从1973年到1976年三年里，从出版数量上来说，文学应该是相当"繁荣"的，那时候我所在的出版社文艺编辑室发稿量就很大，每个月都会有新书出版，而且印量都不小，人民文学出版社出版的长篇小说就很多，题材也多种多样。所谓"八个样板戏一个作家"的说法之所以有人不服，就是因为那只是"文革"前期的情况，到了"文革"后期，由于《磐石湾》《沂蒙颂》等剧目的加入，"样板戏"的数目有所增加，并且还有各省剧目进京汇报演出的"盛况"，当时活跃起来的业余作者，也可开列出不短的名单。当时不仅《人民文学》《诗刊》恢复出版，上海更有《朝霞》月刊和丛书。那几年也拍出了不少新电影，如《难忘的战斗》等艺术水准也未必低。现在有的人要么对这几年的文化状况讳莫如深，要么用"他们生产了一些符合当时要求的东西"一语论定。作为一个过来人，我建议现在有研究者来对"文革"后期的这些"文化产品"作严肃、客观、理性的研究。我个人的看法，大略而言，是那时期的文化生产确实由"四人帮"控制，使文学也成为绑在他们政治战车上的附庸品，那时公开出版的作品不允许有作者的个人观点，也很难容忍艺术个性，因此现在回过头来看，判断为"无正面价值"也不算委屈。但那确实是一种存在，说"一片空白"不是实事求是的态度。如果能做个案研究，则也许能从中探究出一些规律性的东西来，以使改革开放以后包括文学在内的文化活动能获得更高也更持久的价值。

"文革"中由"样板戏"而归纳出的"三突出"创作原则（在所有人物中突出正面人物，在正面人物中突出英雄人物，在英雄人物中突出主要英雄人物），在"文革"后期的小说写作里也是作者特别是编辑遵循的"创作原则"，我那《睁大你的眼睛》也是这样去写的。从《班主任》起我就抛弃了这一"金科玉律"。不过我现在要心平静气地说，只要不像"四人帮"那样勒令所有作者所有作品都遵守那一写法，否则作品一律枪毙，甚至将作者打成"反革命"，那么，在多元的文化格局中，"三突出"不失为一种自圆其说的美学原则，谁自愿那样去写，谁专门欣赏那样的作品，应各随其便。

可惜后来我所在的出版社不再有到书店售书的安排。但到1979年，我在《班主任》里提到的那些书大都重新出版，有的一上柜台书店内外就排起长队。中国古典文化，1919年至1949年的现代文化，1949年至"文革"前的"十七年文化"，从古典到现代以至"后现代"的外国文化，都再不要将其截断隔绝，从中汲取精华，应是所有中国百姓特别是孩子们不容剥夺的福分！

《我爱每一片绿叶》的创作

《我爱每一片绿叶》能获奖，是件使我感到非常高兴的事。去年我发表小说不多，就发表后读者来信的状况而言，反响最强烈的是发表在年底的《这里有黄金》。《绿叶》和《黄金》是我去年两次得到较多读者支持与鼓励的尝试。另外的几次尝试，有的很不成功。如我发表了一篇《清晨，窗外飞过一队白鹤》，读者反应相当冷淡。年底我又写了篇《没工夫叹息》，也是一次尝试，于今年年初发表了，结果出现了两种绝然相反的评价，一种认为这是我前进的标志，可以称作是一件小小的杰作，另一种则认为是"帮毒"未消之作，存在着严重的虚假因素。这次尝试究竟是成功了还是失败了呢？面对着批评家们相反的评论，我正在认真地思考着。总之，从去年到现在，我仍同写《班主任》时一样，处在一种尝试的状态之中。这当然是一种不成熟的表现。对于一个成熟的作者来说，他的美学思想既已确立，以丰富的生活积累为基础，深厚的艺术修养为后盾，高妙的写作技巧为手段，写出的作品便不至于参差不齐，迈出的步伐便不至于生疏歪斜，而回顾身后留下的脚印，也便不至于看出是一个"之"字。我自知还不成熟，无论是生活积累，还是艺术修养和写作技巧，都还很欠缺，所以回顾身后留下的脚印，发现不是整齐的而是时有偏差，倒并不感到惊奇。我只希望有更多的读者和批评家来帮助我分析：哪几步迈得对，哪几步迈得不对，怎样才能使今后的进步更加迅捷，而不至于走过多的弯路？

之所以对《我爱每一片绿叶》的获奖感到高兴，就是因为这体现着广大读者和批评家们对我的这一尝试，亦即留在我身后的这个脚印，予以了充分的肯定。这就促使我今后能把同样的步子迈得更坚定、更准确、更有力也更优美。

促使我写这篇小说的原始冲动，是我对两位真实人物的命运的同情。他们都是辛勤的脑力劳动者，他们对集体事业做出的贡献，并不比别人少，甚而远比相当多的人为多，但是他们很不被人看重，竟至被人嘲笑乃至侮辱，为什么呢？无非是因为他们个性比较突出，换句话说就是性格比较孤僻。我觉得这是不公平的。我产生了一种替他们说话的愿望。

为什么我不是在更早的时候，而是在去年春天产生这种冲动的呢？我认为，那是因为在更早之前，这种人的不公平处境还不突出。在粉碎"四人帮"之前，多少干部被打成"走资派"，多少好人被打成"现行反革命"，多少优秀的知识分子被打成"反动权威"，又有多少他们的子女被视为"黑崽子"而饱受欺凌啊……那时，个性最不突出的老好人也有可能祸从天降，因此，单纯的性格悲剧不那么触目惊心。而在粉碎"四人帮"之后，"走资派"解放出来，不少人"官复原职"，无数冤狱平反，"现行反革命"又恢复了革命群众的身份；知识分子摘掉了"臭老九"的帽子，资历较高的老知识分子更得到了较充分的抚慰与照顾；连错打达二十年之久的"右派"也得到了改正，乃至地、富的帽子也大批地摘掉，出身问题亦不再成为人们精神上的沉重包袱……在这种情况下，我前面谈到的那两个知识分子的性格悲剧便凸现出来了，他们既非"走资派"，亦非"反动权威"，未被打成过"右派"，所以毋庸改正；绝非地、富，所以也谈不到摘帽；他们的出身也并不坏，又不是工商业者，连退赔之类的落实政策的礼遇也轮不到。因此，当大家高高兴兴地卸掉精神负担之际，他们的问题便上升到不能不予以注意的地位了。（应当申明一点，我并不是认为在上述的各项政策落实过程中，就不存在因"四人帮"帮派势力捣乱、因官僚主义作梗或因其他因素造成的悲剧现象，我说"大家都高高兴兴"是从面上看，即总的局面如此。）有了最初的创作冲动，还不能形成艺术构思。要形成艺术构思，先是形成一个具体的人物形象，并要形成关于他的命运的设想。于是我经过反复琢磨,把我在生活中熟识的这两个真人,合并为一个艺术形象——魏锦星。魏锦星的外貌、性格特征初步构想成功后,我便开始构想他的命运。这时,就需要从生活积累中寻找用得上的细节。有的细节,是模特儿实际存在的,如抽屉里的大相片。有的则是我从自己的遭遇和其他人的遭遇中借来的,如开头怕制成标本的蛇,而在特定情况下又不怕栩栩如生的纸蛇,等等。构想人物命运要使人物性格和生活本身的逻辑朝前推进。如先确定好魏锦星的基本性格是善良、正直而又不喜交往、爱洁成癖,那么,他遇上"文革"初期的"斗走资派"风潮时,应该是怎么个表现? 当他发现自己抽屉中的大相片被抄出来并予以示众时,又会如何? ……

有的读者来信问我,《绿叶》的主题"给个性落实政策",是事先拟定好的吗? 写时是不是就围绕着这个主题下笔? 我是主张有目的的创作的。因此,说下笔前已有大体上的主题,这是符合我的创作实际的。不过,开始这个主题是比较朦胧的,比较浅的,还有待于在写作的过程中,即在刻画人物、展示人物命运的过程中不断地加以深化。所以我不是事先拟定好一个明确的主题,然后围绕着主题往下写的。开头,我的主题也就是要为某些性格比较特殊的劳动者说说话,让大家理解他们,谅解他们,以利调动他们的积极因素,但是,写时我并不让这个主题框住我。我随着人物命运的发展不断朝深里开掘。于是,当我写到作品中的"我"立于魏锦星所住的小屋的窗外,在月光沐浴下深思时,我对魏锦星这个人物的性格悲剧的认识就有了一个飞跃。我意识到,问题不在于魏锦星"不正常",我们要给予他怜悯与谅解,问题恰恰在于以往不正常的政治生活使我们看人的眼光变为了不正常,其实魏锦星倒是正常的,应当改变的不是魏锦星,而是我们的偏见,对魏锦星是个尊重与爱护的问题,而不是个给予原谅的问题。这样,小说的主题就比最初的设想深了一层,在最后,才归结到"应当给个性落实政策"的呼吁上。

《绿叶》发表后,也有为数不少的读者来信,要我亮出"谜底":那"大相片"上的姑娘究竟是谁? 是不是就是后来出现的那位"上访"的妇女? 那小孩又是谁的呢? "谜底"我当然是掌握的,在构想魏锦星这个人物时,我当然把一切来龙去脉全想妥了，但是我并没有都写进小说，并且现在也不想公布他的秘密。为什么呢？因为我这《绿叶》所呼吁的，就是要尊重个性。要允许人们保留自己与公共利益无害的个人秘密嘛！我们为什么习惯于对别人的个人秘密的探究，而不习惯于尊重别人的个人秘密呢？我想，如果我们都形成了尊重别人个人秘密的文明习惯，那么，我们生活中那些破坏团结的流言蜚语、低级趣味，也许便会大大地减少吧。

我始终是一个有争议的作者。关于《班主任》有过争议，只不过未能形诸公开的文章。关于《爱情的位置》有过争议，一方认为孟小羽这样的人物是虚假的、"理想化"的人物，甚至是"帮风"、"帮气"的人物，另一方则认为是基本可信的、有价值的艺术形象。关于《醒来吧，弟弟》也有过争议，有人呼吁"醒来吧，刘心武"，认为它很糟糕，也有很多人为之辩护，认为还算一篇好的作品。关于上述三篇的争议，都是见诸公开文字的。关于《绿叶》的争议也很尖锐，有的同志曾很诚恳地提出，这篇东西是鼓吹"在灵魂深处保留一个小资产阶级的王国"，只不过这种批评尚未写成文章罢了。目前是出现了关于《没工夫叹息》的争议，已有针锋相对的文章出现。我以为无论是支持我还是批评我的人，绝大多数都是出于对我的关怀与爱护，都希望我把步子迈正，把步伐加快，能早日成熟，写出更多更好的作品。我对双方的感激是相同的。

我对我们社会生活的看法，是认为光明与黑暗正相搏击。我的艺术主张，是既要歌颂光明也要暴露黑暗。我的创作尝试，或以暴露黑暗为主，或以歌颂光明为主，或一篇之中歌颂与暴露并重，或并不执著于歌颂与暴露，而采取别种角度。

在关于我的争议中，还曾有过一场超出具体篇目评价的争鸣，即在《光明日报》上展开过的关于小说中能否容纳议论的"风格问题"讨论。这场讨论对我的启发是很大的。读者们可以看出，在《绿叶》中，讨论的成分已比我以往的作品大为减少，但也毕竟还有。我想今后还是尽可能少议论的好，因为随着思想解放运动的深入，广大读者已经不是期待别人来振聋发聩的那么一种状态，目前是思潮沸腾、议论纷纷。在这种情况下，情比理更受欢迎，对形象的要求比对哲理的要求更加强烈。不过，我想只要是经过独立思考而锤炼出的议论，又与较为饱满的艺术形象紧密联系，那也还是不仅可以存在，而且搞好了确能自成一格的。

从去年到目前，全国短篇小说创作的前进步子是很大的。仅就艺术形式上的探索而言，既出现了借鉴欧美"意识流"写法的一些饶有趣味的作品。以及借鉴卡夫卡式写法的引起争议的作品；也出现了与旧"山药蛋派"又有所差别的"新山药蛋派"，以及格调别致的讽刺小说；当然还有其他很多难以简单概括的大胆尝试。在这样一种形势下，我深感自己的不足。如不努力，就要落伍。我已决定要一边深入生活、开阔眼界，一边发奋读书、加强修养。我想把沈从文、钱钟书、吴祖湘这些老前辈几十年前写的小说找来读读（据说他们的小说国外非常重视，应研究一下为什么），也想把国外近一二十年来有名的作家，如西德的伯尔、格拉斯，美国的辛格、贝娄，英国的格林、普列契特，法国的马尔罗、加缪等人的小说找来读读，当然也要认真观摩中国当代作家的作品，以人之长，测己之短，争取能领悟于心，并在写作实践中体现出具体的收益。

1980 年 4 月 19 日于北京垂杨柳

关于《我爱每一片绿叶》
——针对"变种"批评的思考

《我爱每一片绿叶》是我三十年前写的一个短篇小说。这篇小说1979年夏天完成后，投给《人民文学》杂志社，尽管此前《人民文学》刊发过我的《班主任》等作品，《班主任》还刚刚获得了全国第一届优秀短篇小说奖的第一名，但是，这个短篇小说差一点发不出来。当时负责刊物终审的是副主编刘剑青。1977年《班主任》稿子到他手上后，他也很犹豫，曾召开编辑部会议，让大家共同讨论，会上有一种意见，认为《班主任》属于"暴露文学"，恐怕不宜发表，而这也正是刘剑青所深为担忧的，当时杂志的最高负责人是张光年，张光年一般是不管具体稿件事宜的，刘剑青也轻易不去麻烦他，但为《班主任》的事还是找了张光年，张光年也就看了，看完了把他和小说组组长、责任编辑等全都找去，一起讨论，最后张光年拍板：小做修改后刊发。那时候一篇多少具有点革新意味的稿件，想公开刊发出来往往都会有个坎坷的历程，像张洁的《从森林里来的孩子》，卢新华的《伤痕》，就都被《人民文学》杂志退稿，后来在别的地方刊发；王亚平的《神圣的使命》退过两次，作者不死心，一再修改，最后才终于得以在《人民文学》上刊发。

前些时候从传媒上看到，有大学里的文学教授把1978年出现的"朦胧诗"划入"伤痕文学"的范畴，引起某"朦胧诗"代表人物的愤慨，他说他们早就跟

"伤痕文学"划清了界限，他批评"伤痕文学"不过是"工农兵文艺的变种"。我也觉得把"朦胧诗"和"伤痕文学"归并到一起很不恰宜。当时以《今天》为载体的"朦胧诗"，是一种体制外的"地下文学"，仅其崇尚纯文学这一条，就具有挑战"工农兵文艺"的意义。我对包括"朦胧诗"在内的"地下文学"一直持尊重的态度。每个写作者的站位不同，写作理念不同，将自己的作品公诸公众的路子不同。在我来说，把《班主任》或《我爱每一片绿叶》投给官方杂志，说明我的站位不是"地下"而是"地上"。我少年、青年时代，受到过多种文学的影响，我也看到过一些"白皮书"、"灰皮书"（指改革开放前以"内部参考资料"形式印行，需通过特殊渠道看到的主要供批判使用的书籍），但我并不只跟那些文字认同，在"工农兵文艺"里，我也有一些喜欢的作品，比如我就觉得上海作家艾明之写工人的《火种》不错，孙犁写农民的《铁木前传》非常好，郭小川那涉及到兵的长诗《白雪的赞歌》（还有《深深的山谷》，虽然没有兵，但写的是革命队伍里的人物感情与命运）挺有味道，我不想跟这些"工农兵文艺"划清界限，切割开来。其实，我所喜欢的这些"工农兵文艺"，在那个时代都不是主流，从某种意义上说，就是所谓"正宗工农兵文艺"的"变种"。

在"工农兵文艺"范畴内进行革新形成"变种"，我以为不但不应该加以蔑视，还应该给予尊重。从上世纪五十年代，路翎的《洼地上的战斗》，萧也牧的《我们夫妇之间》、王蒙的《组织部来了个年轻人》、李国文的《改选》、丰村的《美丽》、宗璞的《红豆》等短篇小说、流沙河的《草木篇》、蔡其矫公开发表的诗作、徐迟的报告文学《祁连山下》、陈翔鹤的历史小说《陶渊明写挽歌》、邓拓的系列杂文《燕山夜话》……都不是"地下文学"，都是力图扩展"工农兵文艺"的内涵与外延，使其从僵硬的意识形态和公式化、概念化的格局里变化为"另一种"，也就是更能让读者接受的，追求真、善、美的文学。这个变化的过程是极其悲壮的，其中包含着血泪甚至死亡。

《我爱每一片绿叶》后来经责任编辑和小说组长力争，副主编刘剑青没有再去麻烦主编（当时主编换成了李季），他签发了，但安排在那一期杂志上小说的"末题"，即最后一篇。没想到这篇小说刊发后，也有不俗的反响。若干读者来信表示感动而且获得启示。1980年评选全国优秀短篇小说时，评委中如冯牧竭力肯定，最后上了获奖名单。

在罗德里克·麦克法夸尔和费正清主编的《剑桥中华人民共和国史（1966—1982）》卷里，这样评价了《我爱每一片绿叶》：

在运用短篇小说形式的技巧上，刘心武进展很快。1979年6月他发表了《我爱每一片绿叶》，这篇故事成功地将隐喻、戏剧性的事件和复杂的时间结构，全部融合进长留读者心中的人物描写里，描写了一个才华横溢而又横遭迫害的怪癖者。故事的中心意象是主人公藏在书桌中的一张女人的照片——主人公和她的关系从未明确交代。当照片被一个爱窥人隐私的同事发现，并被公开展示后，他经受了极度痛苦的折磨。后来，这位妇女来看他了——显然他是在庇护她免遭政治上的攻击。刘心武将藏匿的照片这一象征物，触目惊心地暗喻为知识分子的"自留地"。农民允许有自留地来耕耘自奉，难道知识分子不也应该有他自己的一份"自留地"——思想中的一方自主地，精神里的归隐所吗？在中国这样一个环境中，这真是一个可能引起爆炸的想法。（引文据上海人民出版社1992年10月第1版的译文。此书另有中国社会科学出版社译本。）

我以为以上洋人的评价，还是公允的。"旁观者清"，当然不错，但我更重视的是我们中国人自己的评价。

关于《如意》

　　这是我 1980 年写的。是我第一次发表的中篇小说。我自己直到现在还喜欢它。是一口气写成的。那时哪有电脑，是用钢笔写的。就在写成的初稿上勾改，显得很乱。也没再誊抄就给了责任编辑章仲锷。他很支持我。后来我的中篇小说《立体交叉桥》也是让他"抓"去编发的。以上两个中篇都发表在《十月》上。后来我第一部长篇小说《钟鼓楼》也由他责编，那时他已调到人民文学出版社。

　　《如意》先后被翻译为英文、德文、俄文和法文。英文的收入在我自己的英文小说集《黑墙》里，德文、俄文的是与别人的作品合在一起出的，法文单独出，是个法文、中文的对照本。1982 年北京电影制片厂将《如意》搬上了银幕，导演是黄健中，主演是李仁堂和郑振瑶。1983 年我随谢晋、陶玉玲（她在电影中饰秋芸）应邀赴法国南特电影节，《如意》在开幕式后首映。

　　小说和电影《如意》都既有好评也有批评，有的批评意见还相当尖锐。批评的意见里，我记得有一种是说小说主人公思想境界只停留在人道主义的层面，而作者对此只有肯定没有批判，正确的写法应该是指出人道主义是低层次的东西，必须提升到阶级意识的高度来看问题才对。由于此作发表在快四分之一世纪前，我没有收集评论自己作品的文章的习惯，因此现在我只能说出这样的印象来。我感谢所有的评论者，包括提出上述指责的批评家。也许我留下的印象不准确，但这印象一直在推动我思考，直到今天。有意思的是，上世纪九十年代电影界有个人道主义电影的评奖，《如意》入选。

我记得那时在文艺界影响很大的创作组织者与评论家陈荒煤与冯牧，都对我的写作给予了热切的关注与细心的指导，尤其是《如意》的搬上银幕，没有他们的竭力支持是不可能成事的。二位贤师都已先后作古，思之泫然。

2003 年中国青年出版社编一套附光盘的展示中国百年来优秀电影的书，《如意》被选中。编选者通知我时，真是受宠若惊。写《如意》时，我才 38 岁，而眼下我已快 62 岁。这作品的生命力，还能延续多久呢？

2003 年岁末绿叶居

《如意》后记

今年五月，我应日本《文艺春秋》社邀请，到日本访问了两周。在东京、京都、奈良、大阪、神户紧张地走访了一番之后，主人请我们三位中国作家到箱根温泉小憩了一天。我们下榻的山地旅馆，是一座北欧式的建筑，打开住房的落地窗门，走上阳台，眼前便是碧波荡漾的芦湖，只见湖岸四周绿山环合，这里那里，盛开着丛丛红、紫、粉、白的杜鹃花，绿树丛中或耸起欧洲哥特式建筑的尖顶，或露出日本神社式建筑的飞檐，湖中缓缓行驶着朱红的游轮，那游轮外表是古代多桅帆船的格局，实际上内里完全是现代化的装备……

吃完法国式烤波尔多蜗牛，洗了温泉澡，从住房的冰箱中取出酒瓶和冰块，调了一杯威士忌酒，才喝了一口，忽然万念丛生心摇神驰，再也不能安宁。主人本是希望我们这一夜能安眠去疲，以利下一阶段的访问，而偏偏这一夜，我辗转反侧，失眠最久……

床侧的小柜上，有一排按钮，按下第一个能发出各种鸟鸣，按下第二个是古典音乐，按下第三个是现代派音乐……我一个也不想按。我想起了许多年前自己住在医院的情形，妈妈曾经给我买来几个桃子，洗好，放在了我病床边的小柜上，我吃了两个，剩下一个最大的没有吃……出院时，那剩下的桃子，我忘了带回家，记得桃子的尖端，已经有点黑烂。我邻床的病友，也是个男孩，他父母没有闲钱给他买桃子，我请他吃过，他没有吃，然而从他的眼神里，我看出他是非常想吃的……我为什么没有更坚决地请他吃？我走了以后，他会去吃那大桃子吗？那桃子坏了，他吃后也许会添上新的病症……他后来怎样了呢？我忘记他很多年了，可在远离祖国的那么个古怪的地方，他和那只坏了尖尖的桃子，却清晰而生动地回到了我的记忆之中。是的，桃子，许多的桃子……这是去年的事，在我住家附近，有一个自由市场，一个孩子在哭，哭得很伤心，他的父亲扬起手在狠揍他，因为他把好不容易带到自由市场的一筐桃子打翻了，质量很好的大桃子，跌破了皮，沾上了泥，丧失了应有的价值……人们劝住了他的父亲，那孩子哭得却更凶了——因为他比他的父亲，更心疼那些大桃子，也许，为了养好这些大桃，他费去的心血，比他那青筋暴露的父亲更多！明年他家的桃树上，还能结出这么好的大桃吗？那还得经过多少次日出，多少次日落！我想起了自由市场上更多的面影。农民的表情是开朗的、舒畅的然而也是谨慎的、充满算计的……我买了两斤黄瓜，长满划手的尖刺儿的嫩黄瓜，我递给那位老大爷几张一毛钱的钞票，有一张他没有接住，让北京惯有的小旋子风刮跑了，他本能地撇下黄瓜摊去追那张油腻的、缺了一个小角的一毛钱钞票，我大声地吼叫着，因为马路上开来了一辆疾驰的卡车，我请他回来，我宁愿再补给他一毛钱，然而他或许没有听见，或许顾不上听任何声响，他极其惊险地穿过车来车往的马路，继续去追赶那张飞走的钞票……他一脸懊丧地回到摊旁，我递给他一毛钱，他的大手在汗漉漉的厚实胸脯上搓着，他摇着头，我把一毛钱塞进他手里，转身走了，忽然有个力量拽住了我的菜篮，我回过头，是他，把一根黄瓜搁进了我的菜篮……在日本的箱根，在山地旅馆那舒适、雅致的客房中，我想起这一切，我想流泪，不是因为忧愁和悲哀，而是因为我的灵魂在震动……

就在离那自由市场几百米远的地方，有一条淤塞住的小河，河里沤着垃圾，在烈日下，常常泛出恶臭。有一个中年妇女，脸上有许多雀斑，她在那小河边站住，沉思着，眼里忽然涌出了泪水……我不认识她，她也不认识我，然而我们从短暂的对望之中，互相达到了深深的理解。我们这贫穷而充满问题的祖国啊，你的儿女们应当怎样去做，才能使你快些富起来、美起来？在我们那个新居民区里，总算栽上了第一批树苗,那住地下室的吴大伯,没事总拿个小板凳,坐到楼前,看守着那排小树,一个顽皮的孩子去摇晃那瘦弱的树苗,他站起来嚷:"别摇,看给摇活动了!"他的重音放到了"活"字上,那孩子故意摇得更厉害了:"我给摇活了还不好么?"他几步走过去,那孩子猴儿似的逃走了,他心疼地抚摩着那棵小树,呼哧带喘……春天终于来了,小树萌出了小绿叶儿,那么小、透明、瘦弱,好像在害臊似的,而吴大伯上楼下楼,挨家挨户找家长,让他们教育好孩子,别让孩子毁树。在那遥远的日本芦湖边上,我仿佛听见了他上楼下楼的脚步声和喘息声……

临到我们离开日本回国的那天,已经到了成田机场,忽然出现了一点小小的麻烦,我们有可能不得不折回东京,改为第二天再回国,日本朋友答应为我们再预备出一天的节目,包括去观看内容独特的演出,以及去品尝犹太饭菜,然而我们三个都迫不及待地想回到祖国,我坦率地说:"我的心,有根线同祖国拴在一起,这根线只容我在这里访问半个月,它一天天往回牵,牵到今天已经让我的心发疼了,我不能想象折回东京的事……务请您们消除麻烦,让我们今天能飞回北京。"麻烦终于消除了,当我们步入飞机座舱时,我如释重负……

亲爱的读者,我向你们诉说这些,是为了你们能理解我,从而能理解呈现在你们面前的这三部中篇小说。

我曾在接受日本《文艺春秋》社采访时对他们说:"我是个强烈的爱国主义者。"的确,我热爱祖国的每一寸土地,我热爱生息在祖国大地上的全体人民。人民对我来说不是一个抽象的概念,他们就生活在我的周围。我爱人民当中的英雄模范、先进人物,我也爱普普通通的工人、农民、市民、知识分子……难道连他们身上的弱点和缺点也爱么?当然不。可是我已经学会更多地去发现和挖掘他们心灵中的黄金,我恳切地希望读者们能同我一起,去爱那些即使是有缺点的劳动者,这爱既应体现在尊重和阐扬他们的优点上,也应体现在理解他们的处境和帮助他们涤除灵魂中的污垢上,并且,我们应当在这一工作中,既从他们身上汲取美德和力量,也以他们为鉴来更严格地洗涤自己的灵魂。

我尊崇现实主义。现实主义的文学有着巨大的认识作用和改造社会的功能。

在现实主义的诸多功能之中,我对心灵建设这一条特别倾心。我以为物质文明和精神文明对我们是同等重要、互为促进的。不可能想象脱离了社会主义物质文明的建设,能出现普遍的社会主义精神文明,然而也不能因为目前社会主义物质文明的程度不高,我们就放弃对庸俗的市侩气息等非文明的精神现象的揭露和鞭挞,同时,也应当坚信,就少数人来说,在物质文明尚未臻发达时,他们的精神文明程度却可以很高,因而十分值得赞扬与鼓吹。可是,就中篇小说而言,一篇只能侧重于一个方面的表现与阐扬。我恳切地希望读者将这本集子中的三部中篇合起来思考,从中窥见我从事心灵建设的各种角度及所费苦心。

我尊崇人道主义精神。我爱自己笔下的石义海那样的人物。我把自己对革命人道主义的理解,倾注在了对这样的形象的塑造中。我深深地谅解和关怀钢华那样的人物,我希望今后一切反倾向的斗争,都能尽可能地立足于对有过错误倾向的同志的帮助,按我的理解,这也是革命人道主义的一个方面。甚至对侯勇那样的人物,我也尽可能展示他灵魂中爆出的火花。我坚信这个世界上的绝大多数人总是能够变得美好起来的。我只对极少数丧失良知、灭绝人性的丑类不抱任何期望,并对他们充满了刻骨之恨。可是我还没能写到这样的形象。

我主张在艺术技巧上进行多种尝试。人们曾经批评我的短篇小说中议论太多。在这三部中篇里,我尽量把议论压缩到我实在不忍割爱的程度。我越来越努力地把自己的观点荫蔽起来,努力使我的倾向性能从场面中和人物刻画中自然流露出来,然而却有批评者把小说中的人物和我本人等同起来,这使得我不能不思考这样一个问题:是不是归根结底,一部中篇小说中必得至少有一个人物是作者倾向性的正面体现,否则就行不通?

我还很不成熟,我在探索中前进。我渴望着善意而严格的批评,同时,当我意识到自己的缺点和错误时,我不但乐于作自我批评,而且一定在创作新作品时加以改进。

前面路还长,我一定严肃地一步步朝前迈。

1981 年 8 月 16 日凌晨

《如意》（电影文学剧本）后记

读过我同名中篇小说的读者，一定会发现，电影文学剧本《如意》在情节、细节、场景等许多方面，和小说差别相当大。而看过这部影片的观众，又会发现影片与文学剧本又有不少出入。这是因为，《如意》搬上银幕，经过了两次再创作。因此，这个电影文学剧本并不是对小说的简单演绎；而导演黄健中在拍片时，也并不是在图解这个剧本。

电影文学剧本和影片变异虽多，但有两个基本的因素却始终没有变。不但没有变，而且，应当说在改编和拍摄过程中，还有所发展，有所深化。

第一个因素就是两位主人公——石义海和金绮纹。特别是金绮纹，应当说，她在小说中相对来说还是比较朦胧的，在剧本中她的性格发展史却比较清晰了。经过郑振瑶同志的杰出表演，银幕上的金绮纹已经成了一个很难说是次于石义海的主角。我们祈愿读者、观众能够理解并喜欢这两个平凡的小人物。有的人说，他们之间的这段故事是"焦大爱上了林妹妹"。这样说其实是不准确的。在贾府那样一种社会环境中，焦大是奴才，林黛玉是主子；焦大又是一个虽然为奴却又崇拜"祖宗成法"的保守派，林黛玉又是一个虽然位尊却又思想解放的女诗人，他们的意识、修养、情趣、审美趣味……可以说都大相径庭。因此，不可想象，他们之间能够产生爱情一类的感情。但石义海和金绮纹的情况却不一样了。解放以后，石义海虽然仍然是扫地，却不再是被外国神甫驱使的奴仆，他成了一个社会主义社会的有尊严的劳动者；金绮纹不但不再是一个养尊处优的贵族小姐或仅靠典当度日的没落弃妇，且成了一个被社会主义所感召、所改造的自食其力的劳动者。这样，昔日的相濡以沫，今天的为国家共同出力，加以相互理解的增强，人格情操的相互吸引，使他们终于冲破了原有的藩篱，成为一对具有他们自身独特性的恋人。我们向读者、观众展现这两个人物的感情发展史，难道是在鼓吹什么抽象的人性、宣扬什么抹杀阶级界限的"人类之爱"吗？当然不是。我们只不过是试图从一个特殊的角度，提醒人们关注我们这个时代、我们这个社会，在如何使人发生着可喜的变化，苦出身的劳动者如何提高着尊严感，剥削阶级中的一部分人如何转变为自觉的劳动者……当然，由于有着冯大妈所代表的教条主义和狭隘庸俗的市侩积习，也由于有着赵校长这样的，应当说是相当好的党的干部的一度疏忽，更由于"四人帮"所带来的劫难，我们所塑造的这两个人物竟是一个悲剧的结局。我们希望这悲剧不致为观众和读者带来悲观消沉，而是能使观众和读者深思惊警。

从小说到剧本、到电影的第二个稳定不变的因素，就是风格上的总体追求。我们不着眼于讲一个一环扣一环，以悬念吊人胃口的故事；也未着眼于表述一个单纯明确的具有直接教育意义的主题，以及赏心悦目的趣味性之类。导演黄健中基本上把影片拍成了一首深沉的电影诗。尽管关于他的这种艺术追求还存在着争议，我却要指出：他的这种处理，至少是颇符合我在小说和剧本中的总体追求的。有人问，《如意》的主题究竟是什么？它当然有主题，却并不是单一的主题。我们诚望读者和观众能随着故事的叙述和导演的思路，对这里面所出现的人物、事态、场景、对话以至于细节，有多方面的领悟。我们也愿《如意》的主题，能由读者和观众通过鉴赏过程而深化。不同的读者和观众，应当能各有侧重地从中思考到不同的方面，获得不同的启示。

最早考虑把《如意》搬上银幕的，是成荫同志。当他拍摄《西安事变》时，他就有这个打算。在他的鼓励下，当时给他当副导演的戴宗安同志写出了一个本子，由北京电影制片厂的《电影创作》刊登了。这个本子引起了人们注意。但由于戴宗安同志不是原作者，改编得又比较仓促，这个本子大体上还只是小说的演绎，因此不够理想。尽管如此，迈出这一步毕竟是很关键的。后来成荫同志因故不能出导这部影片，黄健中决定来搞，他邀请我这个原作者重写剧本。我本是最怕"触电"的，没想到同他深谈以后，共鸣度极高，于是，在同他和戴宗安详细商讨后，我写出了现在呈现在读者眼前的这个本子。这是我头一次搞电影剧本，不用说，缺点是很多的。我衷心地期待着读者们的批评指教。这个本子现在只署了我和戴宗安的名字，其实，黄健中在这个本子中倾注的心血，一点也不比我们少。严格来说，他也应当算是编剧之一。

在《如意》的改编和拍摄过程中，老前辈陈荒煤同志自始至终给予了细致的指导。这种指导，有时表现为在某一具体问题上给予严厉的不讲情面的批评；有时表现为平等的、长时间的敞开的争论。有的批评和建议，我们接受了，有的我们不同意，想不通，就没有采纳。而荒煤同志从未强制我们接受他的意见。有的时候，他经过耐心倾听，反而接受了我们的阐述而放弃了他原有的意见。事情过去好久了，我们回忆起来，还是很感念荒煤同志的这种指导方式。倘若我们的前辈和领导都能这样出以公心，既严格坦诚又平等相待地来扶植后辈，该有多么好！在这个改编本和完成的影片里，有两场戏完全得力于荒煤同志的指导。一场就是"夜扫胡同"。原来也写了这场戏，但只是单纯表现石大爷帮格格清扫胡同，开掘不深。经荒煤同志指出后，我重写了这场戏，一层一层地把这两个在厄难中相互信任、相互关怀、相互扶持的普通人的感情发展，推向高潮。从完成的影片上看，取得了较为感人的效果。另一场就是格格到石大爷住处的戏。本来没写这场戏。从格格同傅训诂会见，几下就蹦到他俩在什刹海边谈话了。荒煤同志指出"这里缺一块，缺很重要的一块"，这里应正面表现他们俩在那种情势下的内心冲突。结果我就添写了这么一场戏。从完成影片上看，这场戏也取得比较动人的效果。我每看一遍影片，见到这两场戏时，总不免感念荒煤同志内行、精当的指点。

小说《如意》发表后，曾引起过争议。电影《如意》拍成以后，反应也很不一致。

这个电影文学剧本成书以后，估计也有可能引起争论罢？

作者最怕的不是批评乃至于批判，而是毫无反响。我期待着广大读者对这个剧本提出各式各样的意见，以利我今后提高创作水平。但愿不是一片沉寂……

1983 年 3 月 1 日

《如意》法译本序

中国和法国的差异很大。中文和法文的差异很大。但是中国人和法国人是可以沟通的。我希望读过这本小说集的法国读者能够获得一种特殊的快感，那便是除了知道一些中国人怎么生活过，怎么哭，怎么笑，怎么爱，怎么恨，怎么陷于困境，怎么获得解脱，怎么进入困惑，怎么不断求索……还能发现，原来这些中国人的心灵里，有与法国人心灵相通的东西。人类心灵中的许多相通的东西，在学术性的论文里并不一定能说清楚；但在小说里，虽然也许更不能说清楚，也没必要说得那么清楚，但可以意会，有时候这种"说不清道不明"的意会，反而会使我们深深地感动。

我叫刘心武，男性，生于1942年，我的出生地是中国四川省的成都市，但我自1950年便随父母来到北京，从此一直定居北京。我是在"文化大革命"结束后，因为在1977年年底发表了一篇题为《班主任》的小说，引出了轰动，从而在中国出名的。《班主任》被认为是当时的一个被命名为"伤痕文学"的文学运动的最早、也最具代表性的作品。这个集子中的《如意》是从"伤痕文学"向前发展的一个作品，它超越了"伤痕文学"，因为"伤痕文学"的特点是揭示"文化大革命"给中国社会造成了怎样的伤害，政治、社会的内容过强，而《如意》则只是把"文化大革命"作为一个背景，它的命意主要是揭示人的情感，人的内心，探讨人性，呼唤对社会最底层的，以及那些被边缘化了的人物的关爱与理解。

《如意》在 1982 年拍成了一部电影，1983 年曾在法国南特电影节上放映，后来并在法国电视中播出。虽然到 1996 年我已经出版了七十多种单本的著作，并且出版了一共八卷的《刘心武文集》，但《如意》不仅对我来说还是对中国文学来说都不是一个"过时"的作品。我企盼法国读者能喜欢《如意》和这个集子里的其他作品。

巴黎是一座河城，它依偎着塞纳河，在其两岸蓬勃发展。北京却是一座湖城，在城区有一系列相通的湖泊存在，西北部的名叫什刹海的湖泊是我灵感的来源之一，我不仅在《如意》里写到它，在长篇小说《钟鼓楼》、《四牌楼》、《风过耳》里也都写到它。我在这个湖的边上居住过十八年。在严寒的冬夜里，湖水结成厚冰，因温度的进一步降低，冰层膨胀时，会发出訇然的声响，那叫做"冰吼"。巴黎和其他地方的法国人，能想象出那冰吼的声音吗？

感谢译者和出版社，以及翻阅这本书的每一个人。

1996 年 8 月 17 日北京

一次艰辛的再创作

——谈《如意》的改编

几经犹豫，我才接受了导演黄健中的邀请，动手来编写《如意》的电影脚本。使我犹豫的主要原因是：我的小说，包括《如意》在内，往往缺乏戏剧性，统治着全篇基调的，也大都是执著的思考而不是华彩的抒情，把这样的东西拿到银幕上去体现，能搞得好吗？

可是黄健中和我深谈以后，我竟逐渐勃发出一种改编的浓兴，并终于暂时搁下了其他创作，用很大的精力，同合作者们一起，投入了《如意》的改编。

黄健中用以打动我，并使其贯串在我们改编过程中的基本想法，就是要拍出一部别具一格的文学影片。

是的，小说《如意》的故事性并不强，但我们提供给观众的影片，将不是那种以曲折的情节和揪心的悬念取胜的故事片：小说《如意》的两位主人公，一位扫地的老校工，一位胡同里的中年妇女，似乎也很难像大多数影片那样，以花容月貌、青春旋律来娱悦广大的特别是青年观众，他们从这部影片中将看不到豪华场面、武打镜头，甚至听不到由电子乐器伴奏的、似乎每片必该具有的缠绵插曲。黄健中和我们想为观众包括青年影迷们提供的，将不是那样一种使人轻松的蛋卷冰淇淋式的影片。小说《如意》的主题不是单一的，它没有提供现成的训谕式的结论，当然它的思想倾向也并不是含混的。它试图通过对石大爷这样的底层、平凡因而往往也不起眼的劳动者的心灵的探索，来展示那些我们本不应当忽视与冷漠的东西，来思考一些应当说是很重大的问题。例如思考作为马克思主义者，共产党人，人民公仆，究竟应当怎样完全、彻底地去为最广大的最平凡的普通劳动者谋福利？究竟应当怎样准确地、辩证地去观察、分析生活中复杂的人和事，从而更恰当地、更有力地团结更广泛的社会力量，去为我们的共产主义理想而奋斗？等等。写《如意》这篇小说时，我希望它的主题，不再像《班主任》那样，未终卷时便已展现无余，而是希望由读者和我共同去完成——这就取决于读者在掩卷之后，能否引起深思……我们将在银幕上向观众提供的，也应当是这样的一部作品——不管观众是喜欢还是不喜欢石大爷、金格格这样的银幕形象，也不管观众是高兴还是不高兴他从银幕上看到的那些场景和画面，当他离开影院以后，他应当思考，哪怕他思考的结果，是否定了我们这部影片所引导的方向，那我们也感到欣慰——因为我们以为某些问题是再不能置之一边不去思考了。大家都来思考，通过争论，也许就能共同地提高我们对生活、对人的认识，从而协调好我们的每一个行动。

是的，记得是在杭州的西子湖畔，黄健中，我，剧本最早一稿的执笔者戴宗安，我们经过诚恳的长谈，确定下来我们将在改编中追求什么，并同时摒弃什么——这种摒弃并不是狂妄地否定别人的作品，而是自觉地去体察我们将要搞的东西同别人的作品应有怎样的区别，我想这不应当形成误会吧？

人们将用另外的方法改编、拍摄出许多优美的影片，但那是他们的事。我们改编《如意》，则认定了这样的原则：这将是一部用探微发隐的方法展示平凡生活、平凡人物的、娓娓诉说、引人思索的电影诗。

这就决定了，对小说不能只是用所谓的"电影语言"加以"翻译"，而必须进行一番艰辛的再创作。好在我那小说《如意》发表后，尽管内容上有争议，艺术上我自己也深感不成熟，但小说中那些人物以及他们生活的环境，都绝不是臆想、编造出来的，我有的是可以用来改换、补充、发展小说的素材储备。因此，当我执笔编写可供黄健中投入实拍的电影脚本时，我就完全不受小说本身的约束，而是根据我们与导演达成的对影片设想的默契，相当自在地去重新展现石大爷、金格格这一组人物的命运。既看过小说又看过电影的同志不难发现，现在影片中的许多细节，如清晨冯大妈推着小车收格格和秋芸糊的纸盒，学生们将彩丝编织的宫灯送给石大爷而石大爷转送给格格，格格那"什锦攒盒"的出现，石大爷到香山高处为格格采集卷柏，几个"老哥儿们"1972年聚在石大爷小屋中喝酒吃饺子，等等，都是原小说中只字没有的；甚至像影片中用大量胶片表现的石大爷帮助格格盖小厨房时脱鞋踏进泥堆踩泥，以及石大爷和格格在"文革"中夜扫胡同这样的重场戏，在原小说中也或者阙如，或者仅作为背景材料一笔带过。总之，改编的过程确实是重现人物性格发展和人物命运跌宕的再创作过程。

通过这次艺术实践，我得出一条体会：在遇到一个志同道合的导演的前提下，将自己的文学作品搬上银幕，无妨由自己亲自动手改编。尽管为改编《如意》我吃了不少苦头，所付出的劳动时间和心血甚至比写那篇小说还多。

影片拍摄的过程中，脚本还有所变动、丰富和发展。黄健中非常尊重原著，对已经审定并投入实拍的脚本的每一个变动，他总是及时事先同我联系。我们时有争论，但结果总是或达成一致意见或虽不一致而能相互谅解。影片接近停机时，请了一些电影界和文学界的朋友们来，同有关领导和摄制组一起审看样片。黄健中在导演方面的追求第一次凸现在银幕上，他对银幕视觉激情的追求，他在镜头运动中所体现出的诗意开掘，大量的特写镜头，长达四分钟之久的一次拍成的长镜头，以及他那些精心安排的空镜头，给所有的人——不管是喜欢的还是不喜欢的，都留下了深刻的印象。人们开始争论。一位自始至终对我们这群四十岁上下的编、导、摄影、美工、录音人员的艺术探索给予了宝贵的支持、鼓励、指导的老同志，提出了最尖锐不过的批评意见，我永远难忘他那严肃的神情和低沉的语音："你们想创新，我支持。但不能忘记，我们是社会主义国家，一部电影投资至少几十万人民币，都是工、农和知识分子劳动的血汗，创新，究竟是为谁而创？在资本主义国家，一些艺术家搞创新，他们可以不管观众看得懂看不懂，喜欢不喜欢，对观众有没有益处，因为他们往往是自己花钱搞，或者有什么人愿意出钱让他们搞。我们不能像他们那样，我们创新，是为了向广大人民群众提供好的精神食粮。现在从样片上看，优点是有的，但是缺点很明显——对石大爷和金格格这两个人物的塑造，对他们心灵美的开掘，还远没达到丰满、感人的程度！

"夜扫胡同一场，对两个人物在那特定情境下的心理刻画，还差最重要的一笔，应当通过这一场戏，使观众体会到即使在'四人帮'最猖獗地蹂躏人民的时候，人民之间也保持着最真挚的相互关怀，保持着乌云总会消散的信念；现在充其量只是让人心酸，而缺乏催人泪下的艺术力量……

"影片后面，格格的丈夫从国外回来了，他确实变成了一个爱国的、对格格悔罪的人，要把格格接到国外去，面对这个现实，石大爷和金格格内心究竟如何？这本是大有戏可写的地方，可是现在这地方却缺了一块，没有在刻画人物内心、表现人物情操方面下工夫，而是满足于交代过程，难道可以这样草草收场吗？……"

据黄健中说，另一位一直关怀他成长的搞电影理论的前辈，看完样片后也给他写了一封长信，提出了类似的批评，给予了具体的指导。

当然还有许多其他同志，包括摄制组内部许多同志，也都提出了不少尖锐而中肯的意见。

一个有艺术个性的创造者，消化别人的意见自然是一个痛苦的过程，但对于正确的意见，到头来只能是诚恳地接受并加以改进。经过反复争论、思考、酝酿，我们决定补写两场戏。于是，在影片已经大体拍迄的情况下，我又住进了北影招待所，执笔重写了"夜扫胡同"这场戏和增写了"格格到石大爷住处"这场戏。后来补拍了这两场戏，加上补拍了其他一些主要是技术性弥补的镜头后，摄制组才算停机。我这个原著和改编者，几乎是在《如意》这部电影拍迄前才放下改编之笔的——我不知道其他改编者是否有过这样的遭遇。想到这一点，真是百感交集。

1983 年 1 月 18 日写于北京垂杨柳

关于《钟鼓楼》的通信

心武同志：

你好！谢明清同志、章仲锷同志读过你的长篇小说稿《钟鼓楼》之后，很兴奋地让我也看看这部作品。我接受他们的建议，拜读了你的这部新作，跟他们一样，很兴奋。

我总的感觉是：你写了一部从生活出发、从人物出发的有分量的好作品。

按现实的时间，你只写了北京一个普通的四合院里的一天的生活，但实际上通过你悉心结构的相当自然的回叙等等，你概括了这个四合院里以及四合院之外的若干人的十几年乃至几十年的生活经历、心态变迁。我在读这作品时强烈感觉到，你在极力注视着你的人物，总是想对他（她）们作出独特的发现，总是想发现他（她）们经历、心态和命运的特殊之点；你想通过这些各不相同的人物，来折射生活的时代特点和历史内容。我的感觉是，你获得了很大的成功。在你的看似平实的叙说和描写之中，常使人思绪翩跹，甚至想到你的作品之外。这就不易。我认为这就是你这部作品的现实主义的力量。我正是为此而兴奋，也正是因此而感到你这部作品颇富容量。

有一两点想法，我同谢、章二位讲了，供你最后定稿时参考。

衷心祝贺你的新追求和新成就。

孟伟哉

一九八四年六月二十六日

伟哉同志：

谢谢你对《钟鼓楼》的支持。

这是我的第一部长篇小说，其中不仅沉淀着我以往的生活积累，也凝聚着近两三年我深入生活的心得。小说中所出现的二三十个主要人物，几乎都是从具体的模特儿出发，加以变化：调整、丰富、再生，而塑造出来的，如修鞋匠苟师傅，其原型如今已是我最好的朋友之一。为写好小说中贯穿始终的薛家婚宴，我曾深入到市民家庭，从婚宴的准备阶段到"曲终奏雅"，一泡到底，详加观察、体验、剖析、开掘，才掌握了能够从容取用的写作素材。你肯定我的这个作品是"从生活出发、从人物出发的有份量的好作品"，前半句话（"二从"）我是领受的，后半句话似乎还有待广大读者来检验，我虽有那样的追求，但究竟是否达到了"有份量"和"好"，现在心里还是惴惴然。

在这部作品中，我主要是企图给读者提供一幅当代北京市民生活的社会生态群落图，或者叫做当代北京市民生活的社会生态景观；我不是贬低、更不是反对具有直接的教育意义和鼓励作用的作品，实际上我这部作品当中也有着某些直接的教育与鼓励的因素，但我在这部作品中，有意识地把认识价值放到了首位——就是说，读者从阅读它的过程中，主要不是接受某种直接的教育"得到某种直接的鼓舞"，而是跟着作者一起，对似乎是平凡到极点，甚至是熟视无睹的人和事，能有所发现、有所领悟，从而增进对社会、人、生活的理解，获得一种特殊的乐趣。你说在我那"看似平实的叙说和描写之中，常使人思绪翻跹"，甚而"不禁想到作品之外"，这是对我最大的奖赏和鼓励。倘若我这部作品不能让读者想到作品之外，那么我的这一尝试便彻底失败了。像我这回的写法，是必须唤起读者对周围生活的联想和思考，才能算及格的。究竟发表后广大读者们能不能也有你那样的感受，现在也还不能肯定，所以，虽有你的鼓励，我的心情，也依然是惶恐的。

这部长篇我整整写了一年多，在结构和叙述方式上，我也试图有新的尝试。我以一个四合院中九家人为核心，以其中薛家的婚宴为主线，写了一九八二年十二月十二日从早晨五点到下午五点左右的一组斑驳陆离的生活场景，并把历史的因素沉淀到其中，还有意嵌进了某些文献式的段落，这样的结构方式，比之于一环扣一环的戏剧性推进的结构，当然难以讨巧，且难以驾驭，但我还是努力地去那样做了。一般来说，长篇小说的结构似乎以"串珠式"、"波浪式"、"登梯式"居多，我这回采用的可以叫"花瓣式"或"剥橘式"。即从一个花心出发，花瓣朝各个方向张开，一层又一层；或似乎是剥开橘皮，又一瓣瓣地将橘肉加以解剖——但合起来又是一个严密的整体。当然，任何比喻都不可能那么准确、精当，这里不过是姑妄喻之，以期增进你对我的"苦心"的理解。在叙述语言上，我力求冷静、平实、精确，而摒弃刻意的华丽、藻饰和过多的抒情。我也没有学老舍先生的笔调，以一种地道的"京腔"去铺陈故事，我以为传递当代北京生活的"京味儿"，必须另辟蹊径，因为今日的北京与老舍先生当年笔下的北京，无论是人物的心态还是人们之间交流思想感情的方式，都有了很大的变化，因此我们如果过分地在叙述语言上去堆砌北京土话，则未免近乎胶柱鼓瑟了。所以，我所取的叙述语言，还是一种有别于北京市民口语的书面语言（从语法上分析，或许使用了过多的结构复杂的复句，关联词用得颇多），当然，其中也糅进了不少当代北京市民的口语。这样的叙述语言可能不够活泼、幽默，如何改进？盼你有以教我。当然，也期待着广大读者的指正。

这信一写便写了这么长，似乎还有话要说，但你是那么忙，又要到西北去"走马上任"，为不耽误你的工夫，就此打住吧！

　　你所提出的意见，我都欣然接受，有的已在复验抄录稿时顺手改过，有的待考虑成熟了，再在定稿时认真地加以修订。总之，在发稿之前，要争取尽可能磨得更精一点。

　　再次感谢你对我的支持与鼓励。

　　祝你在西北作出更大的贡献！

　　握手！

刘心武

一九八四年六月二十九日

《立体交叉桥》后记

我是新时期文学之树上的一片绿叶。

我为自己生长在这棵一天天更其壮美的树上而自豪。

这树上有灿烂的花，有硕大的果，而我只是最普通的一片绿叶，但我知道，那花，那果，都与我相通，我尽我所能作出奉献，花、果、枝、木便都爱我，我因此感到无比幸福。

阳光下，我唱歌。微风中，我吟诵。细雨中，我倾诉。浓雾中，我探求。我欢快地光合，我凝结出露珠，我缓缓地舒展增添叶面，我默默地渴求着理解。

我为自己至今并未枯黄蜷缩而欣慰。

这个集子，是我个人自1978年至1984年七年间的中短篇小说选集。1977年年底发表的短篇小说《班主任》，被公认是那一阶段"伤痕文学"的代表作；1978年年中发表的短篇小说《爱情的位置》，使我进一步为广大读者所知；但因为这两篇作品已多次被收入各种选集之中，所以本集不再收录。除这两篇外，我几年中所写的产生过一点影响的，或我自己认为是比较重要的，以及能反映出我的探索轨迹的中短篇小说，基本上全数收录于此了。

这个集子中最长的一篇，也是我自己感觉相对而言最像样的一篇，并且也是不少读者和文学界同行最称道的一篇，在国外也是译介得较多的一篇，同时恰恰又是承受再复在序中所说的那种"冷漠"最多的一篇，而且是我曾一度想用来作书名竟未能如愿的一篇，集以上诸种因素，现在我便用这一篇的题目作了我这个集子的书名。

感谢时代。感谢生活。感谢扶植我的前辈。感谢督促我的读者。感谢鼓励也感谢批评。感谢理解也感谢宽容。感谢人民文学出版社给我提供了这样一个结集的机会。感谢再复以真挚的感情和深入的思索为本书作序。也要感谢我的妻子吕晓歌，没有她那别人难以取代的帮助，我也是不可能写出这些东西来的。

绿叶。一片小小的绿叶。绿些。努力再绿些。愿人们能一叶以知春，而不是"一叶以知秋"。

1985 年 5 月 8 日于绿叶居

写在前面——《钟鼓楼》香港、台湾版序

　　《钟鼓楼》是部写当代北京市民生活的长篇小说。这是我的头一部长篇小说。据有的评论家发现,作家的头一部长篇小说往往具有自传性。我写的这部《钟鼓楼》却并无自传色彩。你说里头出现的哪一个人物像我?

　　《钟鼓楼》里写到不少人物,但并无主角。也不是像《儒林外史》那样,写一个丢一个。《钟鼓楼》里的人物大多数合住在北京一个普通的四合院里,他们轮流当主角,又互为配衬。我写的是群像,即芸芸众生。他们各有各的命运,但他们的命运轨迹有所交叉,有所碰撞,他们吃、喝、拉、撒、睡、婚丧嫁娶,生死歌哭,构成一种城市生态,一种心理网络,一种人文环境。我冷静地刻画了他们,剖析了他们。有的朋友嗔怪我未免太冷静了。而我自己写完后通读一遍,却觉得自己还不够冷静。彻底地冷静,得突破"难为情"这一关。作者突得破,读者也要突得破,大家突得破,才能真让灵魂有大长进。我的下一个长篇,也许会更冷静的吧。

　　《钟鼓楼》获得了第二届茅盾文学奖,这让许多人吃了一惊,我自己也吃了一惊,因为评奖伊始时,它的呼声并不高,我也从未抱过希望。不过评委们无记名投票的结果,竟然有它,宣布之后,我自然是高兴的。

　　天地图书公司将这《钟鼓楼》作为我的代表作,推荐给香港的读者,以及海外习惯读竖排繁体华文的读者,我很感激。我希望这本书能缩短读者诸君和北京,

以及北京市民的距离。今后读过这本书的读者再到北京，也许会对以往忽略的一胖一瘦、一红一灰的钟鼓楼报以新的眼光，如果还能生出对生活在那一片的北京普通市民的种种联想，那我可真是三生有幸了。

1987 年 9 月 21 日

于北京绿叶居

《风过耳》香港版自序

近十多年香港传媒中常有我的名字出现，照片也曾上过杂志封面，但要真正了解我恐怕还是得读我的作品。香港人很忙，哪里有许多工夫读书？又尤其是读小说？但我写的这本长篇小说《风过耳》，或许倒值得忙碌的香港人一读，因为所写的是九十年代最新近的北京这个世人谁也不能不关注的都市的众生相。"九七"在即，那时当然实行"两制"，但大家已属一国，国人都在北京，北京人怎么生活，怎么个心态，凡国人哪怕是偏居一隅，似乎也都应该有所了解，因为风起于北京，而无处不过耳也！

当然小说毕竟是小说，虽是万花筒式的写法，却也难以面面俱到：当然更是一家之言，是一个冷静的作家作壁上观的感受，聊以自信的是，这本小说透过北京各色人等的生存状态和内心隐秘，逼近或一定程度上穿透了人性，因而即使不以了解北京民情心态为目的，也一定可以得到些觑破世态人心的启示。

这部长篇小说虽是严肃之作，但注重情节，有悬念，有可读性，这也是我艺术上的追求之一。

感谢勤＋缘出版社、感谢梁凤仪女士，使我的这一新作得以同香港读者见面。感谢买这本书的读者，但愿我能给你风来过耳的感情，而我已从你的手温中感受到了相知的快乐。

1992 年 5 月 31 日

于北京绿叶居中

《蓝夜叉》香港版自序

　　金庸先生著有《天龙八部》一书，所谓"天龙八部"的第四部即为"夜叉"。在北京曾有繁盛一时的"青衣僧"和"黄衣僧"共同主持的富丽大庙隆福寺，里面有一所殿堂塑有"天龙八部"的造像，其中"夜叉"通体靛蓝……然而这本书里的"蓝夜叉"却向你讲述了一个意想不到的爱情故事。

　　"木变石"是一种木头经过千万年的风云变幻后所形成的特异石头，首饰工人将其分解打磨制成戒指的镶面，遂成为"木变石戒指"……然而这本书里的《木变石戒指》却向你讲述了一个更加令人吃惊的凄惋故事。

　　"茶话会"的题目无须诠释。但在苏联解体后的今天，再来读这样一个曲折奇诡的爱情故事，当然能使你感慨良多。

　　"如意"单看字面似不用再加解释。但熟悉古玩的人就都懂得，明、清两朝以至民国初年，富人家几乎都有一种象征吉祥的摆设，平置时从侧面看，恰似一个拉长的英文字母S，差不多都用贵重的材料制成，上面还要雕刻花纹或镶嵌珍宝……然而这本书里的"如意"却向你讲述了一对男女缠绵悱恻的夕阳恋。根据这篇小说改编拍摄的影片曾在香港上映，并曾到西欧参加电影节，又在法国、德国的电视中公开播出，小说因此被译成多种文字。

　　把我这四个哀伤而美丽的爱情故事印成一册，并以《蓝夜叉》命名，香港的勤＋缘出版社还是首家。我希望在香港也获得知音，因为尽管到此处的人们，包括许多香港人自己也总是说，香港人的心里只装着赚钱的念头，当然，赚钱是必要的，但香港人其实和世界上其他地方的人一样，灵魂深处里也有着对爱情、友谊、理解、善良、温馨、安宁的不能泯灭的期盼与追求。愿我这四个爱情故事能与你心灵深处的温柔与美丽沟通会合，一起不息地流向善良。

1992 年 9 月 18 日于北京安定门绿叶居

《立体交叉桥》德译本序

　　对大多数中国人来说，联邦德国并不是一个陌生的国家。

　　对大多数联邦德国人来说，中国当然也并不是一个陌生的国家。

　　但是，我们不能满足于相互仅仅粗略的了解。

　　除了相互了解对方的政治、经济和其他各个社会领域的基本情况外，我们也应当相互了解对方普通人民的生活情况，他们的喜怒哀乐，他们的优点和弱点，他们的愿望和为实现这愿望所作出的努力，等等。我以为，达到这种相互了解的重要途径，就是翻译介绍对方国家的反映当代人生活的文学作品。

　　对于德意志民族从古代到近代所出现的文学作品，我们过去和现在翻译介绍得比较多。对于中华民族从古代到近代所出现的文学作品，联邦德国过去和现在大概也翻译了一些。但是，应当坦率地承认，相对来说，这几年我们翻译介绍联邦德国当代作家写当代生活的文学作品，虽然有所增多，毕竟还很不够。而联邦德国读者究竟能读到多少当代中国作家写当代生活的文学作品呢？那种德国人仅仅从《道德经》、《好逑传》去认识中国，以及中国人仅仅从《少年维特的烦恼》、《阴谋与爱情》去认识德国的局面，实在应当结束了！

　　世界各民族之间应当增进了解，特别是当代人之间的相互了解。在这种了解之中，我们一定能够发现不少相通的、一致的地方，并且也一定能对我们在若干方面为什么不相同，有更多和更深的理解。这样，我们便一定能更好地相处。当世界上出现某种不利于民族间平等友好相处的因素时，我们便能更有效地筑起抵挡这种黑潮的心理屏障。

　　我感谢福斯特和玛丽夫妇，将我的《立体交叉桥》翻译介绍给了德国读者。我是力图通过这部小说来反映北京一部分地域一部分市民的真实生活和真实情感的，但我又一定要说明，只有读到更多反映北京当代市民生活的作品，特别是读到反映另一些领域另一些人们生活和情感的作品，互为补充后，才可能获得较完整和更准确的印象。不知这本书能否引起亲爱的联邦德国读者阅读更多的中国当代文学作品的兴趣？

　　我希望能引起这种兴趣。

1983 年 6 月

[《立体交叉桥》德译者系 Helmut Forster-latsch 和 Marie-Luiselatsch]

我写《钟鼓楼》

我的第一个长篇《钟鼓楼》在《当代》杂志 1984 年第 5 期登出上半部后，便陆续接到读者来信，或予评论，或正舛误，其中有八十多岁的老人，也有二十多岁的青年，从职业上看，工人、技术员、教师、干部、大学生……都有。最有意思的是四川一个县里的售货员，她来信说我那小说里对有的售货员之所以不爱答理顾客，以及爱在柜台上当着顾客点钱的心理剖析，使她感到非常惊异，因为她一贯是那样的，但过去并不知道自己是出于什么样的心理，她在信中猜我过去一定也当过售货员。一部作品出世，有读者读，其中有的读者还能来信与作者交谈，这便是创作的快乐。我期待着新的读者来信，也期待着评论界的反应。

1984 年 12 月初，载有《钟鼓楼》下半部的《当代》第 6 期刚刚装订出十来册，我便从印刷厂里弄出五册，带到联邦德国去了。我应邀去参加一个"德中大学生联谊周"的活动，并应邀去几所大学的汉学系讲学。我带去五套载有《钟鼓楼》的《当代》杂志，原不过是作为礼品，并无同那里的人们讨论自己这部新作的打算，我想国内尚有许多读者并未读过《钟鼓楼》上半部，就是我见到的同行和评论家，也大都是只知题目而未及翻阅，远在万里之外的人们怎可能反已读过呢？但使我大吃一惊的是，在"联谊周"的活动中，在波鸿大学、波恩大学、维尔茨堡大学等处的座谈中，都有德国汉学家、德国大学生和中国留学生主动向我表示：他们在接到所订阅的中国《当代》杂志后，已读过我的《钟鼓楼》（上），因此他们想同我讨论我的这部新作。我将所带去的载有《钟鼓楼》（下）的《当代》杂志赠出后，也有德国朋友立即进行阅读，并抓紧提出问题同我讨论。这种讨论对于我来说，事先毫无思想准备，完全是"遭遇战"，但对方的热情爽朗，促使我在回答问题时也尽可能坦率直言。我想，把我在联邦德国就《钟鼓楼》所进行的答疑整理出来，提供给《书林》，庶几可使广大读者对我及我的这部长篇，有更多的了解，以便更好地帮助我改进、发展我的创作。

问：刘先生，您是以短篇小说《班主任》而成名的。《班主任》这篇小说使我们感到您是站在充当读者的老师的地位上写的。也就是说，您力图通过您的作品教给读者什么是对，什么是错，应当做一个什么样的人，等等。《钟鼓楼》的写法与您《班主任》那一时期的作品在写法上似乎很不相同。您能说说您现在是站在什么样的地位写作吗？

答：中国有个悠久的传统，就是"文以载道"。过去有个说法，就是写文章的人提起笔时，应当牢记自己是"代圣人立言"。对这个传统我觉得应当进行细致的分析。也许有好的一面，就是使写东西的人能立足于祖国、民族，宣传真理和正义，也就是站在一个好的老师的地位上，教给读者什么是对，什么是错。应当怎样做人，等等。但这个传统显然有值得怀疑的一面。特别是随着时代的进步，又尤其是文学，如果作者总是站在老师的地位上，对读者进行劝诫和说教，读者是不欢迎的。我写《钟鼓楼》确实换了一个地位。我不充当读者的老师。我怎么见得就比读者高明？我把自己同读者放在平等的地位上。我们一同去认识世界，认识生活，认识人。我提供的不是现成的训诫性结论，而是丰富、细致、深入的关于世界、生活和人的鲜活的材料……

问：也就是说，您的《钟鼓楼》主要追求一种认识价值，对吗？您似乎是企图向读者提供一个八十年代北京社会生活的横剖面，让读者从那密密的年轮上去认识生活的流动和人的性格的形成……可是您为什么非选择"1982年12月12日"这特定的一天来写呢？有什么特殊的象征性意义吗？

答：将来的人们，无论中国人自己，还是外国人里有见识的，回过头去研究中国，都会发现，20 世纪 80 年代初，对于中国社会发展来说，那真是一个新旧更替得最剧烈的阶段。表面上看，生活似乎是平静无奇的，我在《钟鼓楼》里也力图传达出一种悠然舒缓的生活节奏，但许许多多重大的变革，正在生活的表层下汹涌汇聚着，首先所反映出来的，便是各种不同人物的心理变化，以及人们之间的心理冲突。所以我选取了 1982 年的一天来加以表现。至于为什么要选定"12月 12 日"这个日子，没有很多的象征意义，在头一段和最后一段里有一点交代，也就是那么个立意。

问：刘先生的这部长篇小说显然不同于我们已看到的另外几部中国的新长篇小说，那是几部直接反映中国的经济改革的，我们从中可以很清楚地了解中国的经济改革究竟是怎么回事；刘先生这部长篇没有围绕着改革与反改革来写，结构很特殊，能告诉我们您是怎样确定自己的题材和结构的吗？

答：从题材上说，我这部长篇确实算不上是写中国的经济改革的——尽管我也写到了农村的变化，写到了一位努力参加改革的局长和与他有关的一位技术人员，等等；我认为在当前的中国，正面反映改革的文学题材确实是有吸引力的，无论对于作者还是读者，都是这样，我在 1984 年里也写了一个正面反映改革的中篇小说《日程紧迫》。但文学题材应当是多种多样的，无论对于作者还是读者，题材的多样化都是精神生活中不可或缺的一个因素。《钟鼓楼》从题材上说或许应算作市民生活题材。这个题材的酝酿和形成经过了很长时间。我从八岁起就生活在北京，其中又有十八年一直生活在北城钟鼓楼一带，我早就想把自己所熟悉的城市和市民好好地写一写，并对我们了解的人和事进行客观、冷静的剖析，从中引发出一种催人思索的力量。我在此之前的一些短篇，以及中篇小说《立体交叉桥》，其实都是这类尝试。我想写出北京市民的社会生态群落，这就决定了我不是采取"穿珠式"、"登楼式"、"波浪式"一类的结构，而是采取了一种徐徐展开长卷的结构方式，或者用另外一个比方：好比剥一只橘子，橘皮像花托般剥开后，露出里面的橘肉，橘肉可以一瓣瓣地分离，也可再一瓣瓣地复合，最后连橘皮也可以复合……看起来，一瓣一瓣似乎独立性很强，但复合起来还是一个很严密的整体。

问：您这长篇确实很特别。不断出现新的人物。我刚开始看下半部。我很惊奇，小说的下半部还在不断引入新的人物……

答：是这样。编辑同志看第一遍时也曾惊讶。他总怕我无法收尾。但我还是收住了。并且让编辑同志还比较满意。有位德国朋友认为我这是《儒林外史》式的写法。《儒林外史》当然是不断出现新人物，但它也同时不断抛开前面的人物，我的做法则不同，我的人物一旦出现，一般就不再轻易消失。我希望最后在读者头脑中不仅留下一些人物的形象，而且还能留下关于这些人物性格、心理形成史的印象……

问：您这部长篇里似乎既没有非常优秀的模范人物，也没有坏得了不得的坏蛋。我们注意到丁聪先生所作的插图，他照例把所有出场的人物一律漫画化。您是怎样看待自己笔下的人物的呢？

答：您的意思是我所写的不过是所谓的"芸芸众生"。确实，《钟鼓楼》里没有堪称英雄和简直是恶鬼的人物，但我觉得我是注意写出人与人之间的差异的，有一些人物我以为他们是可敬可爱的，比如修鞋师傅，他的搞翻译的儿子，以及单相思着的女大学生，还有那位局长，以及从农村来的姑娘，等等，当然我也写了他们各自的缺点、弱点和局限性；也有的人物我是厌恶的，因而用笔可能不够冷静，如那位写诗的"龙点睛"，当然他也还不是恶魔。我不是否认生活当中有闪耀着光芒的英雄人物和令人切齿的丑类，但因为我对这两种人都还缺乏足够的接触和了解，所以这回我便没有勉强去增添这样的一些人物。我所写到的人物，都是我所熟悉的、理解的。我很感谢丁聪先生为我的这部长篇画插图，他并答应承担这部书的封面设计及全部装帧任务。他那漫画式的风格同我这部长篇的情调是很相宜的。

问：您这部作品是否受到了老舍的影响？

答：潜移默化的影响，当然是有的。老舍是我最热爱的作家之一。不过，我对老舍的喜爱，也许同别的一些同辈人不大一样。就叙述语言来说，我更喜欢他在《月牙儿》、《微神》里所使用的那一种。我这《钟鼓楼》的叙述语言没有使用北京的土话，老舍先生在《骆驼祥子》、《四世同堂》里基本上是不仅人物之间的对话用北京土话表现，叙述语言也尽可能用地道的北京土话，这使他的写北京的小说有一种特殊的"京味儿"。我并不是地道的北京人，又生活在北京语言发生巨大变化（基本消融在普通话之中，同时又滋生出若干新的北京土话）的新时代里，因此，我决定另想办法，来确定我这长篇的叙述语言。最后我用的是现在大家所看到的这种比较平实的书面语言。土话只作为嵌入成分在必要时使用，并常常加注说明。

问：据我们所知，您读过不少西方文学作品的中译本。您曾经说过，您读过我们联邦德国作家伯尔的不少小说。您是否从中受到影响呢？

答：不消说，也有潜移默化的影响。伯尔的小说，至少从中译本看来，叙述语言是越来越趋于冷静。不求外在的藻饰，尽可能不动声色，有时甚至采取一种冷然的文献式的笔调。这种笔法，我以为很有嚼头，是尊重读者的写法。特别是对鉴赏能力高的读者，你一个劲地形容干什么？与其用大量的笔墨去渲染，不如精确地白描。要相信读者的想象力，作者应当只提供翔实的材料，作品应当由读者在阅读中添加想象和思索而最后完成。也许伯尔小说的中译本，或许还有另外一些西方作家小说的中译本，对我就有着这类的启发，我在《钟鼓楼》中也便有所借鉴。当然，我写《钟鼓楼》时所想到的还是广大的只具有中等文化水平的中国读者，因此，我也还是有相当的描写，有夸张渲染，以及某些我以为非加以解释不可的过渡性文字。

问：您是否受到了爱尔兰作家乔依斯的影响？他的名作《尤利西斯》，也是集中写很短一段时间里一个城市的生活场景，我记得他写的好像是都柏林的二十几个小时；他也是力求精微地描述出那段时间里那个地方的确切景象……

答：我没有读过《尤利西斯》。我不懂英文。我们那里好像还从来没有出版过《尤利西斯》的译本。但我看过一点介绍性的文字，我知道乔依斯写过这么一本书。我在构思《钟鼓楼》时从未自觉地联想到《尤利西斯》。也许在我的潜意识中，它的结构方式曾对我有过引发。

问：当然，除了都采取时、空上的横截面来写这一点，您的这部长篇同《尤利西斯》完全不同。对于我们西方人来说，您是把我们带到了一个对我们完全陌生而神秘的东方，使我们特别感兴趣的是您主要立足于表现当代的东方，您所写的"1982年12月12日"那一天，直到我们现在交谈时还不足两整年，因此您的长篇充溢着新鲜感。我前些日子读完了您这《钟鼓楼》的上半部，这几天才得到下半部，请您原谅——我迫不及待地先读了最后那一部分，有一点给我的印象很深：您最后把北京的四合院及其附近的街市，放在了整个世界乃至整个宇宙的背景上来加以考察，您把您所写到的那些平凡的人物，也放到了整个人类的背景上来加以考察，这就确实产生了一种深远的历史感和命运感。现在我想问一下：您这是写到最后兴之所至，还是一开始下笔就已经考虑到的？

答：当然是下笔之前，进行整体构思时就自觉地确定下来的。

问：现在我们见到了您本人，发现您还年轻，您现在不过四十二岁，1949年中华人民共和国成立前，您还只是个幼童，可是《钟鼓楼》里涉及到不少旧中国老北京的事。您是怎样获得这些素材的？

答：有三个来源。一是查阅资料。二是访问见多识广的老北京。三是同人物原型交朋友，摸具体的身世。查文字资料不难，找老北京积累"耳食"就比较费力了，但最难的还是让人家给你讲他本人、本家族的身世。我这长篇里的几个人物，他本身及他那个家族的身世，都不是我凭空杜撰，而是确有依据的，因此，读者可以当"信史"来读。

问：您所写到的当代生活涉及面也比较广，如婚礼习俗、社交方式、穿着打扮、日用器具、集邮门道、童谣俚语、菜谱饮料、戏曲武术，等等，您是怎样深入到生活中的这各个方面的呢？

答：主要靠以往的生活积累，但为了写好这部长篇，我也用多种方式深入生活，去补充和获取素材。比如为写好有关杏儿的段落，我去京郊农村生活过一段；为写好贯穿于整个长篇的婚宴场面，我隐去作家身份，"混"入到北京市民的婚宴上，从早泡到晚，仔细地加以观察……我觉得我采取的是严格的现实主义的创作态度。

我力求准确而精微地反映生活，给读者留下一个时代一个地区的真实记录。

问：你自己觉得《钟鼓楼》有什么缺陷？

答：每写完一部作品，随着时间的推移，我总是越来越感到遗憾。对《钟鼓楼》恐怕也是这样。现在我已经感觉到上半部文笔不如下半部流畅，上半部又特别是第二段，灵气没有出来，显得很"涩"。此外，开头那一段是后加上去的，因为编辑同志担心一般的读者从薛大娘那样一个老太婆出场往下看，会觉得沉闷，所以建议用那么个开头提一下他们的神。现在已经有几位同行和一些读者给我提出来，这开头的一段完全是"画蛇添角"，主张全部拿掉。我在出书前已参考这些意见作了一些修改，不过，也只能是局部的小改动，已经成型的东西，重搞对我来说几乎是不可能的。

1985 年 1 月 20 日整理于北京劲松东街

《钟鼓楼》的结构与叙述语言的选择

[作者附言]

这封信写在 1984 年夏天，那时《钟鼓楼》刚整理出上半部，不但尚未在《当代》杂志发表，而且还有待于最后的加工。从这封信里，可以看出我当时的心态，以及所考虑的一些问题。此信前半部关于《钟鼓楼》结构的概括，尽管在《钟鼓楼》发表与获奖后，在我自己和一些评论家的文章中都有所论及，但这封信才是我对自己所采取的结构方式的第一次自觉的理性分析。此信后半部关于选择叙述语言方面的思考，此前尚未在发表出的创作谈中涉及。现在发表这封信，意在争取读者和批评家们对我创作的理解，并期待着更多的批评指正。

1986 年 3 月 11 日

骏涛：

你好!

在酷暑中，我正伏案整理长篇《钟鼓楼》，现在已将前十八万字整理完毕，寄给了章仲锷同志，所以能抽空给你写这封信。

我的《钟鼓楼》全作计二十八万字，并不分上、下部，只是因为杂志篇幅有限，不可能一次登完，所以才不得已切割成了两块，将由《当代》杂志在今年第五期先登十八万字，第六期再将后面十万字续完。

　　我以前的中篇《如意》和《立体交叉桥》，都是章仲锷同志任责任编辑，他对我创作中的甘苦和作品中的追求，都有较充分的理解，所以我们的合作一贯很愉快，这回将《钟鼓楼》交给他编，在他和我，也都是一桩快事。

　　我这《钟鼓楼》，是企图向读者展示一幅当代北京市民生活的斑斓画卷，或者说，是企图显示当代北京的社会生态景观。全部场景，就时间而言，基本上都集中在 1982 年 12 月 12 日这天早晨 5 时至下午 5 时的十二个小时（六个时辰）之中，就空间而言，基本上都集中在北京北城钟鼓楼一带——又主要集中在一条胡同的四合院之中和鼓楼前的"地安门外大街"上。书中能给读者留下印象的人物，在三十个左右，上自副部长，下自小流氓，当然，主要还是最普通的售货员、卡车司机、园林工人、厨师、修鞋师傅、搬运工……以及一般的工程师、编辑、教师、大学生、青年翻译……也写到京剧演员、"浪漫女性"、拾破烂的老头、来自农村的姑娘……甚至江青，也作为一个有言有行的人物，被描绘在一段回叙之中。我没有追求戏剧性，绝少悬念与巧合，所以不能以情节取胜，喜欢看故事的读者也许会失望的。但我力图通过文献式的叙述与心理剖析，使读者能对貌似平淡无奇的生活和人物有所发现，促进读者对各种人物的理解和对生活的深入思考。全篇可以说是追求一种生活的自然流动感。乍一听，或许会以为我这东西是信手写来，其实我在结构上是煞费苦心的。从总体构想上说，我采取的是类似中国古典绘画中的那种"散点透视法"，整个长篇的结构不是"穿珠式"、"阶梯式"，而是"花瓣式"，即从一个"花心"出发，生出五个花瓣，再在五个外面生出十个花瓣……或者又可以比喻为"剥橘式"，即将一只橘子（生活）剥开，解剖为一瓣又一瓣的橘肉（个体及个体的生活史），貌似各自离分，却又能吻合为一个整体……当然，任何比喻都不可能是准确的，而且常常会派生出意想不到的副作用，这里不过是随便说说，以期能在你读我那

《钟鼓楼》时，对我的结构方式有更多的理解。

本想将书稿先给你过目，因编辑部催得紧，所以只能是先寄由他们发稿了，前十八万字的清样大约 8 月 10 日可出来，你如有兴趣，或者先向章仲锷同志要一份来读读？我知你忙，需要读的东西很多，但因你对我的创作一贯格外关心，所以迫不及待地希望你能先给看看，并得到你及时的指点——你知道先在杂志上刊登的目的，在于听取各方面的意见，以便再加修改，然后再去出书，无论如何，印成书时应当比杂志上发的磨得更精一点。后十万字我不久即可整理完，离发稿还有一段时间，你如有兴致，无妨在读了前十八万字清样后，再读一下这后十万字的原稿——而原稿在发排前更可作进一步的修改。

说实在的，这《钟鼓楼》虽大体上竣工了，但读者们究竟会有些什么样的反应呢？心中真是惴惴然。它能给读者以有益的启发吗？它能以自己的特点吸引读者吗？它里面哪几个人物能给读者留下较深的印象呢？哪几个场面能引动读者去对世态人生进行思考呢？读者会认为哪些地方是败笔呢？又有哪些地方会引出争议呢？……骏涛，我此刻的心情，你当能理解。过去的封建文人，常感叹"承恩不在貌，教妾若为容！"又或自诩"敢把十指夸针巧，不把双眉画斗长"，但到头来却又不免："妆罢低声问夫婿：画眉深浅入时无？"甚而因为"未谙姑食性"，便"先遣小姑尝"……他们的那种思想境界固不足取，但一个作品拿出去，期望得到读者和批评界理解，除少数所谓文坛"怪杰"外，中外古今绝大多数作者，心情恐怕也还是相通的吧！

这封信除了向你汇报我的创作近况，也还要向你讨教一个问题。那就是——你以为我在创作长篇时，应采取怎样的叙述语言为好？

我故意要在你读到我的长篇之前，先给我一封回信，阐述你的看法。因为你既对当代文坛全貌有所把握，又对我前一阶段的创作有所研究，所以，你的回答一定会对我有所启发。

　　当然，如果你对我的指示，竟与我之采取的叙述语言大相径庭，那么，即使我对你的指示心悦诚服，这部《钟鼓楼》的叙述语言也不可能再加扭转了。但你的宝贵意见，将一定被我采纳到新的创作之中。

　　而且，我希望你在读毕《钟鼓楼》之后，再给我一信，或将有关内容展开于你对《钟鼓楼》的评论文章之中（你答应要写这样一篇文章的），告诉我你对我所采用的叙述语言的印象。这样，一次在读《钟鼓楼》之前，一次在读《钟鼓楼》之后，你两次来讨论我的叙述语言，我想一来不仅对我，而且对别的作者，对读者，也都会有启发的。

　　我现在有点后悔。其实在我动手写《钟鼓楼》之前，就应向你讨教的，但那时你正忙别的，而我对这一问题的自觉重视程度，也还不够。这问题是我在下笔以后，又特别是在修改过程中，才有了高度的自觉性的。当我现在统览修订全稿时，我是以一种既定的方针来把握我这部长篇的叙述语言的。

　　归根结底，小说是由作者用语言叙述出来的。很难想象，一位严肃的小说作者在叙述语言的选择上会采取"无可无不可"的轻率态度。张承志在写《北方的河》以前，曾有过一个甚至可以说是相当艰辛的选择最恰当的叙述语言的过程，在未确定好以什么样的叙述语言来下笔以前，尽管人物、故事、场景、意境、哲理早已烂熟于他的心头，他却决不急于铺开稿纸，轻易落笔。在这一选择过程中他也曾来我处交谈过，并议论到杰克·伦敦的《马丁·伊登》这本书的叙述语言中的某些调式、节奏、情怀、色彩，似乎较能给他的《北方的河》以一定的借鉴和启示。后来他不仅精读了《马丁·伊登》，又精读了若干其他可资借鉴的作品，消化了，产生出自己独有的叙述方式了，这才开始下笔。

　　写作品，一个是源，即生活，它产生出独特的人物、场景、氛围、意境……一个是流，即文学长河中的精品，它提供结构方式、叙述语言及其他具体技巧的范例以资借鉴……这两方面对于作者来说都是不可或缺的。没有"源"而胡编乱造，不问"流"而愚昧粗劣，都不可能写出像样的作品。当然，照搬生活，或依葫芦画瓢地模仿已经存在着的作品，也不是创作的正路。

时下比较常见的叙述语言，大概有以下几种：

抒情性的，或几乎是诗一般的叙述语言。时下几乎各种杂志上都在发表以这种叙述语言铺陈出的中篇，作者以较为年轻的居多。我也曾用类似的叙述语言写过中篇《大眼猫》。这类作品往往从题目起就充满了诗的意味。叙述的过程中无论写景、写貌、写对话，都刻意追求一种诗情诗境，诗歌中的象征，视角变幻、变形、通感、复沓、跳跃性等等手法被大量地引进了这类小说的叙述语言中。总的来说，形式上比较"洋"。

口语化的，如写北京生活，刻意追求所谓"京味儿"。不仅其中的人物满口"京腔"，就是作者的叙述，也取评书式的口吻。创作时可以先期口述录音，再由录音整理出书稿，因此似乎特别适宜于广播。在叙述中较大量地使用方言、俗谚、套话、形声词……以增强民俗色彩和生活气息。以这类叙述语言取胜的作品目前已经不少。

书面化的，接近某些翻译小说行文方式的叙述语言，例如傅雷译巴尔扎克小说及《约翰·克利斯朵夫》，以及汝龙译契诃夫小说，其叙述语言的风格显然对我国广大小说作者有着不可低估的潜移默化的影响，就是苏联老一辈的作家巴乌斯托乌斯基，较新一辈的作家艾特马托夫，他们作品的译本的叙述语言，也常可在我们现时刊物上的小说中发现投影。中外文化交流的过程中，双方思维方式、表达方式、包括小说语言的叙述方式的互相渗透，是很自然的事。我倒并不以为"翻译式的语言"一定为"崇洋媚外"的产物，或一定就比全部采取口语的"国粹式语言"低下，关键还在于使用得是否得当，是否有利于表达内容。

简约式的，或干脆称为"海明威式"的，时下也颇流行。因为海明威那将作品喻为"冰山",应十分之七藏于海平面之下,仅应将十分之三展现于海平面之上的著名论断,令一批作者折服,因而在我们的文学百花园中,以这种叙述语言写成的作品也开始出现并引人注目。有的更糅进福克纳式的冷峻,或掺入较大量的意识流技巧,在简约中又派生出多层次、多侧面、多含意的内涵效果。

客观报道式的,甚而刻意追求一种公文式的、文献式的风格,不以外在的抒情、藻饰、修辞手段、技能技巧取胜,而以叙述语言的冷静、诚实、精确入微给予读者一种特殊的感受。西德作家伯尔,他的中篇《被损坏了名誉的卡塔琳娜·勃罗姆》、长篇《莱尼和他们》(即《同一位妇女的合影》),就都使用了这样一种叙述语言,他的另一长篇《小丑之见》在这种冷静、客观、精确的叙述中又渗入了冷嘲和自我解剖,似乎效果更佳。这种叙述语言因为摒除了可以讨巧和藏拙的花招,因而使用起来难度更大。中国的所谓"白描",庶几与此相近,但也还有所不同:"白描"毕竟还要细线勾勒,而这种叙述语言却更接近于黑白木刻,往往并不借助于"线条"而仅凭黑白色块的对比,去取得独特的效果。中国作家中,我以为林斤澜和高晓声的某些(不是全部)短篇,叙述语言上颇有这种意味,前者如他的《姐妹》,后者如他的《买卖》(似乎都未受到应有的重视),都是以这种叙述语言出之而功力很深的作品。中国过去评论文学作品有"史笔"的赞语,他们的这两篇作品虽是写小人物、小事件,却偏用了"史笔",读来很有嚼头。不过,总的来说,这种叙述语言对于时下的广大读者来说,似乎还缺乏吸引力。

当然,也还有其他种种风格的叙述语言。现在,我要反映当代北京市民的生活,展示当代北京的社会生态群落,目的偏重于使作品具有认识价值——促使人们更能理解周围的人、周围的事。我没有直接写政治,写改革,写重大的社会矛盾,但又刻意从每一个细节中流泻出时代的政治脉搏、改革的气氛、溶解在心理冲突中的社会重大矛盾……以期能使

读者产生出一种庄重的历史感和命运感，那么，我选取哪一种叙述语言
更为恰当呢？或者应以哪一种为主，又糅合进哪几种的因素，才能有较
好的效果呢？

　　期待你的回信！

　　祝

　　夏安！

刘心武

1984 年 7 月 11 日

关于《风过耳》

新出版了一本长篇小说《风过耳》,本不想说什么。但连日来朋友们电话很多,今天好几个电话提出的问题不能不答——《文汇报》9月2日《文艺百家》版刊出的丹晨那篇《新儒林的病态》,评你的长篇小说《风过耳》,你新出的长篇究竟叫《风过瓦》还是叫《风过耳》?

现借《文汇报》一角郑重回答:丹晨那篇文章副标题和文内的书名都错了,想是丹晨和我一样仍未用电脑写作,故而,"刀耕火种"出来的字便不甚规整,兼以丹晨硬笔书法颇帅,把"耳"都写得很像"瓦"字,导致了误排误印。我那由中国青年出版社1992年6月出第1版的长篇小说叫《风过耳》,香港的勤+缘出版社亦同时推出了第一版。因为我没有及时将书寄给《文汇报》的编辑,编辑又出于对丹晨的信任和对我的鼓励之情,刊出时印错了书名,我以为难为情的应该是我。我知道编书评稿时一般总是要看过或至少翻过那书才能拍板的。这回《文汇报》编辑未见我书而发出评论,我想此多半缘于至少有两份报纸在此前刊出了《京城文化圈争读刘心武新长篇》的消息。

我近来几乎整日坐在家里为另一部长篇小说《四牌楼》收尾,所以实在无从判断《风过耳》是否已被荣幸地"争读",当然与此书相关的电话确实是多了一些,包括海外打来的,以及某些并不熟识的人不知从哪儿问出号码打来的。

许多人问我为什么要写这样一部如丹晨所说的"新儒林外史"?老实说我说

不大清。去年我觉得胸臆中有一种梗胀，后来化为了一些感悟，产生出一种心情，形成了一种铺纸提笔的态势，于是乎一口气写成这么部二十万字出头的长篇。反正并不是有人比如说什么"叔叔"命令动员我催促我，我为了完成个什么任务达到个什么明确目的，才去炮制的。我写这《风过耳》以及写别的短、中、长篇小说乃至写《新民晚报》上那种只有一二百字的《人生一瞬》，都无非出于三个目的：一是写作乃是我生命本体的基本存在方式，我在写作中得到一种大快乐，我想写又还有条件写，所以便写；二是写作是我参与社会文化的一种方式，我写出来的东西大多争取能够公开发表，即面向读者，那么我当然希望能对读者产生一些我以为是好的感应，倘读者以为我写得不好，能反馈于我，只要不是因此给我定罪置我于不能再写的境地，我当然都欢迎；三是"著书都为稻粱谋"。对于自己卖出的文稿我并不敢企望得到读者特别是评论家的厚爱，"争读"更越来越无此向往。《风过耳》甫出便有"争读"之说便有评论出现，我想或许是运气所致吧！

　　问得最多的问题是：小说中的角色是否都有具体的模特儿？比如说书中三位"文化人"匡二秋、宫自悦、鲍管谊，那模特儿究竟是谁？有的提问者还举出具体的活人让我对之表态。这令我十分尴尬又哑然失笑。据说有人频频向评论家宣告，他写出的好几万字的小说，"只是针对一个人的"。我完全不理解此种"创作"路数。因为我想仅仅针对一个人的话，一张小字报、一封匿名信、一篇批判稿、一份"小报告"也就足够了，甚至写一首四行的打油诗便可将其"骂倒"，又何劳孜孜地写成几万字的小说呢？我写的小说情节是虚构的，书中的角色是力图塑成艺术形象的，典型不典型不敢说，但总希望能不致产生出那样的误会，便是我这《风过耳》是大型的报告文学或"新新闻主义"的纪实作品。至于读者在阅读过程中，用其做镜，觉得照出了熟人乃至自己的影子，派定别人或自己对号入座，那现象应由评论家用"接受美学"或别的什么理论加以解释，我自己除了觉得有趣之外，实在无话可说。

1992 年 9 月 20 日

《树与林同在》新版后记

　　这本书1999年春天问世后，未能畅销，却引出了一系列很特殊的反响。

　　书里写到的任众，在一定的社会圈子里，成为了名人。不少读了这本书的人士，特别去往北京北海公园的五龙亭，去听聚集在那里的歌友唱歌，一睹任众的风采，拿着自己买的书，请任众签名。这现象一直延续到这个第二版问世之前，估计随着第二版的发行，会有更多读者喜欢上任众这条汉子——尽管他已经年过七十了。

　　书里最后写到，任众计划到美国，去和他第三任妻子团聚，从此翻开在异国他乡定居的人生新篇章。现在要告诉大家的是，他改变了想法，又一次好说好散，留在了北京燕丹村。我曾问任众：是不是因为这本书的出版，导致了你们的离异？他说不是，并详细告诉了我他的心路历程和具体情况。总体而言，他发现自己这棵树不可能把根拔掉，移栽到别处了，而已经移栽他乡并成活得很好的那棵树，也不可能再一次移栽，到头来，只能是各自把根深扎到已经栽进的土地，让岁月的风，吹拂生命的枝叶，隔着太平洋，互送祝福。

　　人有人的命运，书有书的命运。当1999年这本书面世的时候，我真的希望它能发行得更多一些，那绝不是从经济效益出发，而是因为，这本书里实在是饱含着血泪，浓缩着感悟，我写得非常认真，出版社也编印制作得非常精心，真希望能有更多的人，来买这本书，读这本书。这本书也不仅是写任众，它实际上由三条线索组成，第一条线索是写任众的命运，任众和我在一个共同的空间——清朝的涛贝勒府，后来的辅仁中学，再后来的北京十三中学——里生活过，虽然我们并没在同一时间段里相遇；任众后来与遇罗克一家成为邻居，而我和遇罗克又在同一时间段里，在同一空间——北京六十五中——生活过，只是同届不同班，没有来往；于是书里延伸出另外另条线索：遇罗克一家的故事，还有我在"文革"中的遭遇，书里关于"文革"中"红卫兵"的形成过程，我提供了亲自目击感受的第一手资料，光是这一部分，这本书也应该受到重视啊。但是，这本书尽管在一定的社会圈子里受到欢迎，却只印行了一万册，没能发行得更多。

可是，这本书也有它的特殊效应。遇罗克的弟弟遇罗文，受到这本书的启发，写出了《我家》，在海内外都赢得了读者。遇罗文现在已定居美国。

"墙内开花墙外香"。这本书出版后，很快引起了法国方面一些人士的看重。1999年前后，担任法国驻北京大使馆文化专员的戴鹤白（Roger Darrobers）读到它，非常感动，决定翻译。大家知道，中文书翻译为西文书，篇幅一般会胀出四分之一甚至三分之一，这本书里又附有大量图片，法译本如果出来，会非常厚，成本会很高，是否会有法国读者买它读它，风险很大。但是，巴黎一家小出版社还是决定出版《树与林同在》的法译本。戴鹤白那时候白天上班，晚上回到家里，每天翻译一两页，细水长流，持之以恒，终于译完，又从头修正、润色，使一个完整的法译本，在2002年于巴黎由安博兰女士的"中国蓝"出版社推出。法译本出来后，法国影响最大的报纸《世界报》《解放报》和几个杂志都刊登出了评介文章，除了介绍书的内容，指出读它可以通过几个独立生命的故事，了解中国半个多世纪来的社会变迁外，还特别指出译笔的精彩，认为是把中文转化为了异常优美的法文，读起来非常舒服，这当然是我最大的运气，能遇到戴鹤白这样的知音，这样优秀的中译法的翻译家。戴鹤白在翻译了《树与林同在》后，又接连翻译了我的四个作品：《护城河边的灰姑娘》《尘与汗》《人面鱼》《蓝夜叉》，创造了西方国家在短时间里以一个语种密集翻译出版同一个中国作家作品的新纪录。2004年春天我应邀去参加法国举办的"中国文化年"当中的"巴黎图书沙龙"活动，现场签售自己的五本书（其中《如意》和《老舍之死》是另两位译者译的，那时

《蓝夜叉》还没出版),《树与林同在》和描写外地民工的北京艰难生存的《尘与汗》
售出得最多。

我和戴鹤白缘分不浅。但是任众与他的缘分似乎更深。戴鹤白是带着感情
翻译这本书的。译完全书以后,他才见到任众,一见如故。他同情任众,理解
任众,2004年秋天,他和安博兰邀请任众到法国访问,邀请一本书的作者访问,
是司空见惯的事,邀请一本纪实性作品里写到的人物访问,这在翻译界和出版
界是不多见的,更何况任众只是中国的一个无地位无名分的小人物。我为任众
高兴。任众到了巴黎,戴鹤白给他安排了住处,请他到自己家里就餐,那时戴
鹤白已经结束了驻北京使馆的工作,到巴黎第十大学任教,工作非常忙碌,家
里又有四个还很小的孩子,家务事也必须与妻子分担,但是戴鹤白一有空闲,
就陪任众畅游巴黎。也许,是戴鹤白通过翻译这本书,深切地感受到任众在青
年和中年所遭受到的无辜摧残与坎坷遭际,觉得通过请他晚年到巴黎一游,能
多少给他一些补偿和慰藉吧。

任众现在安静地生活在燕丹村。我比任众小八岁,但也渐入老年,也越来越
喜欢安静。对别人无所求,对自己不苛刻,让生命之树在茂盛的民族之林里,成
为一道朴素的风景。这本书在初版七年后,终于能够再版,我感到欣慰,我期盼
它能获得更多的读者,但也不抱过多的奢望。一切事物都有缘分在内,而缘分是
强求不来的。

我们都是一棵树。树与林同在。让我们的枝叶互相披拂,在岁月的风雨中,
互相传递善意与和解、理解与宽容。

2006年2月21日温榆斋

在台湾寻找知音——《四牌楼》台湾版序

1994年元月,当我一个人漫步在台北仁爱路的时候,有一种如梦如幻的感觉。

我于1942年生于四川重庆,父亲在1949年时是重庆海关的一个高级职员,并且在重庆飞机场值勤,那时候,他如果想带着全家飞往台湾,不是一桩难事,但他作出了留下的抉择,后来,在1950年,他被留用,再后来,重庆海关撤销,他调往北京供职,全家随往,我那一年八岁,从那以后,虽然我的父母兄姊都不能永留北京,我却一直在北京定居下来,娶妻生子,成了一个地道的北京人,我和妻子结婚后得知,1949年时,她父亲已拿到全家飞台北的机票,但在最后一分钟却放弃了那机票,留在了大陆,我们感谢双方父母的抉择,使我们两个本不相关的个体生命,得以在同样的人文环境中长大成人,并有了邂逅相恋和结为夫妻的可能。

我从小到大,直到进入九十年代,不曾设想过到台北逛街,虽说"人是地行仙",我到30多岁以后,真是去了不少地方,包括比台湾还要靠南的香港、海南岛,以及外方的纽约、巴黎、东京、斯德哥尔摩、布加勒斯特等都市,可是,在意识深处,台湾是一个去不得的地方,当然也并不感到怎样遗憾,总之,直到我在1993年10月接到台湾中国时报人间副刊的邀请,邀我参加"从四十年代到九十年代——两岸三边华文小说研讨会",我向有关部门递交了赴会申请时,我也还是不能确信,我可以在台北的街市上游逛。

　　而我却终于成行,我深感这是时代、社会、群体、他人的经线,与机遇、个
人努力的纬线,相交织而成的一匹"命运锦缎",我所谓如梦如幻的感觉,升华之后,
便是一种浓酽的命运感。

　　随着两岸交往的日渐频密,各种往返后的感想都出现了,其中有一种感慨经
常能够听到,就是其实两边很相似,并不像原来所设想的那么大相径庭,而大陆
尤其是越来越像台湾了,我乍到台北,也有此感,但很快我就意识到,这种感觉
虽不能说是完全的错觉,也恐怕是未能真正深入的皮毛之见,倘若能与台湾的知
识分子作小规模特别是一对一的促膝谈,那就反会惊悚地得知,两岸人的心路历
程,实在相异,个体生命在不同的人文环境中,被雕刻成了差别很大的社会元素,
因此,并不是随着时间的推移,两岸的心灵就能以融洽相处的,还需要认认真真
地作深入细致的交流沟通,方能引渠成溪,溪流入川,百川汇海,达到心心相知
相谅相携相亲的境界。

　　在中国时报人间副刊举办的研讨会上,我的感受之一,就是两岸的作家和读
者,通过读对岸小说家的小说,可以一定程度地起到促膝交流的作用,这作用,
主要还不在从小说里去了解岸那边人家的生活情态、社会变迁、人情世故、悲欢
离合,而是能从中体验到岸那边人心灵中涌动着的种种潜语,有不能相通更难以
认同的,却一定有更多在相激相荡中终至战栗着拥抱乃至同声哭笑的!这个世纪
以来,我们这个民族,从赫赫有名的人物,到默默无闻的芸芸众生,哪一位活得
容易?!特别是蚂蚁般生灭着的小人物,他们的个体生存,在惊心动魄的时代热
焰滚汤中,是怎样地艰辛!而凡庸之辈的中国百姓,又怎样地汇聚成了民族的脊
梁,支撑着两岸的华人社会,在世界的民族之林里奋争!

　　这本《四牌楼》,是我的第四部长篇小说,在大陆出版的小说封面上,印有
四句话:"对清白灵魂的大拷问,对离合生死的大彻悟,对芸芸众生的大悲悯,对
极左路线的大控诉。"从最后一句可知,我这部小说并不回避政治,实际上也很
难回避,因为我是企图通过本世纪以来,一个家族及相关人士的四代人的不同命
运、不同心路,来探讨人性的奥秘,而这些被我无情解剖乃至严酷拷问的无辜、

清白的灵魂，他们在本世纪的时空里，作为中国人，都无可缩逃于政治，因此叙述他们的个体生命史时，虽立足于他们的感情史、心灵史、心路轨迹，却不能不涉及他们对政治的卷入，或政治对他们的浸蚀与卷挟，当然我也写了若干个体生命如何拥抱政治或遁离政治，但归根到底，我的兴趣不在政治评价，我还是希望我能与所有的读者——两岸，甚至更多地方的——超越政治的、社会的、道德的、伦理的以及一般心理学范畴的坐标，透过这些人物的生死歌哭，去享受终极思考那酸楚而又甜蜜的乐趣：我是谁？谁是我？他（她）是谁？个体生存的意义，究竟是什么？个体与他人与群体在无可避免的差异乃至冲突中，如何求得和谐？所谓幸福和成功的真谛究竟是什么？……大陆有评论家说我这部小说有一种苍凉的调式，而在这个越来越变得"一切都无所谓"即"平面化""浅薄化""功利化"的"后现代"时空里，沉甸甸的苍凉感，难道不是一种很金贵的东西吗？我相信仍会有那样一些读者，他们在精神上是情愿奢侈的。

是的，现在不仅是中国，不仅是"两岸三边"，就全世界而言，严肃文学，或称为雅文学，或称为纯文学，都已成为少数"精神贵族"的"奢侈品"了，所以又被称作"小众文学"，我写《四牌楼》便自觉地将其定位于"严雅纯"，贡献给仍想在文学中过一把人性探索之瘾的"小众"，我和这些"小众"朋友当然都懂得，这个对人性奥秘的探索，是永无得到终结性答案时候的，但我们的每一次探索，都有可能往前推进一步，这也就令我们产生一个信念："严雅纯"的小说是不会灭的，而随着社会生活的发展，当群体无意识对粗糙浅薄的"大众文化"感到厌倦时，说不定这"小众"的数目，也会膨胀起来，尽管总合起来比算还一定是少数。

我感谢幼狮文化事业公司，特别是总编辑陈信元君，将我这部长篇小说出版、推荐给台湾的读者，在中国时报举办的研讨会上，信元是作为我创作的评议者出场的，我惊异于他对我创作的熟悉与理解，他概括这本书是"通过蒋氏家族及与之相关的社会群体，揭示二十世纪知识分子遭遇的生存困境，以及在历史嬗递过程中边缘化的迹象……"，同时指出我"并不仅只是在探索知识分子的命运……

也冷静地审视、解析人性，以悲天悯人的情怀，追寻个体生命深层价值和全人类的生存意义"。我和信元此前并不相识，而且他比我小十一岁，我们的生命本是在不同的时空里燃烧，按说我们之间有不止一道"海峡"，跨越融通谈何容易，但我们却一见如故，这里面除了缘分，恐怕也证明着两岸的无数心灵，都有一种特殊的感应力存在。

　　像在台北仁爱路漫步时一样，我把微笑渡给台北人时，他们也把微笑很自然地渡给我，我相信这在北京搭建的《四牌楼》，在台湾也一定能有知音。

1994 年 4 月 12 日北京绿叶居

《绿叶与黄金》后记

1979年，中国青年出版社为我出版了我的第一个短篇小说集，收入《班主任》等十二篇作品；在此以后，我又陆陆续续写出了一些新的习作，现在广东人民出版社出于对我的鼓励，给我提供了再一次结集的机会，令我十分感激。

收入这个集子里的九个短篇，大都是1979年春至1980年春写出的，分别在《人民文学》、《人民日报》等报刊上发表过；小中篇《如意》是我最新的尝试，收入此集前，先发表于《十月》双月刊。编完这个集子以后，心情是很复杂的。一方面惭愧，因为自己进步太慢；另一方面欣慰，因为在思想解放的时代潮流推动下，我毕竟可以如此这般地进行各种尝试；同时也不免惶恐，我的这些尝试，比如《如意》所踩出的步子，读者们和批评家们会作出怎样的评判呢？

最近一个时期，人们议论得最多的是文艺作品的社会效果问题。我以为，就作者来说，他是应当自觉地考虑社会效果的，不仅应当从"我打算形成怎样的好的社会效果"这个角度考虑，而且也应当从"注意不要无形中造成不好的社会效果"这个角度考虑，因为我们必须对祖国对人民负责，以我们的笔，来净化与丰富整个民族的精神世界，从而推动整个民族在科学社会主义的大道上，走向繁荣富强。但是，就批评家来说，我以为当他谈及具体作品的社会效果时，最好能多听听广大读者的反应，认真切实地进行一些调查研究，并且往往还需要等待一段时间，尽可能站得高些、看得远些，然后再作出科学的论断，切不可凭主观想象，凭道听途说，急躁轻率地下"社会效果不好"这样的结论。至于领导文艺工作的同志，我以为就更需慎重与宽容。否则，本来是自觉地顾及社会效果的作者，其创作情绪也会受到伤害的。

就我自己而言，我选择了这样一条路子——正如前辈文艺批评家冯牧同志指出并予以鼓励的那样——尽可能既"切中时弊"也"切中时利"。对于暴露生活中确实存在的阴暗面，我是毫不动摇的，不怕有人扣我以"缺德"的帽子；但是对于歌颂生活中确实存在的光明与希望，我也是坚定不移的。我认为，在最困难的境遇中也总能找到希望的火种，在似乎是最"卑污"的小人物身上也有可能开掘出精神的黄金，只要我们真诚而坦率，乐观而团结，让每一片绿叶都能畅快地发挥它的光合作用，我们民族的大树定能挺拔茁壮、高耸入云。

回顾自己在创作道路上的脚印，留下的是"之"字形的轨迹。从去年春天到今年春天这一年里，我进行了几种尝试。《我爱每一片绿叶》、《这里有黄金》和《没工夫叹息》，这三篇下工夫较多，但是它们在反映生活的角度、刻画人物的偏重，以及表现方式的尝试上，都是各不相同的。《楼梯拐弯》试用第二人称贯串，《神秘的姑娘》实际上是小说式的杂文。还有似乎与我以往作品大不相同的小中篇《如意》，触及到了一个很敏感很"危险"的问题，那是我经过长期激动而深入的思考的一个产物。到目前为止，我的视野还是比较狭窄的，因此我采取了"打深井"的方法，我尽可能从平淡无奇的生活场景、渺小平凡的"小人物"身上，去勘探出有价值的东西，去揭示出灵魂深处的隐秘。当然，我这些尝试的质量是参差不齐的，有的或许略称成功，如《我爱每一片绿叶》，在1979年优秀短篇小说评奖中获奖，有的则可能是完全失败的。不过，差堪自慰的是我没有违背自己的良心与信念，不论是在《这里有黄金》中触及到的阴暗面，还是在《没工夫叹息》中所讴歌的光明，都是本着我的所见所闻所感所信，怀着一种对祖国对人民的责任感，带着激情写出来的。行进的轨迹虽是"之"字，自信总的方向还是正确的，所以打算坚持下去，并决心努力补充生

活积累、提高艺术修养、钻研写作技巧，争取今后的前进轨迹比"之"字的弯
儿略小一些。

我期待着广大读者和批评家们更多的指教！

1980 年 7 月 18 日

《到远处去发信》后记

　　见到我的体型，听到我的语音，有的人总以为我是北方人。其实，我是地地道道的四川人。我的祖籍，是现属内江地区的安岳县。我生在成都，长在重庆。亲爱的故乡，用她那营养丰富的乳汁滋养了我。收在这个集子里的小中篇《嘉陵江流进血管》，虽然是虚构的小说，那浸透其中的对故乡的感情，却是确凿发自我内心的。

　　今年春季重返故乡，得到了乡亲们盛情的接待。我有机会深入到故乡的农村、工厂，也观赏了许多名胜古迹。给我留下最深刻印象的，首先是大足的石刻。在大足宝顶摩崖石刻的"牧牛道场"前，我久久地伫望着那一组牧童形象，那是八百多年前，故乡一些默默无闻的石工，将他们对劳动的赞赏、对美好生活的向往，熔铸进去而创造出来的。整个大足的石刻，应当说都是精美瑰丽的，北山的数珠手观音，宝顶的千手观音和释迦涅槃像，都曾使我一瞥之中灵魂便为之一震，然而震过之后仍能久久地牵系着我的感情，使我不得不遐想翩翩的，还是那些仿佛就要从石崖上跳下来的牧童……这究竟是为什么呢？当我编着这本小说集时，我忽然悟出，也许，是因为我的气质，更易于同那些普普通通、默默无闻而终日辛勤劳动的"小人物"沟通情感吧。我真希望自己的艺术功力，有一天能达到于故乡那些早已湮灭无闻的石匠们的十分之一，从而再写《到远处去发信》、《八十六颗星星》这类作品时，能对读者的心灵起更有力的净化作用。

当然，对大足石刻的激赏，并没有使我忘记，我们祖国的历史已经进入一个崭新的阶段，新的生活，新的人物，新的矛盾，新的进展，需要我们新一代的作者，去努力传达出时代的脉搏、历史的足音。回乡的行程中，给我留下更其深刻印象的，是宜宾化工厂。当我进入该厂区时，不禁吃惊了，在巨大的厂房之间，是一座座互相连接的小花园。高大的无花果树舒展着浓绿的枝叶，枝丫间耸出拳头般大的饱含浆液的果实，花圃里各色繁花盛开，镶成了一块块缤纷的彩毯；这里是布局巧妙的金鱼池，那边是檐角高翘的凉亭，远处的喷泉喷溅着晶莹的水柱，近处的树荫中传出叽喳的鸟鸣……这是在"四人帮"时最有名的"重灾区"里；是在一贯与"破坏生态"几乎画上等号的化工厂中；是在一度到处呈现着脏、乱、差状态的地方。毋庸罗列枯燥的数字、烦琐的事例，只看一个场面就够了：轮休日，工人们不是到厂外的什么地方去消遣，而是打扮得整齐漂亮，带着老人与孩子，携着照相机，到厂区的花园里来游览、拍照！八百多年前的那些宝顶石工，他们把美留给了后人，自己却在苦难中耗尽了他们卑微的生命；八百年后的这些宜宾劳动者，他们迅速地治愈着"四人帮"所带来的创伤，乐观地扭转着历史一时曲折所造成的混乱局面，豪迈而自信地开创着向社会主义现代化——高度的物质文明和精神文明进军的新局面，他们创造着生活中的美，也享受着生活中的美，这是多么动人的情景！难道我不应当用自己的笔，来为新的时代、新的人物服务吗？

所以，我既应当从自己固有的气质出发，也应当到沸腾的生活中，到人民群众中，去丰富和发展自己的气质。

这就是我在编这个新的小说集时，萦怀于心的思绪和愿望。这里所收的十六篇小说（两个中篇，十四个短篇），除了《最后一只玉鸟》是 1980 年写的，其余都是 1981 年秋天到 1982 年秋天的作品。我在继续探索，试图向读者提供更多样的人物，更多样的生活图景，更多样的观察和思考角度，以及更多样的表现形式。我希望读者们能把这些小说当做互相补充的一个组合来看，比如，把《酒泉姑妈》和《公路旁的仙女》合在一起，把《八十六颗星星》同《奶嘴儿》合在一起，把《黑墙》和《老人纠察线》合在一起，来加以思考，那就一定更能了解我的苦心。我热切地盼望着亲爱的读者，特别是乡亲们，对我的创作继续给予批评和指导。

我怀着一种特殊的感情，感谢四川人民出版社给我提供了这样一个结集的机会，我一定要努力提高自己，争取今后能拿出更好的作品，献给故乡，献给祖国。

1982 年 10 月 21 日于北京沙板庄

《垂柳集》后记

文学，是人生中的一片绿荫。

人们总是在屋子里或树荫下阅读文学作品。

战士在同敌人对射、肉搏的时候，他是顾不上文学的，然而一旦行军和战斗间歇的时候，他很可能会坐到阴凉的地方，从衣兜里掏出沾满硝烟气味的文学书籍，读上一段。

我从小就酷爱文学。我有幸在和平的环境中长大。我不但能在绿荫下阅读文学作品，而且还在绿荫下学习着创作。阅读和写作，成了我生活中重要的组成部分。我是从练习写短小的散文随笔开始尝试创作的。尽管我现在以写小说为主，只要有所感，我仍常写些散文随笔乃至评论一类的文章。

这个散文随笔集，选入了我1959年至1983年所写的一些文章。因为这些文章大多写在我曾居住过的柳荫街和现在所住的垂杨柳地区，故题为《垂柳集》；当然，也包含着我在垂柳的绿荫中渐渐接近文学之门的意思。

我是一只笨鸟，飞得较早，但进步很慢。不过我不灰心。既然有翅膀，又时逢春光明媚，我要继续努力地学飞。

这个集子本在1982年夏天已编就，冰心老前辈逐篇读过后，热情地给写了序。后因故没有及时发排。现在陕西人民出版社给予支持，使它能尽快同读者见面，使我非常感激。因从那时以来我又陆续发表了一些这类文字，所以整理书稿时，我删除了几篇"少作"，加进了 1982 年秋天以来的若干篇新作，考虑到冰心老前辈的高龄和身体条件，新增加的文字没有麻烦她再予审阅，这是必须向读者说明的。

冰心老前辈对我各方面都非常关心，也屡屡问起过我这小小的集子是否已经排印。由于我前些时到法国访问，有一段时间没有去看望她，也没给她写信。从法国归来后，我给她寄去了一张巴黎卢浮宫的照片，并告诉她我的近况。她接信后立即回信说："得来信，十分高兴。怪道许久不得你消息，原来你逛巴黎去了！1937 年春，我在那里住了一百天。你注意到卢浮宫博物馆门前大圆坛内的四色郁金香吗？……"我去巴黎时届冬令，卢浮宫前大圆坛内暂时无花，但我获得的印象有如四色郁金香般鲜明。为感念冰心老前辈对我这后生晚辈的关怀指导，我把新写成的《巴黎鳞爪》也收入了这个集子。

我确实是一只笨鸟，但我愿很真诚地往高处飞。在前辈的关怀指引下，在读者的鼓励督促中，我该能变得聪明些，飞得好些吧？

1984 年 1 月 5 日于北京垂杨柳

《巴黎郁金香》后记

1983 年年底的法国之行，比 1979 年夏的罗马尼亚之行与 1981 年春的日本之行，给我留下了更其丰富而深刻的印象，因为这回我既不是参加政府间的文化交流活动，也不是应独家文化机构的邀请而按一个固定的日程行止，说来有点好笑——我是参加一个电影代表团去的，尽管我在电影方面实际上毫无建树，到目前为止，我统共只参与编写过一个电影剧本，就是把我自己的中篇小说《如意》搬上银幕，但电影《如意》如果是成功的，那首先得归功于摄制组，特别是导演黄健中，我本是不配代表电影《如意》出去参加电影节的，但机缘凑拍，我竟去了法国，参加了"三大洲电影节"即"南特电影节"的活动。这个电影节虽有官方的支持，但其性质却是一种民间的文化活动，它虽也向参加者发送日程表和一大叠各种酒会的请帖，但并不设专人接待陪伴，活动可以自由选择；这样虽然在食、行方面增添了一些麻烦，但也带来了很大的好处——就是我可以充分地根据自己的意愿安排时间，尽可能地多观察、多接触、多询问、多了解法国社会的各个方面；特别是在巴黎期间，因为我的身份是中国作家，因此除了法国电影界以外，又同法国的其他文化界人士有较多的接触，我还有意地把接触面展拓到一般的法国人和各种不同职业的华侨，这样，当我回到北京以后，胸中便仿佛形成了一个含量颇丰的蓄水池，"闸门"一旦打开，便汨汨奔流不止，于是一口气写下了这许多篇访法随笔。

　　我不想仅是向读者泛泛地介绍法国的名胜古迹，也不想仅是一般化地揭示中法两国人民的友谊，我试图把所见和所闻所感所思有机地交融起来，尽量写得生动活泼、引人入胜，并且引导读者在了解法国的风土人情的同时，能够思考一些问题。当然，限于自己的水平和能力，主观上的这种追求末必能产生出相应的效果。在对一些问题的分析上，可能还有偏颇和错误。这些，都盼得到读者的批评指正。

　　由于现代化交通工具的不断更新发展，我们的地球似乎变得越来越小，过去我们觉得极其遥远的法国，现在坐飞机去只不过需要十八个小时，如果扣除北京和巴黎之间的时差，那真有"朝发夕至"的感觉。在这样一种情况下，我们更必须打破"闭关锁国"的狭隘观念，努力增进对国门以外的世界的了解。既要有宏观的了解，也要有微观的了解，并且要争取做到"面面观"。

　　愿这本小册子，能使读者获得一些关于法国的虽然零碎却颇新颖的信息，无论是在树荫下展读，还是倚在枕上"卧游"，都能感到愉快，并能由此推想开去——一个稳定而富强的中国，她必须敞开自己的窗扉。

1984 年 4 月 2 日于北京劲松

《木变石戒指》后记

　　这个集子里所收的前八篇作品，是我 1984 年至 1985 年所写的短、中篇小说。其中《5·19 长镜头》和《公共汽车咏叹调》是两篇纪实小说，反响比较强烈；特别是《公共汽车咏叹调》，恰好发表在我的长篇《钟鼓楼》获得第二届茅盾文学奖之后，经有的报纸转载和宣传，一时间显得挺热闹的。

　　其实，进入八十年代以后，我的创作虽然始终没有中断，但很经历了几年的寂寞。这个集子里所收的如《巴黎长生不老药》，如《木变石戒指》，在我自己来说，都是努力工作的结晶，凝聚着这几年里我对世态人心的考察与思索，也体现着我的美学趣味与文学追求，但除了少数朋友给予过鼓励外，简直就没有什么反响。

　　热闹的，为什么热闹？寂寞的，为什么寂寞？我正琢磨着。也盼读者们和批评家们有以教我。

　　热闹的也好，寂寞的也好，都是我精血的产物。我对它们的情感，大体上是一样的。也许恰如一位慈母，更易给不引人称赞的儿女以爱抚与慰藉吧，我对自己那些在寂寞中存在着的样品，多少有一点点偏爱。加以也有几位朋友怂恿，于是我这个集子里不仅收入了 1984 年到 1985 年的寂寞之作，也另收了四篇 1980 年到 1983 年的寂寞之作——其实它们的可品味性，并不比我那些热闹之作为低，至少我自己这样认为。再有，我也想提请读者们和批评家们注意，我的热闹之作与寂寞之作，是一脉相通、互为补充的。

　　当然，我的这些作品，寂寞的也好，热闹的也好，都还存在着这样那样的弱点与缺点，我恳切地期待着严格的批评。

　　我从寂寞中来，我还要到寂寞中去。我的信条是只问耕耘，不问收获。我期待并呼唤着理解与爱。

1986 年 1 月 6 日于北京绿叶居

《斜坡文谈》后记

有时候想起来，真有点好笑，我这么个人也成了作家，而且不光好意思去写那自以为是小说的东西，还煞有介事地写出了若干谈自己和别人作品的文章，乃至于一直斗胆议论到"文学本性"这样的问题。

这样想下去，又不免深感幸运。自己实在是赶上了好时候。人生在世，想立一番事业的居多，但事业上的进展，光靠主观努力往往并不能奏效，机遇实在是不可或缺的因素。我从小就热爱文学，幻想当个作家，现在居然当成了，实在是一半靠着摸索，一半凭着机遇。

对个人来说，机遇更多地体现着偶然性。但从社会来说，它向社会成员提供着什么样的机遇，应当说是更多地体现出必然性。

偶然是必然的呈现方式。必然由无数的偶然汇聚而成。因此，我虽然是偶然地成为了一个作家，但既然成了所谓作家，那么，所写的一些作品，以及谈作品的一些文章，还有谈什么文学本性的篇什，总多少具有一点价值吧——至少可供人们在了解、研究一个阶段的文学运动时，当做虽然可无但也无妨可有的一种参考资料。

自1976年10月以后所开始形成的文学运动，约定俗成地被称为"新时期文学"，这个"新时期"到此书印成时，肯定已满了第十个年头。"新时期文学"的第一个潮头是"伤痕文学"，我的《班主任》是被公认出现得最早并引起强烈反响的一篇。现在回过头去看,我一方面敝帚自珍,一方面也不禁发愣:这样粗糙、直露的东西,竟也能成为一种文学浪潮的代表作,并引我顺利地进入文坛吗?

回首这十来年,禁不住感慨万千。真是"两岸猿声啼不住,轻舟已过万重山"。文学运动的发展速度之快、变幻衍化之奇、新陈嬗递之猛,恐怕都是空前的。这当然是国家兴旺的盛世景象。但对我们每一个从事写作的人来说,却带来了随时都可能落伍和衰退的危机。

危机同机遇的含意其实差不多。危机的含意无非宽阔了一些。危机就是危险和机会。面临危险其实并不一定是坏事。为摆脱危险,人就得奋斗,而且不能瞎斗,得想出最合乎客观规律的办法,扎扎实实地努力,这就带来了活力,最终也就有可能迎上机会,从而跃入一个新的境界。

我自发表《班主任》后,一直有种危机感。我觉得自己是在一个斜坡之上,"上攀艰难,下滑容易",所以我除了不断地尝试着去从新的角度、用新的方法写小说,也不断地总结着自己的教训、咀嚼着别人的经验,并不断地从全局上乃至于从本性上来思索究竟应当怎么理解和把握文学(特别是小说)这个东西。这个集子里的文章,大体上便全是危机感这种心态下的产物。

这些年来,我其实还是顺利的。我没怎么被公开批评过。我写的小说,只有《黑墙》一篇遭到过正式的批评。谈创作的文字,则只有《我掘一口深井》一篇遭到过严厉的批评。我感谢这些批评。我受到的公开批评实在是太少了。不管是过后能够接受、能够部分接受或终究还是不能接受的批评意见,对我都是有益的,它可以加深必要的危机感,并促使我在更严肃更深入的探索中渡过危机。收在这个集子里的文章有的作了些小的改动,但《我掘一口深井》这篇一字未改,为的便是继续征求批评,以期在这个问题上真正想透弄通。

我还在斜坡上向上攀登,说白了也就是手脚并用地在往上爬。目前我还是有信心的。我觉得自己的脉搏仍与生活、与时代相通,而心中那爱的火焰也仍在升腾,我也许还能写出一些比以往好点的作品。

挚友再复在为我的一个自选集所作的序中,说我在写出《如意》之后"开始被人们所不理解，赞扬他的声音稀薄了，怀疑的目光增多了，他不再像前一阶段那样领着文坛的风骚，社会误认为他已经才思枯竭了。这个时期，心武大约会感到一种寂寞"。他所描摹的这种斜坡上的危机，是真切而生动的。但他表示"很喜欢心武经历这么一段寂寞"。他鼓励我朝着认定的目标继续攀登。

这个集子正反映出我选定这个目标的过程，并在最后一篇《关于文学本性的思考》中阐述了这个目标,概括为一句话,便是"优秀的文学不仅是地道的'人学'，也是充分的'爱学'"。我感到自己正是在"爱学"的斜坡上攀登。

想到这里，也便不再觉得好笑。时代把我推到了作家的行列中，我要对得起这个时代。这或许便是使命感吧。愿这种感觉长存。

1985 年 12 月 10 日于北京劲松东街

关于文学的八条断想

——《5·19长镜头》代序

一

文学是人学。文学是人群学。文学是人类学。文学是人类文化学。

二

文学是爱学。文学是恨学。文学是情感学。文学是灵魂学。

三

文学就是文学。是文学。是信息。是巧妙的信息束。

四

真实。逼真。超越真实。痛恨一粒砂的虚伪。需要海洋般的真诚。超越真诚，便达于忘我。

五

冷静。冷胜于热。静胜于喧。文学中的诗或许欢迎激情，因为更近于乐。文学中的小说却亲近冷静。冷眼旁观。淡然处之。冷是一种大悲悯。悲悯还嫌热。

大悲悯才是冷。大悲悯便是大理解。大理解便是大谅解。大谅解便是永远的赦免。永远的赦免便需无情的审判。无情的审判便需突破难为情。突破难为情便是文学。

六

生活是个万花筒。社会是个万花筒。人性是个万花筒。人情是个万花筒。人道呢？其实也是个万花筒。宇宙是不是个万花筒？人类现在所窥见的宇宙毕竟比较朦胧。不到真正发现外星文明，宇宙还算不上万花筒。但人类可以造一个宇宙万花筒，那便是神话。

七

"文化大革命"的实质是砸烂万花筒。不能彻底砸烂是革命和被革命双方的共同悲哀。"文革后"是承认万花筒、重建万花筒、丰富万花筒、发展万花筒。人在万花筒面前永无满足，不满足便产生智慧，滋长文明。不满足也便发泄而为文学。人类永不满足，人类永有文学。

八

文学功能几许？靠文学建不了国，凭文学也覆不了国。没有文学照样活，照样过。据说文学能拯灵，能救心，但又据说人灵之深，人心之暗，实难测定，断难烛照，则文学只如游萤，在人生逆旅中小添情趣而已。但据"轻罗小扇扑流萤，卧看牵牛织女星"，又可知流萤之脆弱，之渺小，之可忽视，之可有可无，颇令人鼻酸。此想或过于悲观？愿乐观者有以教我。

作者的话——《一窗灯火》序

记不得哪位哲人说过，人生最大的不幸便是诸事顺遂。又有一首电视剧插曲颇为流行，唱道"愿好人一路平安"。都有道理。经历坎坷和渴望幸福也许正如人生的经纬线，织出着值得自己回味也颇堪别人把玩的花纹。

这个中短篇小说集是从我1987年至1991年五年间散发在报刊上的作品中选出来的，都是头一回收入集子，与我此前已出过的十五本中短篇小说集绝无重复。近年来时有关怀我的读者来信，问我可有新小说集出版，这个集子当可使厚爱我的读者一览近五年间我的"人生纹路"。

放在首篇的《一窗灯火》，是特为广东《家庭》杂志创作的"家庭婚恋连载小说"，所以每段结尾，均有"悬念"出现。"你怎么也写起通俗小说来了？"或许会有读者这样问我。我一贯尊重通俗文学，因为它拥有数量巨大的读者群，《家庭》杂志目前发行量已突破二百万份，我很以能通过它向二百万以上的读者提供自己的作品为荣。我力图把自己这篇"家庭婚恋小说"写得既通俗平易，又能塑造出人物，并有较丰厚的内涵。这是我近年小说创作中的新尝试。《一窗灯火》写了六段，但并没有收尾，倘读者有兴趣，我是可以使灯火继续灿然下去的。

集中的另一个中篇《永恒的微笑》，则与《一窗灯火》相映成趣，有位朋友戏称其为"学宛小说"。那是一篇外国历史小说，写的是十六世纪意大利文艺复兴巨人列奥纳多·达·芬奇创作名画《蒙娜·丽莎》的情况，我力图使每个细节都有历史的、文物的、考古的依据，因此对那段历史那个国度那位人物陌生的读者读来便未免有些吃力，实在是很不通俗，尤其是嵌入其中的第 4 段，完全是讲史，似不合小说的规矩，但倘有不弃我的读者细心地读下去，便可发现我对列奥纳多·达·芬奇创作《蒙娜·丽莎》一画的心路历程自有独到的剖析（我自信是以往中外美术史家未曾提出过的），那实在也折射着我内心的某种挣扎与超越，也是我人生旅程中的印迹之一吧。

这本集子中我自己最偏爱，并且也颇得到一些友人赞赏的是中篇小说《曹叔》，发表时曾用了"鱼山"的笔名。《七舅舅》是其姊妹篇。

这个集子各篇作品题材取向、意绪色彩、使用手法、叙述方式、面对读者群体的大小、反差之大是以往那十五本集子所不具备的。这当然说明了我的创作正在外力和内力的交互作用下发生着相当明显的变化。但万变不离其宗——拥抱现实生活，透视世道人心，呼唤理解谅解，探究生命奥秘，我刘心武毕竟还是刘心武。

感谢华艺出版社，给我提供了这样一个结集的机会。感谢读者，你们的双眼汇成长河，托举着我的风帆继续前行。

1991 年 5 月 11 日于北京安定门绿叶居

《有家可归》序

人的一生，以身论，可谓永在旅途。人的一生，以心论，应该有家可归。

这一册散文，愿旅途中的朋友，能从中得到愉悦与轻松；而在家中卧游的朋友，也能滤出些温馨与幽默。

途程漫漫，蓝色的舞步中，我们或许会憬悟到人情似纸，但无论是人生中的头回体验，还是只不过冰糖葫芦般的凡人琐事，总都能使我们的心，终究归于诚实、善良、理解、友爱。我们的话题要力求高雅，但我们都是俗人，所以我们要高在平实之处、雅在常情之中。这便是我将近年来的这些散文辑成《蓝色舞步》、《人情似纸》、《有家可归》、《冰糖葫芦》、《人生头一回》与《高雅的话题》六组的缘由。

人的一生，以身论，终究还是应该有一个安宁的家。

人的一生，以心论，毕竟还是应当不断探求，如旅途中，总向往着那美妙的目的地。我们在旅途中相识。我们在各自家中互存好感。

1991 年 8 月 30 日

《为你自己高兴》后记

素有"青年人写诗，中年人写小说，老年人写散文"一说。我今年五十岁整，恰处在从中年到老年过渡的节骨眼上，怪不得我虽然小说还在写（短、中、长都有），散文随笔却比以往数量大增，今年已出版了一本散文随笔集《有家可归》，作品收至 1991 年 5 月底。谁知从那以后到现在的一年间，竟又有百十来篇新的散文随笔见刊见报。这个集子，便是从中选出的四十一篇，所收与我从前出版的散文随笔集全不重复。

没有收入此集的文章，一是关于《红楼梦》的随笔"红楼边角"，那将另外辑录成书；二是一些不合此套丛书体例的文字；另外就是自己觉得无多大保留价值的。

收入此集的文章，第一部分是些社会人生方面的随感；第二部分是些风月山水之谈；第三部分围绕着自我，主要讲读书写作之乐及平凡生活中的灵魂欣悦与自励自戒。

感谢内蒙古人民出版社，特别感谢阿古拉泰兄弟，张罗了这样一套丛书，并鼓励我选辑成集加入；也感谢相识十多年、近年来又成为我芳邻的张凤珠老大姐，她阅尽文坛沧桑，却仍葆古道热肠，十多年来对我一直关心、鼓励，近三年来更勉励有加，良多关怀，现在更热心为此书作序。

《为你自己高兴》这一篇从立意到文笔，未必是最好的，但此文在《三月风》

杂志发表后,《新华文摘》、《读者文摘》相继转载,中央人民广播电台亦加以朗读介绍,又因为收到若干读者来信,有一位读者甚至来信说这篇文章改变了她轻生的念头,使她得以重新投入生活,经受磨炼。为此,我便将这一篇的题目作为书名。我想这是一个朴素而非花哨的书名,但愿读者不弃。

我企盼这本小书能使读过它的人至少微微笑过一次。

让我们为自己高兴……

1992 年 7 月 8 日于北京安定门绿叶居中

《嘉陵江流进血管》后记

　　这个集子里收有我近两年写出的三个小中篇。它们的内容和写法都有相当的差异，然而跳动在其中的情感与思绪，却是一脉相承的。

　　前些时我到大兴安岭地区去参观，在森林边的草地上，我们发现了那么多美丽的野花。最丰腴华艳的是镶有金色条纹的红百合和沁散馥郁香气的白牡丹，同行的人们在采集时，或以百合为主，或以牡丹为主，间或点缀一些别的野花，便形成一束束"风格"昭著的"作品"。我采集的花束，却并不以哪一品种为主，既有百合和牡丹，也有鸢尾与雏菊，就是不知名的碎米小花和仅只是翠绿的草叶，我也禁不住采撷配置其中，这样构成的"作品"，便不免显得杂驳。然而，同伴们并没有嘲笑我，当我把花朵的大小、草叶的长短加以调适，使花束显得顺眼时，他们甚至夸赞我的尝试"别有意趣"，当然，这不过是一种善意的鼓励。我尚有自知之明，知道在文学的原野上，以我的生活积累和艺术功底，是不可能一下子如别人那样，向读者奉献出满捧最艳丽最芳馨的百合或牡丹的。我目前还只能是向读者奉献出一束杂色的野花——唯愿它能向读者舒散出一些生活本身的动人气息，诱发出读者的一些有益的思索。

　　感谢陕西人民出版社，这以永宁河、燕子河等构成嘉陵江最上游的所在省的出版社，为我出《嘉陵江流进血管》这个小集子。他们对我创作的支持与鼓励，也将流进我的血管，激励我今后把花束采撷、扎结得更加美丽。我期待着读者们的批评和指导，愿一切有益的批评和指导也都流进我的血管，使我的人和文都更加健康。

1983 年 9 月 14 日于北京劲松

《都会咏叹调》后记

我爱北京。

不仅因为北京是光荣的首都。不仅因为北京有灿烂的名胜古迹。不仅因为北京增添着高楼大厦。也不仅因为北京居住着那么多伟大、睿智、迷人的各界明星……

我爱北京，还因为我爱那些仍旧居住在一片灰蒙蒙的胡同杂院中的普通市民。他们构成了一个大多数。他们或许不是北京的大脑与心脏，但他们肯定构成着北京的脊梁与手足。

我把这本小册子献给北京，献给北京人。我希望它能多少增进北京人的相互理解与谅解，关切与提携。我特别希望已经离开胡同杂院的北京市民能够理解与体恤那些仍在湫隘的杂院中生息的同胞。当然我也希望物质、精神双方面都较匮乏的人们能够自尊与奋进。我祝福大家都有一个美好的未来。

我将继续为北京，为北京市民而咏叹，因为我心中充满了无尽的爱。

1985 年 12 月 22 日

一根针战胜一把刀

我不记得在《上海文学》上发表过多少篇小说了，但1979年1月写成了《这里有黄金》，很快发表在了《上海文学》，这事却还清楚地记得。二十二年，在历史长河里只是短促一瞬，但若是一个生命，那可足能从呱呱坠地成长至大学即将毕业。我很想知道1979年出生的青年人现在读到这篇小说会生出什么感想。

文学的发展，是否一定要喜新厌旧，不断地颠覆？从留在历史的轨迹上看，凭新奇制胜，以颠覆为乐，那确实有很多的车辙屐痕；从审美价值的角度衡量，则不管怎么样地花样翻新、异军突起，则文学之所以为文学，自有其非线性存在的稳定特质，我以为，那特质里，有爱，有善，有美，这些基本元素，是超越时间、地域、民族、性别，以及不同宗教信仰，而满布于文学之中的。

《这里有黄金》的文本，当然深深地留有那一历史发展阶段的投影，但里面有一个细节，写到一个人半夜里摸到一间屋子里，举起一把刀要杀熟睡的仇人，却在一刹那间看见了一根针，那是仇人为女儿缝一个玩耍的布包，还未完工，插在那碎布连缀的布包上的……杀人者在那根针面前犹豫了，最后放下了屠刀。不管时间怎么磨洗1979年我写下的这个文本，一根细针能战胜一把屠刀，这个细节仍能使我自己珍惜。

已经过去的一个世纪里，人类使用过太多的兵火刀枪，甚至于发明出原子弹、氢弹、中子弹、洲际导弹……正在开始的这个新世纪，人类能不能以良知、宽容、善意的心针，曳着相互理解、让步谅解的长线，缝合上世纪留下的伤口，在心灵中刺绣出告别残忍的美丽图案来呢?

2001 年 1 月 17 日温榆斋

我写《京漂女》

　　有人问我：写《京漂女》的那个……不是跟你同名的年轻作者吧？之所以有此一问，是因为觉得，我已是年近花甲的人了，《京漂女》里所表现的"京漂族"，平均年龄大概也就二十多岁，我怎么会有兴趣和能够写出这样一些人的生存状态呢？

　　作家写作，各有路数。有的作家只写自己，至多把描写的对象延伸到同代人里，表现的范畴大体只在自己平时所活动的圈子里，其作品的自传色彩浓郁。有的作家则更关注社会，对描写众生相的兴趣，超过了自我展现。这些不同的审美取向并无什么是非高低之分，各有各的热心读者，也都可能在文学发展道路上留下自己的车辙屐痕。

　　大体而言，我属于更乐于关注社会，乐于追踪观察社会生活发展，乐于描写社会众生相，特别乐于发现与表现新的社会族群，乐于通过解剖其中的个案，来引发出关于社会、人生、命运、人性思考，那样的一种写作者。八十年代我写作《钟鼓楼》《5·19长镜头》《公共汽车咏叹调》等作品，就是基于这样的审美取向。九十年代我有写北京胡同杂院里底层女性在社会嬗递中奋进的《小墩子》、写外来民工在大都会中艰辛生存的《民工老何》（又名《尘与汗》），等等，只是没有八十年代上述那些篇什那么引人注目罢了。

　　在写作上，我对自己（仅仅对自己）有个鞭策：光能写自己不算好汉，能跳出自己乃至自己所处的那个阶层、圈子，去写别的生命存在，才算有种！我以为，把自己写来写去，很可能会山穷水尽，或者不断重复，乐趣有限；而写社会，写他人，写芸芸众生，则资源无限，可以不断地别开生面，也可以更深入更全面地体味人生、探究人性，自己乐趣无穷，对自己的固有读者群，也得以维系较为持久的吸引力。为此，我近十多年在减少以至退出所谓文学圈子的活动的同时，却大大延伸了自己在社会上广泛接触的半径，像外来民工、京漂一族，就都是我新的交往对象，这倒也不必贴上体验生活的标签，因为这本来就是我赋闲状态下的日常生活之一部分。

写《京漂女》，素材于我来说不是不够用而是实在太多。取舍上颇费思量。我的办法，是还要坚持讲故事，要有悬念。故事和悬念，时下被某些人指称为落伍的，或者客气点，被说成是古典的小说技法，似乎小说发展到今天，都最好是全部以场景段片与意识流交织构成，弃故事与悬念如敝屣，才算得上摩登，方配登大雅之堂，对此种趋向，我敬谢不敏，还是我行我素，注意给读者一个故事，设置悬念以牵动读者的阅读乐趣。又有的人虽然承认故事与悬念在小说里的作用，却郑重指出那恰是通俗小说的特点，也正是通俗小说与严肃小说或者叫纯小说雅小说的分野所在，对此我亦不能苟同。我以为，有没有故事和悬念并非判断小说是否严肃（这意味着它能否引发出读者深层次的思考）、是否属于纯文学（这意味着它不追求单纯的消遣效应更不直奔商业效果）以及是否属于雅文学（这意味着它的文化含量和品位比较高雅）的一个标准，而时下小说写作与小说评论所存在的问题，却恰恰是由于过多地抬高了无故事无情节且社会内涵稀薄的某些小说的"严纯雅"地位，而遮蔽了某些仍注重故事与悬念的"严纯雅"小说的价值，从而造成了"严纯雅"小说读者的严重流失。

我在写《京漂女》时，在故事发展的主线曲折前伸的过程里，还力图通过细节的点染，传达出丰富而新鲜的信息，使时代气氛喷溢而出，给读者以新颖而贴近的阅读快感。在叙述文本的把握上，我把内在的严肃外化为明快甚至轻快的节奏。我自己这些年很怕读某些文本沉闷的小说，有的虽然被评家赞不绝口，但我读着总觉得赘语太多，节奏太慢，玄虚太甚，这当然说明着我的"不识货"，我想那样的写法也许有它很大的一种道理，但我也有我的道理，就是应该努力与沉闷玄虚划清界限，使自己的文字尽可能地干净利落，令阅读者能顺顺当当地接收信息，这该也是一种有人喜欢的"货色"吧。感谢热心推荐、热心阅读的人们，我期盼着大家给予我更多的鼓励与指教。

2001 年 4 月 1 日温榆斋

献给非重点的《非重点》

由中国电视剧制作中心录制、杨阳执导、卢斌主演的，根据我同名小说改编制作的电视剧《非重点》将在教师节（9月10日）播出，这使我非常高兴。

中小学教师工作与生活的艰辛，已有不少文艺作品表现过。这一部《非重点》，没有去表现那些重点学校的先进教师如何培养出天才的学生，也没有把背景安排在僻远的山村或特异的小岛，里面的教师和学生也没有什么与众不同的地方，既不存在身残志坚一类的情节，也没有什么落后变先进的内容，总之，这的的确确是一部没有去强调正面或反面的"重点"的学校剧，它的内容和立意，都落在了"非重点"上。

尽管重点学校是那么令人神往与艳羡，但能够到重点学校学习的幸运儿总是少数。绝大多数的中小学教师，还是含辛茹苦地在非重点学校里默默地耕耘。我的小说和这部电视剧，就是献给非重点学校的师生，特别是献给非重点学校的教师的。愿他们从中得到哪怕是些微的慰藉。愿偶然看到这部电视剧的家长和其他社会人士对他们增进哪怕是些微的理解与尊重。

这是献给教师节的一束小小的鲜花。教师节转瞬就会过去。鲜花很快便会枯萎。人们理所当然会忘记这部平淡无奇的电视剧，但是，人们啊，你们怎能忘记那些清苦无闻地劳作在往往是陈旧湫隘的校舍中的中小学教师们呢？

1987年9月3日

《人面鱼》台湾版自序

随便翻阅报纸，见娱乐版上有关于好莱坞的消息，说那对一度被人们视为"金童玉女"的"模范夫妻"——汤姆·克鲁斯和妮可·基曼——在宣布离婚后，在财产分割等问题上本来纠缠不休，但"9·11"事件后，双方忽然憬悟：世界原来非常脆弱，人生所面临的是无常，对于一个人来说，最重要的是安全、健康，以及抓紧享受最本原的人生快乐，特别是天伦之乐；于是他们一扫忿怨浮躁，互表妥协，大约很快便会了结他们之间的种种问题，各自去松快地开始新一轮的人生跋涉。

也真巧。抛开这张报纸时，一位朋友打来电话，问我最近在做什么，我说在写一篇新的小说。他前些时是最不主张我继续写小说的，依他的思路，我以"小说家"的身份为本钱，已经开拓出了《红楼梦》研究和建筑评论的新天地，"红"学固然不大景气，建筑评论却"生正逢时"，我已在中国建筑工业出版社出版了一厚册《我眼中的建筑与环境》，又在电视台一连主持了十二期《刘心武话建筑》，连建筑界也承认我是个"建筑评论家"了，为何在如此这般的情势下，竟还舍不得放下小说写作？我以为这回他还会笑责我，并再次申言"我这些年是绝对不读小说的了"；没想到他的反应却是："啊，你又在写小说？好呀好呀！告诉你吧，这些日子，我又开始读小说啦！"问他何以"幡然复旧"，他的回答颇令我吃惊："'9·11'事件以后，不知道怎么搞的，开始不大喜欢喧嚣热闹的东西，倒是觉得倚在家里沙发上，背后靠着软软的腰枕，在落地灯的聚光区里，阅读文字这种古老的符码系统，特别是阅读既有人生图景又有文字快感的小说，很能收到怡心悦性的效果呢！"

"9·11"事件不仅影响到美国明星，以及所有的美国人，竟也影响到中国大陆我朋友这样的人，那影响竟还渗透到消遣消闲的方式上，这说明，今后人们写史，2001 年的 9 月 11 日确会是一个重要的分界点，从那天的事件里辐射出来的无法量化的影响力，能一直达于人心中的最幽秘角落。

坦率地说，我的热衷于写小说和不能放弃写小说，倒并非这世界上的什么重大事件促成。但无论是那天报纸上关于美国影星的报道，还是赶巧接到的朋友电话，都使我对自己钟爱小说这种古典的文化品种，更增加了几分坚定。

世界上有过，并且还在产生着许多不同的小说。我所喜欢阅读的，自己所喜欢创作的，主要还是写实的，贴近普通人生的，探究人性底蕴的那一类。2002 年 1 月 7 日上海《文汇报》第 7 版上一篇报道提及我新写成的一个中篇小说《京漂女》，说它属于"零距离"触摸生活的写法，"将当代生活中人们各种各样的行为方式和思想情绪进行了一场文学化的'现场直播'。"这个说法我认可，但我还要补充说明，小说毕竟是小说，如果小说仅仅是触摸生活和"现场直播"，那就跟新闻报道没什么区别了。写小说，必须重视写出人物，我虽不敢说能把角色写得活跳于读者眼前，但有的角色能令读者觉得那是一个"似曾相识的陌生人"，这效果应该说还是有的。当然人物创造也并非仅是小说的特长，戏剧、影视在凸现人物方面更具优势。小说是用文字构成的，这文字必须是"小说的文字"，在我来说，除了注意叙述过程中的情调、节奏外，这几年还特别注意尽量用人物之间的对话，以及角色的心理独白，来揭示人性的挣扎，并且让通篇能浸润在一种大悲悯的情怀里。

后来我又跟那位恢复阅读小说的朋友通电话，并把我完成了 2002 年第一篇小说《非床》的消息报告给他。他对我说："'9·11'事件过后，有的人可能会更加醉生梦死，但更多的人会愈加清醒地回归到享受最本原最质朴的生命之美里面去。"我也对他说："从此应该更加珍惜那些我们几乎就要麻木处之的平常人平常事平常物吧。"我想这也许就是贯穿在我这个集子里的十一篇小说的一根感悟的丝线。

感谢联经出版社，能让我的这些小说与台湾读者见面。贯穿我这些小说里的那根丝线，能缩到读者诸君的心弦上么？我不自信，却又默默期待着。

2002 年 1 月 11 日于北京绿叶居

味蕾写作——台湾版《藤萝花饼》序

一位年逾八旬的老人跟我说，他耳近聋，目近盲，声近哑，但是，吃东西仍觉有味，甚至还津津有味，这是他生命的极大乐趣，为此他感谢上苍，并珍惜每一餐的享受。的确，中国人对吃，实在是排在所有人生乐趣的首位，不仅要吃饱而且要吃好，讲究细嚼慢咽、用心品尝。品字三张口，从吃食物推及到艺术欣赏，欣赏水平高者被誉为好品味；无论是小说、绘画、音乐、舞蹈、戏剧……乃至电影、电视，"真有味道"是很高的赞词；人长得漂亮也会被说成"有味道"，或者干脆把那味道说出来："甜！"更有"秀色可餐"这类的成语，把中国文化"吃字当头"的特点凸显出来。

从这个角度翻检近年来写下的散文，发现作为一个使用方块字表意的写作者，无论是自觉还是不自觉，竟有不少的篇什要么直接写到吃，要么间接地涉及到吃，辑录起来编为一集，一点都不困难。中国人常拿厨师来比喻写作者，写作与炮制是同义词，"给我们端出一盘什么好菜？"是编辑与读者对作者的期许语，而批评家，则准备好以三张口来试味挑剔。于是，我现在意识到，从某种意义上来说，我常常是在用味蕾写作。因自己觉得有味，所以大胆炮制，以飨读者，并希望能令读者读后尚可回味。

我愿自己能和那位八旬老人一样，最后才衰退的，是味蕾。想想也是，耳聋、声哑、目盲固然可哀，但若舌痹，什么都没味道了，那活着还有什么意趣？

比口舌更知味的，是心舌，或者叫灵舌，那上头的味蕾，能感受到更微妙的滋味。用心舌的味蕾写作，应成为我越来越自觉的追求。

以这样的角度编就一本集子，在大陆，还没有出版社跟我邀约过。感谢焦桐兄，在吃过今年的中秋月饼以后，忽然从台北打来电话，建议我把近年来味蕾写作的篇什，包括他替我在中国时报人间副刊"写作者的厨房"栏目里发表过的，辑录起来，由二鱼文化出版。我想到焦桐兄曾写过组诗《完全壮阳食谱》，那可是附有"材料"、"做法"的真正食谱。其实他那些不曾直接写到吃的诗句，比如"青翠独立这蕨草，上升／追求一种信念，／在庞大的黑暗，黎明的边缘，／远远仿佛看见，／看见阳光的草原，／草原的呼唤"，体现出现代人心灵的饥渴，以及为摆脱这一处境所作出的不懈努力。我觉得不仅海峡两岸的生灵味蕾相同，全人类品尝到的人生滋味都是相通的。是的，无论以味蕾写作，还是以灵舌品尝，在这有着太多沉重而不可知因素的世界，我们毕竟可以多多少少得到些乐趣，得到些慰藉，怎能轻易放弃？

2001 年 10 月 3 日于北京绿叶居

叶隙漏下的光斑——谈《非床》的写作

中篇的结构，短篇的字数。算短算中？随便。

很松弛地一路写来。或许有人嫌人物出得快也去得快，为什么不使其多潴留一会儿，浓墨重彩地刻画呢？那样的写法，我过去常用。现在这篇不想那么写。人物就是些剪影。写的时候潜意识里有农村妇女用铁剪子剪红纸的影像。

是些叶隙漏下的光斑。闪闪的，不确定。或许有人纳闷：你60岁的老头子，哪儿来的女大学生宿舍的生活？你能准确到位地表现她们？我坦白：没在女大学生宿舍待过，也不求准确到位。但没吃过猪肉，见过猪跑。叶隙漏下光斑，是日光，月光，还是灯光？没本事确定，却有感觉产生，于是把那感觉写出来。毕竟，我看见了闪动的光。

关键人物，那母女，剪得略细致些。弱势人。我总关怀着这些生命存在。也帮不上什么大忙。把这样的生命存在写出来，是因为内心里涌动着不能平息的情怀。

写权力，写财富，写明星，写哈佛女孩，写豪车靓仔，写白领哀愁，都很时髦，很酷，大受欢迎，能够畅销，那些葡萄当然不酸，但写作者各有所好，各有所长，我所好者，写平凡，写底层，写卑微；我有所长么？不敢自诩，但写这样的小说，毫不费力，水往低处流，自然成溪，在有人望而皱眉的同时，也还有人颔首。这就好，自己的葡萄，滋味是酸是甜，都觉得好。

　　总觉得，作家不能总写自己，离开自己的苦难、奋斗、爱恨情仇，写不来别的，气象是不是小了点？我的文学观，比较古旧，就是作家应该表现社会，关怀他人，而且，作品应该有主题，当然要避免直露，要有技巧，至少要让一部分读者感动。

　　现在是怎么着评价张爱玲也不觉得太高，怎么着贬低茅盾也不算离奇。茅盾主题先行，茅盾写小说先拟提纲，茅盾的小说政治性社会性太强——这都成了缺点。其实张爱玲代表一个流派，茅盾也代表一个流派。只是三十年河东，三十年河西罢了。茅盾本身不吃香了，茅盾文学奖却极吃香，那是另一个问题。我得承认自己打从学习小说写作，就离张爱玲远，而离茅盾近。"你何时从茅盾的阴影里摆脱出来？"为什么张爱玲就不是阴影？

　　谁的阴影我都不要。观看社会生活的森林叶隙漏下的，闪烁不定的光斑，并且用光斑似的文字写《非床》这样的小说，我感到欣慰。

2002 年 5 月 31 日绿叶居

穿透遮蔽的努力——《刘心武自选集》前言

一位朋友跟我说,他现在一走进书店,就有些心慌,因为那满坑满谷、花花绿绿的各种新书,潮水般滚入他的眼帘,一本比一本装帧得漂亮,腰封上的宣传词一册比一册具有魅惑力,往往是,弄得他不知所措,到头来,他转过一圈,一本没买,怀着一种逃离喧嚣的心情,回到家里,静下心来,还是读自己书架上老早买来的,装帧朴素、纸已发黄的旧书。

作为一个自1978年以来,年年都在出书的作者,我自己,却越来越少上书店了。不过我的心情,与那位朋友,除了相同之处,也有不同之处。那不同之处,就是我懂得了,人的生存,我说的不是消极生存,而是积极生存,特别是以创造性的态度生存,那么,他所面对的,其实就是一系列的障碍,没完没了的遮蔽,而他的奋斗,也就是一个冲破障碍,穿透遮蔽的漫长过程。

我打小就热爱文学。很早就开始写作。也不能说自己运气多么不好,1958年,十六岁的时候,我就发表出了第一篇文章,是投给《读书》杂志的一篇书评。但是,我的写作和发表历史,是坎坷的。

我的少年和青年时代,写作,投稿,被视为"名利思想严重",也就是"资产阶级思想严重",投稿偶尔成功,鼓励的话很少,劝告我"不要不务正业"的话满筐满箩。冲破这样的障碍,是要付出惨重代价的。高中毕业考大学,因为被揭发不仅说了"吴祖光的《风雪夜归人》真好看",而且在有同学正告我"吴祖光是大右派"后，居然说了"是吗？他要是右派，那我也当右派"的极不像样的话，而被写上了"不宜录取"的评语，结果呢，虽然考分不低，却被排斥，后来因为师范类学校招不满，才又从落榜名单里，挑出来，由北京师范专科学校补录。到现在，我这师专的学历，还时不时遭到某些人嘲笑。

但是，人在生活中失败了，我以为，只能是舔尽伤口上的血，继续自己的奋斗。没能上到北大中文系，但是可以打听到他们的课程，设法买到借到他们课程的相关图书资料，我就咬牙自学。不敢说是自学成才了，但通过自学，到现在，我可以说，至少是，没有不成才。

但是在我三十五岁以前的写作，其间还赶上了"文化大革命"，其中的情况，实在难以用一句话说清。还记得，1969 年，校园里贴出的揭发批判我"反江青"的大字报大标语就不去说了，在校门外，用一整张纸写出一个字，贴出了一条几乎贯穿半条胡同的大标语"刘心武猖狂反对江青同志罪该万死！"那时候我还没有成家，住学校里的宿舍，总得出校门去买日用品，而出校门后，必须经过那条标语，才能出得胡同，到达有商店的地方，第一次从那标语旁走过，你可以去设想我的心情，但是，后来几天，我的心情，你可能就难以猜到了，那就是，我忽然觉得，呀，原来生命是既脆弱，也皮实的，全看我们自己如何支配它。我熬过了自己生命中的又一个艰难时期。

我说自己在"文革"中有这样的遭遇，并没有把自己算成"文革"受害者的意思，也不能那么给自己定位，比我的遭遇糟糕一万倍的例子非常之多，我当时所在的那所中学里，就有一位女教师含冤吞服"敌敌畏"自尽而死。

"文革"后期，出版社开始恢复业务，能出点文学作品，我就又投稿，有写不成的废稿，有能以印出来的东西，比如，那时我就出版了一本儿童文学作品《睁大你的眼睛》，有的读者还能记得。那是按"三突出"的套路写的，当然是写阶级斗争，写一群孩子在"孩子头"带领下抓坏人的故事。我反江青吗？那时候我的态度是，第一，我没反，人家贴大字报写大标语说我猖狂反她，是因为在 1964 年《北京日报》开展关于京剧现代戏的讨论，我投过一篇稿，被刊登了出来，文章里说京剧不应废掉小生小嗓和水袖功夫，我那时候并不知道江青在抓京剧革命；第二，通过学习革命样板戏，我对"三突出"一类创作理论有了认识，我也要那样写作品，总之，我没反江青。说起那时候的事情，一位年轻人就跟我撇嘴，说你怎么那么糟糕，人家张志新宁愿被割喉管，也敢反林彪江青。确实，我很惭愧，我生命的坎坷，也体现在了我能一度被"三突出"之类的创作原则迷惑，而且，对"无产阶级专政下继续革命"的理论，也觉得它的逻辑推导性很强。这就是那时候的我。从那样的思想控制中挣脱出来，真是很不容易的。

到了"四人帮"被逮捕以后，我才终于从他们制造的思想藩篱里拱了出来，1977 年，我抓住时代、社会所给予的机遇，尝试用自己的想法来写东西，结果就写出了短篇小说《班主任》。我写的文字第一次引起了轰动。

《班主任》是我的幸，也是我的不幸。幸的那一面不去说了。不幸在于，那以后，无论我再写出什么，也很难达到那样的关注度了。我被自己的《班主任》所遮蔽。穿透别人的遮蔽还比较好办。穿透自我遮蔽，那是非常困难的事。

但是，我的生命之水既然还在流淌，我就应该继续创造。

也还不能说，就一直被《班主任》遮蔽着，有那么几次，穿透了遮蔽，又让人们，注意到我的存在。1985 年，我刚发表的长篇小说《钟鼓楼》获得第二届茅盾文学奖。那一年中国足球第一次出现了球迷闹事的"5·19 事件"，《人民日报》在第二天头版发表评论员文章，意思是一定要严厉惩治这些"害群之马"，我却写出了《5·19 长镜头》，为这些闹事的球迷说话，希望社会各界能理解这些年轻人，并对他们多些关爱。事隔二十年，中国足球竟无长进，以至 2005 年的 5 月 19 日，中央电视台体育频道的一个专题节目，仍引用我那篇作品结尾的一段话，来概括他们那个专题节目的主题。紧接着，那一年我又发表了《公共汽车咏叹调》，也很轰动。

但是，1987 年到 1989 年，我在《人民文学》杂志社任主编，那是我人生中的多事之秋。可庆幸的是，很快我又恢复了写作状态。我感觉自己又一次穿透了遮蔽，这次穿透体现在我自觉地选择了边缘生存和边缘写作。1989 年以后我的第一个作品以中篇小说形式发表出来，作品题目是《曹叔》，署名鱼山。但是很快就有上海的人士指出："鱼山？读起来像是刘心武啊！"我就意识到，这种自我遮蔽是没有必要的，于是，后来就没有再用鱼山的笔名发表小说。《曹叔》其实是我的长篇小说《四牌楼》里的一章。出版于 1993 年的《四牌楼》是我迄今为止自己最满意的一部作品。我研究《红楼梦》，正是写《四牌楼》那个时期起的头，我是想从曹雪芹那里学到些把生活原型化为艺术形象的本事。但是，直到如今，《四牌楼》仍是被遮蔽的状态，读它的人一直不多，但我仍有信心，相信总有一天，人们说起刘心武，不是马上想到《班主任》，而是能够提到《四牌楼》。

我就这样，挟带着自己人性的全部优点和弱点，走着自己的人生之路、写作之路。在我自觉地边缘化以后，也有一些年轻人不了解、不理解，比如，有的以为我"写不出小说了"，其实我一直在写小说和发表小说，年年有新作品问世，只不过没引起轰动罢了，如今的世道是，你不轰动，就几乎是等于不存在，常有人跟我问起某些同龄作家："他还写吗？"甚至于"他还活着吗？"其实人家常常有文章见报，活得好好的，我敢肯定，也一定会有人跟那些人问起我，问题雷同。不理解的就更多了，大体而言，有些年轻人，我不轻易把他们称作"愤青"，常常会对我不满，你当年不是写《班主任》的吗？你现在怎么不再次起那样的作用？甚至于，说出那样的话，就是：你为什么不敢当烈士？我理解问话者的心情，但我不奢望他能理解，我能如此这般地自觉边缘化，其实，也是很不容易的。我的边缘化，并不是放弃对社会的关怀，更不是离开了民众，恰恰相反，我远离热闹场，更多地深入到了底层，深入到了社会边缘人中，我这些年有一本随笔集，就用《边缘有光》作为书名。我年纪一天天大起来，能在边缘发出一点光，穿透遮蔽，达于喜欢我文字的读者的心里，就很欣慰。

2005 年，因为在中央电视台《百家讲坛》录制播出了《刘心武揭秘〈红楼梦〉》系列节目，出乎意料地产生了比较大的反响，有的年轻人互相打听："刘心武是什么人?"有的不喜欢我讲座的就说:"他上电视就是为了出名!"似乎我还没有尝到过轰动出名的效应,有的为我辩护,就说我二十八年前就出名了,许多文学词典和当代文学史上都已有词条专节,美国出版的剑桥中国史,从先秦一直写到中华人民共和国,写到"文革"后的邓小平时期,那里面谈中国当代文学的变化,对刘心武的描述和评价,翻译成中文占一个半页码,等等。对我的蔑视和比如说剑桥中国史那样地对我青睐,我照单全收,这都是我必须面对的,我的人生,躲避不了这些,也无须躲避,既不必无谓地谦虚,也不必愚蠢地自傲,我清醒地认识到,到头来,我所面对的,是诡谲的人性,期望任何人都对自己理解、给予善意,那是绝无可能的。萨特说:"他人是我的地狱。"我一直不大服气,但现在要说,不幸被他言中。

话说回来,也一直有为数不算少的读者,仍然愿意读我写的东西。也有一些很年轻的生命,因为从 2005 年的电视节目里发现了我,而出于好奇,想看看我这样一个被称为作家的人,究竟写过些什么作品。

于是,在朋友的推动下,就有了这个自选集的产生。由于在同一时间里,东方出版社推出了一套《刘心武精品系列》,上面提到的几个作品,那个系列里全收了,因此,本着绝不重叠的原则,这本书里所选的,与那个系列里的作品,完全不同,而且起到互补的作用。我特别希望拿到这本书的人士,能看看这里面的民工三部曲,三个中篇小说,有的是去年才发表的,写的是最新的社会情态里,底层人的命运。我的心,始终是跟这些为社会经济高速发展蒙尘流汗,而又没能分享到应有的那一角蛋糕的生命,贴在一起。还有北海三部曲,探讨了性心理,其中一篇大概算是中国内地最早的以同性恋为题材的中篇小说。我还希望读者能注意到我的歌剧剧本《老舍之死》,2006 年是老舍先生辞世四十周年,不知道这个剧本在那时能不能终于搬上舞台,至少,以朗诵的形式和观众见面?最后,我希望长篇小说《风过耳》能给人阅读快感,并能从中窥见我在那时候写它的内心秘密。

我没有什么奢望。经历过太多的坎坷,我只能是仍然用法国作家罗曼·罗兰的一句话作为自己的座右铭，并且想，也许，有的读者朋友还不知道这句话，有没有可能，原来不知道，现在知道了，也会觉得应该把它记在心里呢？罗曼·罗兰的这句话是："累累的创伤，便是生命给予我们的最好的东西，因为在每个创伤上面，都标志着前进的一步。"

2005 年 11 月 5 日绿叶居

我在树阴下等你

——《人在胡同第几槐》自序

那天在街头散步，忽然被一位路人认出，他热情地招呼我："刘心武吧？你住在附近？"

我告诉他："是暂时住到这边。"看他满脸欢喜的表情，我说："我也很高兴遇上你。对我的讲座有什么意见，尽管给我提出来！"

"讲座？"那瘦高的中年男子笑了，"啊，你以为我是你那揭秘《红楼梦》讲座的粉丝吧？我倒确实是从《百家讲坛》节目里熟悉你模样的，不过，说老实话，你的讲座我看得不多，要说是你的粉丝，那并不是因为揭秘《红楼梦》，我是你随笔的粉丝！你在《北京晚报》《五色土》副刊上的《温榆斋随笔》，我篇篇都看，看完还剪贴起来……"

啊！我的随笔也有粉丝啊！

"你的随笔内容丰富，信息量大，不重样，有嚼头，行文措辞挺讲究，读起来跟啃甘蔗似的，从梢往下，越来越甜，看完一遍，隔断时间再读，还能出新的心得……"

我当然应该谦虚。把这位读友的这些话记录在这里，说实在的我有心理障碍，一定会有人认为我是借此吹擂自己。但这是那天发生的真实情况，他确实如此这般地肯定了我的文字耕耘。我说过很多次"期盼批评指正"，那也不是虚伪矫情，但我此刻要在这里真情表白：我同样需要支持鼓励。如果你读了我的文章确实觉得不错，我希望你能跟这位读友一样——快把好话说出口！

从上世纪九十年代，我每年写出发表大量随笔。在《北京晚报》《五色土》副刊开辟《温榆斋随笔》专栏，已有十多年之久，而2008年这个专栏里的文章最多，基本上达到每周一篇。当然，在别的报刊上，我也还有文章发表。到2009年春节在鞭炮声中一算，2008年全年的散文随笔文章共70篇，超过10万字。于是，决定编成这样一个集子，给自己的生命留下新的心灵轨迹，也为上面提到的那样的粉丝——也许像他那样的喜欢我散文随笔的人士并不多，甚至只有他那么一个，但人生得一知己足矣——献上一束采自心田的鲜花。

小说当然是很好的文学形式，人们重视小说特别是长篇小说，理所应当。但是，就我们民族自身而言，从文学史的长河考察，就不难发现，诗歌与散文，实际是比小说更具代表性的文学形式。散文这个名称，在上世纪白话文学之前，似乎还不流行。那以前和那以后，出现过许多概念上有所重叠的文学样式的称谓：笔记，小品，札记（劄记），游记，随笔，杂文……而我以为，随笔这个称谓，概括性最强，我们应该不薄小说爱随笔，才是创作与阅读的正理。

我把城里书房，称作"绿叶居"，取"我爱每一片绿叶"之意。郊区书房因为离温榆河近，就称"温榆斋"。北京的树，城里，我最爱的是槐树，城外呢，则见榆树就心生欢喜。2008年我写出的第一篇散文，是《人在胡同第几槐》，也就用这个题目，作这个集子的书名。

我说过，我近年的写作，是种"四棵树"。第一棵是"小说树"，我作为随笔发表的文章里，有的实际上很接近"小小说"（《北京晚报》一创刊，《五色土》副刊就设有"一分钟小说"专栏，而我在半个世纪以前，即1959年，就在《五色土》上发表了"一分钟小说"，1980年《北京晚报》复刊第一期上的《五色土》的"一分钟小说"，刊发的也是我的作品：《新豆汁记》）。我一直主张好的散文、随笔，应该有人物、有情节、有细节，在很短的篇幅里，能够起承转合，以跌宕甚至悬念抓住读者。我种的第二棵树，就是"随笔树"，正宗的随笔与正宗的小说的最大区别，就是应该避免虚构，并且将一种感悟呈现出来。第三棵树呢，则是建筑评论，我有的随笔，就属于建筑评论性质，可以叫做"建筑随笔"。第四棵树就是《红楼梦》研究，除了在《百家讲坛》上开讲并将讲稿整理成书，我也以随笔形式呈现自己的一些新的研究成果。

《人在胡同第几槐》这个书名，我觉得足以概括出我这些文章的内涵与韵味。我的随笔里是有"人"的（绝不是光有"理"），而我定居北京已逾五十八年，"胡同"既是我生命依恋的空间，也是我心灵悸动的源泉。"槐"，则是平民化文字的象征。我这些文字，就是写给像街上遇到我的那样的普通人读的。我觉得，编印出这本书，实际上也就是我站在槐树或榆树的阴凉下，等候知音。

集子里的文章，按写作时间排列。我觉得这样"花插"着比刻板地"撮堆"更自然也更亲切。

已经奔七十去了，作为一个"老小孩"，虽然仍喜欢听表扬，到头来，我还是要说一声：不吝赐教。毕竟，活到老，要学到老，读者是作者永远的老师，该表扬表扬，该批评批评，写作者才能"天天向上"。

2009 年 2 月 16 日绿叶居中

《茅盾文学奖获奖者散文集·刘心武卷》前言

昌华兄晚我两岁——看到这句，也许会有年轻人惊诧：晚你两岁该称弟怎么要称兄？——不论年龄，称兄以示尊重，这是中国传统文化的一种礼数，比如红学泰斗周汝昌先生长我二十四岁，他无论给我来信还是通电话，都称我"心武兄"，开始我很不好意思，后来体味到个中的文化底蕴，也就默默领受了。昌华兄尽管晚我两岁，传统文化浸润于他的浓酽度，是浅薄的我无法望其项背的。他来信约我参加这套丛书，用的是雅致的宣纸信笺，秀挺的书法，右起竖写左移，传递的不仅是编书的信息，更氤氲出久违的尺牍艺术之馥郁芬芳。

二十几年前，昌华兄在江苏文艺出版社主政时，曾当面跟我约过书稿，后来更来信表示，愿在退休前，当一回我书稿的责任编辑。阴错阳差，他未能遂愿，我一直遗憾。没想到如今我们两个退休金领取者，却能合作一把。当年夙愿得以实现，我心大快。

我近十几年的散文随笔，大都有电子文件，但昌华兄基本上不使用电脑，还取翻书选编的方式。我的私人助手鄂力说何不将电子文件悉数传去，请他从电脑上阅读挑选，然后直接输入编就电子书稿，岂不简捷方便？我说不然。昌华兄不仅是名编辑，更是名藏书家。趁此机会，把我的若干散文随笔集题上请其雅正的字样，签名再盖上你鄂力刻的图章，如他不弃，岂不就此加入了他的藏书系列，书之归宿，最佳莫过于此！于是鄂力帮我寄去了九本集子。没多久，昌华兄给我发来电子邮件，打开一看，原来是他托会电脑的人帮他发的，没有信件原文，只有附件，那附件竟是几幅数码照片，内容则是昌华兄的手书墨迹，原来，他已初选出了拟编入这个集子的文章，并且分成了几辑，且拟出了每辑的恰切称谓。这样的信息传递方式，可谓中西古今合璧。

因之，我愿告诉读者，此书妙处，并不在我的文章，而在昌华兄的眼光，特别是他那以传统文化中最优雅的成分来处置的分辑排列，个中趣味，已超越我的单篇文章，而自成一脉。我觉得不能仅用"感谢"二字来回报昌华兄。唯有在他的激励下，自觉地从民族传统文化精华中吮吸营养，以丰富强健自己今后的文字，才真正对得起他，也才真正对得起读者诸君。

2009 年 7 月 24 日于北京绿叶居

从《站冰》说起

——答《羊城晚报》吴小攀问

问： 刘心武先生，你的小说一向是比较多地敏感地关注底层人的生活，你的小说新作集《站冰》在内容和技法上有什么变化吗？"站冰"是什么意思？小说中你还自己绘制了漫画插图，会不会给人以不务正业或正业不行了才"捞过界"的感觉？

答： 关注现实是我小说创作一贯的特色。现实在急剧变化，写这样的小说也就必须能敏锐地抓住变化。《站冰》这个小说集中的7篇小说是我对转型期中国的若干新人物新事态新心理新冲突新问题的艺术反映。比如，现在中国城市都在急速膨胀，郊区农村因此也就迅速萎缩，在城乡互相浸润的结合部或者说龃龉部，有新的生死歌哭，像各个商品楼盘的保安这个行业，构成这个行业的农民青年，是我在写《班主任》和《钟鼓楼》时还不存在的，我这个新小说集里有好几篇就写到了他们的命运。再，像我1978年发表《爱情的位置》那样的小说，仅仅因为"大胆"地在题目里标出了"爱情"两个字，就曾引出过泼天大轰动，但现在人们已经习惯了对各种情爱的表现，并深入到了性的层次，那么，作为一个写小说的"文坛老字号"，我对情色有什么新的感悟新的表达呢？《站冰》这个小说集也许能给追踪阅读我作品的读友一些新的惊喜。《站冰》这个符码乍看挺怪的是吧？其实翻书一读也就了然，当然，我是希望读者能领会我选择这个符码所想达到的象征意蕴的。

自绘插图，当然有"捞过界"之嫌，不过，我从童年时代起就喜欢绘画，后来一直没有放弃这个爱好，一直坚持到了今天。我没有机会受到专业训练，但自信还是有灵气的。前些日子在贵报《花地》发表的小说《变叶木》的插图也是我自己画的。我一般不用毛笔在宣纸上画画，我平时画油画和水彩画。小说里的插图是用油性笔在复印纸上画的线画。

问：你说过除了写小说、散文随笔外，还研究《红楼梦》。为什么会对《红楼梦》研究产生那么大的兴趣？你觉得《红楼梦》当得起"伟大"这两个字的最主要原因在哪里？对你的创作有什么启发？《红楼梦》的诞生是一个偶然或必然？下一部《红楼梦》会在什么时候在什么样的环境下诞生？

答：我觉得中国小说家当然需要从外国文化里汲取营养，比如学习马尔克斯在《百年孤独》里的开篇方式，博尔赫斯凭空想象出交叉花园的小径，等等，但我们毕竟是中国文化的产儿，用方块字写作，因此，从自己民族的文化中，从自己民族的小说传统中去汲取营养，就更加必要更加迫切。《红楼梦》不仅是中国古典文化集大成的瑰宝，更是当得起"伟大"两个字的全人类共享文明中的佼佼者，其最主要的一点，就是它通过独特的表达方式探究了人性，从而与人类其他优秀文学相贯通。这也是曹雪芹对我的最大启发。

《红楼梦》的诞生，我以为偶然性高于必然性，是个人以其才智超越时代局限的一个令人回味无穷的例子。下一部《红楼梦》会何时产生？我不知道，而且，坦率地说，也不期待。人生很短，历史很长，你细想想，也就明白我的这一态度了。

问：与你创作《班主任》的时候相比，社会已经发生了巨大的变化，你的文学观念有什么样的变化？随着年龄的增长，会不会觉得自己的文学观跟不上时代的变化？文学与政治、商业的关系应当是怎样的？当下的文学创作环境与上个世纪七十年代相比，你认为是好了还是差了？像你这么几十年如一日衷情于文学创作的并不多见，你是怎么样保持创作激情和灵感的？

答：我的文学观念并无大的变化。当然，我的创作技巧在不断地变化，但这是"移步而不换形"。认为社会变化，一个作家的创作观念也就必须随之变化，这个前提是不对的。一个成熟的作家多半不会随社会的变化，特别是文化现状的变化而轻易地变化自己的文学观念。文学观应该是多元的，而且，古典的文学观与新潮的文学观之间应该没有高低贵贱之分。比如在法国，不会因为出现了罗伯·格里叶等"新小说派"，萨特就去改变自己的文学观以求"跟上"，现在"新小说派"也已经成古典了，罗伯·格里叶他们也不会因"没紧跟"而遭人嗤笑。一个作家最好抱定自己选定的观念写到底。当然，如果真的是从内心里发生了变化，弃昨图今，那也很好。

当下的文学创作环境比上世纪好得太多了。主要的一点就是走向了多元。文学可以是非常紧密地贴近政治的，也可以是跟政治了无关系的，这不是很好吗？文学的市场化使得不少写作者真正地实现了民间生存，并促进了文学的进一步多元，读者有了很广泛的选择余地，这些都令人鼓舞。当然市场化也带来了不少问题。但"无问题的进步"其实在全世界都不可能存在，如果非那样宣称那样实践，结果是不堪设想的。

我的创作激情，主要基于我对社会的发展及文学的衍进有冷静的认知，我总是保持和社会中、下层的紧密接触，也可以说是总置身在他们当中，这使我能不断地获得写作资源，灵感也就随时会爆发出来。

问：现在的文学创作出现了低龄化的趋向，新生代作家在崛起，出现了以年代划分的 70 后、80 后作家的说法，你对此有什么看法？在这年轻的一拨中，有没有你比较看重的作家或者是作品？

答："低龄化"这个概念很奇怪。中外古今都出现过神童作家，如果一个人1970 年出生那他已经 34 岁了，想想 34 岁的曹雪芹和普希金已经写作了什么状态？如果说曹雪芹逝于 40 岁还有争论，普希金 36 岁谢世那是清清楚楚的。如果一个人出生于 1980 年现在也有 24 岁，想想 24 岁的李白已经写出了什么样的诗，再知道法国的梅里美 22 岁时就活跃于文坛等等的例子，那么，我们把二三十岁的人还算成"低龄",只能说我们的观念上存在问题,也许是因为我们民族文化里那论资排辈的传统实在太板结了,才导致这一说法吧。当然,我的意思也是说,尽管当下出版机构和传媒在推广作者作品时打出"70年代后"、"80年代后"的旗号有明显的商业炒作目的,但我还是认为无形中冲击了文坛也搞论资排辈的陋习,并不反感,倒还抿嘴一笑。

我稍稍读过一点"70年代后"和"80年代后"作家的作品,但还没有警动我的。我希望他们千万不要自己也觉得是"低龄写作",中国文学的发展,正在他们的参与中,由几辈作家共同推进。

问:有人评价你"对生活感受敏锐,善于作理性的宏观把握,写出了不少具有社会思考特点的小说,作风严谨,意蕴深厚"。你认为一个作家应该具备社会的教化职责吗?文学的功用是什么?你对自己自《班主任》以来的创作是如何评价的?

答:我从不对文化包括文学的问题作唯一前提的回答。"一个作家应该具备社会的教化职责吗?"这"一个"如果是"每一个"的意思,那我的回答是否定的。人类需要各种不同的作家,从伏尔泰到王尔德,从鲁迅到张爱玲,各种作家里一定要有以启蒙教化为职责的作家,也一定要有不关心教化一意去唯美的作家。如果问题具体到我个人,那么,我承认自己的站位,是选择了多元格局里"文学应该具备社会的启蒙教化职责"的这一元。我自1977年发表《班主任》以来,几乎每一部作品包括每一篇文章,都体现出我这一稳定的站位,但在这一位置上,我又自觉地从其他文学元里尽可能地汲取可丰富自己的营养,我为自己到今天还有旺盛的创作力而倍感欣慰。

《红楼梦》缩写本前言

《红楼梦》不仅是我们中国最伟大的古典小说，也是全人类的文明瑰宝。

这本伟大的小说诞生在大约二百多年前，清朝的乾隆时期。它最初是以手抄本面世的，现在我们所发现的最早的一个手抄本，是乾隆甲戌年（1754）的，但只有不连续的十六回；后来又发现了若干的抄本，有的，如乾隆庚辰年（1761）的抄本，差不多有八十回，这些手抄本都把这本小说定名为《石头记》，并且有署名"脂砚斋"的许多批语。据专家们考证，这部小说的作者是曹雪芹，他大约生在康熙朝末年或雍正朝初，卒于1763年或1764年，他的身世究竟如何，因为可信的资料不多，所以至今不能形成统一的看法。但他由于贫病交加、爱子夭折，而未能最终完成这部小说，是可以肯定的事实。现在传下来的前八十回，基本上是他的手笔。在他去世差不多三十年后，有一种百二十回的《红楼梦》以木活字印刷面世，在1791年和1792年连印了两次，从此大为流行，但据专家们考证，这种流行本的后四十回是一个叫高鹗的官僚续作的，他的续书虽然使故事有了一个完整的规模，人物大体上都有了一个结局，但因为他本人的思想境界和艺术修养都远不及曹雪芹，所以，他所续出的内容，并不符合曹雪芹的原意。比如说，按曹雪芹的构思，贾家最后是要破落到"好一似食尽鸟投林，落了片白茫茫大地真干净"的，而高鹗却写成宝玉"中乡魁"，贾家"沐皇恩""延世泽"。所以，有的专家认为不应把前八十回原著和高鹗的后四十回伪作印在一起流布。但二百多年来这种百二十回连印的做法已成习俗，并且，高鹗所写出的宝黛悲剧结局，也被广大读者所接受，所以，现在人们说起《红楼梦》这本小说，往往指的就是曹雪芹的前八十回和高鹗的后四十回续书的总称。这一共百二十回的本子，总字数达一百零七万五千字左右。

我们这个缩写本，是为了使读书的时间有限，却又想了解、体味《红楼梦》这部伟大名著的、具有中等以上文化水平的一般人士，能用较少的时间，花较少的精力，获得方便，而准备的。现在这个缩写本的字数，只有约三十万字，相当于原百二十回书的三分之一弱。这个缩写本，把原书中的精华，都囊括进去了，读了这个缩写本，可以说，也就基本上掌握了《红楼梦》的内容，并且欣赏到了其文字的韵味，领略到了其中所蕴涵的文化风情。这个缩写本的前二十一回，都取自前八十回的曹雪芹原著，高鹗的四十回，我们只缩为了四回，这样做的目的，当然是因为我们也认为高续问题太多，一般的读者，少接触也罢。前面我们说了，曹雪芹未能完成这部作品，但并不等于说他未完成全书的构思，据脂砚斋评语透露，八十回后的一些章节，是已经写出来，又失去了的，而且，我们现在可以知道，曹雪芹对许多人物归宿的设计，是与高鹗所写大不一样的，也就是说，高鹗违背了曹雪芹的初衷。比如贾宝玉和凤姐，他们后来应该是锒铛入狱的，贾宝玉更沦为乞丐，"寒冬噎酸齑，雪夜围破毡"，对现实完全绝望，才悬崖撒手，遁入空门的，哪儿能像高鹗写的那样，去考中了科举，出了家还要披一袭大红猩猩毡的斗篷呢！我们把高鹗所续也略缩了一些，只是为了照顾到百二十回本流传已久的事实而已。

这个缩写本，前八十回，主要依据的是庚辰本，但也不完全取用庚辰本的文字；对于若干可以大体上"望文知意"的字词句和诗词曲联，我们没有不厌其烦地加注，因为我们这个缩写本的读者们，本不拟对这部作品进行专门的研究，应该是读起来大体上通畅明白就好；只有最必要的地方，我们才加以注释。

需要提醒读者们注意的是，曹雪芹在写这部书时，他用了"谐音寓意"的手法，比如他把贾家的四姐妹命名为元（春）、迎（春）、探（春）、惜（春），这是谐"原应叹息"的音；在贾宝玉神游太虚幻境时，警幻仙姑让他饮的茶"千红一窟"，是"千红一哭"(许许多多的"红颜"即青年女子同来一哭)的谐音,又让他饮"万艳同杯"
酒,这酒名是"万艳同悲"(许许多多美丽的女子同属悲剧性命运)的谐音;这样
的手法几乎贯穿了全书,聪明的读者不难一一发现,如甄士隐是"真事隐(去)",
贾雨村是"假语村(言)"("村言"即"村野人的言论",也就是不入大雅之堂的、
"不可靠"的俗话),"胡州"是"胡诌",封肃是"风俗",英莲是"应怜",等等。
另外,这部书又曾名为《金陵十二钗》,书里的主角,除了贾宝玉,就是若干女
子,在曹雪芹的构思中,这十二钗要分作起码三组,在贾宝玉神游太虚幻境时,
他偷看了关于金陵十二钗的册子,正册看全了,依次暗示的是下列人物的结局:
(一)薛宝钗和林黛玉合为一首诗一幅画,一个结局"可叹"(守寡),一个"堪
怜"(夭亡);(二)贾元春,虽入宫受宠,最后还是不幸身亡;(三)贾探春,
远嫁;(四)史湘云,虽嫁了个好丈夫,丈夫却很快死去;(五)妙玉,被恶人侵犯,
反抗而死;(六)贾迎春,被恶丈夫折磨死;(七)贾惜春,最后出家;(八)王熙凤,
最后死得很惨;(九)巧姐儿,家败后遭害,多亏刘姥姥营救;(十)李纨,后来
虽因儿子中举当官得保富贵,但守寡一世,终无意趣;(十一)秦可卿,因与贾珍
有染,上吊身亡。后来警幻仙姑让贾宝玉听的《红楼梦十二支曲》,其内容是与
这十一幅册页相呼应的。十二钗副册,只写出了一幅,说的是香菱(据曹雪芹构
思,她应是被夏金桂折磨而死,不是像高鹗续书说的那样,后来还被薛蟠"扶正");
十二钗又副册,只写了两幅,第一幅应是晴雯,第二幅应是袭人。另外,书里面
的人物作诗赋词,不仅反映出各人的性格思想,也都隐含预示着各人的最后归宿
(我们的缩写本里只保留了菊花诗、柳絮词等最突出的例子)。这些,都是读这本
名著的必要的钥匙,掌握了这些钥匙,也就得到了读这本书的诀窍。所以我们在
这里先提醒读者一下。再次,曹雪芹那个时代,一些字词的写法,与今天不同,
比如那时候没有"她"这个字("她"是本世纪初"白话运动"兴起后才"发明"
出的字),所以你在原著《红楼梦》里所读到的不分男女全是"他",并不是"印
错了",而是"本来如此"。在缩写本中我们尽量改动,类似的地方亦如此,以方
便读者。

　　缩写《红楼梦》这样的古典名著，是一桩很吃力的工作，主要的难度，是舍弃哪些内容，割了爱，而又还能使读这缩写本的人士，产生浓厚的阅读兴趣，并有连贯自然的感觉。我们自己所"写"的文字，其实很少很少，而我们所动的脑筋，却实在多多，因此，这样的工作，也确是构成了一次创造性的劳动，唯愿我们的心思工夫没有白费，能使这个缩写本的读者，轻松一览，开卷有益。

　　在缩写的过程中，得到刘远的大力协助，在此致谢！

1994 仲夏于绿叶

从绿叶居到温榆斋

1959年,《北京晚报》创刊不久,我就给它的副刊《五色土》投稿,"文革"后它复刊的第一期,《五色土》副刊上又刊出了我的小文,几十年来,我一直在给报纸副刊写稿,包括《光明日报》的《文萃》;近年来,我在《北京晚报》《五色土》副刊开了一个专栏,叫《温榆斋随笔》,我的随笔产量颇高,质量呢,不敢自诩,但从网上看到一些网友的鼓励,心里热乎乎的。

1979年,我头一回有了一间小小的书房,我给它取名叫绿叶居。那以前不久我发表了一个短篇小说,题目是《我爱每一片绿叶》,至今我珍爱自己这篇作品。尽管我因1977年11月在《人民文学》杂志发表了短篇小说《班主任》,被认为是"伤痕文学"的发轫作,引出轰动,走上文坛,一度还颇为中心,出任过《人民文学》主编,但我自己深知,别的方面且不细论,就性格气质而言,我是不适宜居留中心的,我虽然也算开过花,结过果,但总的来说,我觉得自己只是大树上无数绿叶里的一片,甚至于,我只是一片带锈斑的绿叶,我愿在树杈的一个角落,默默地光合,为整株大树作些奉献,也为滋养我自己。

近十五年来,我自觉地远离了热闹场,深居简出,边缘自乐。进入二十一世纪,我在郊区觅得一间书房,因为离温榆河近,我就叫它温榆斋。读书、写作之余,我常到温榆河,以及它附近的小中河,那些仍保持着湿地野态的河畔林中,散步,冥想,画水彩写生,构思新的文章。有人说我是离群索居,或说是隐居乡野,其实我离的只是名利场是非地，疏的只是会议宴请应酬揖让，我有许多素质很高的知识界朋友，他们只不过没显赫头衔不那么出名罢了，我还主动结识了很不少的市井人物、外地民工和温榆斋所在地的村民，这都是我所挚爱的绿叶，是我写作的源泉，是引发我灵感的星火，在我的小说、随笔里，字里行间闪动着这些绿叶的光影，氤氲出他们淳朴生命的芳菲。

城里的绿叶居，我也还在使用，郊野的温榆斋，是绿叶居的别号，也是绿叶居的发展，这发展，我自己的体味，就是心境愈加平和，思考愈加细密，诉求愈加真切，审美愈加专一。

置身竞争愈加激烈的社会，我要善于自己化解焦虑，同时把这化解的体会，奉献给读者，携手联心地，在波诡云谲的时代风浪里，能以闲庭信步的气概，进行人生跋涉。在这两个书房里写出的随笔，陆续地先在报纸副刊发表，然后结成集子出版，登在副刊上有读者愿看，约新集子的出版社不止一个，这说明绿叶的光合有效，也借了"温榆"这两个字的灵光——如今这浮躁的尘世最缺温和、温文，而榆树的朴实性、深根性尤其值得效仿——这些随笔能收获理解与鼓励，是我最大的福气。

这个新随笔集里收入的，除了生活类、心理类随笔，还有关于《红楼梦》的随笔，涉及建筑与环境、民俗与城市文化，以及足球文化等题材多样的文章，与前些时新华出版社所出的那本《眼角眉梢》在篇目上完全不重复。

感谢光明日报出版社，给我一个推出新集子的机会。希望各方面人士惠赐批评，我将在绿叶居与温榆斋中更加努力。

2004 年 2 月 21 日温榆斋

半篇自传

我 1942 年 6 月 4 日出生于四川省成都市。母亲生我前，已有三子一女，最小的女儿已经八岁。当时家庭生活困窘，母亲不想再添累赘，便遍求偏方，想在孕中把我打掉，但那些偏方统统不灵，最后还是只好把我生了下来。

当时正处于抗日战争最艰苦的阶段。父亲出于爱国热情，给我取名"心武"。"心"是排行，"武"是要以武力驱逐日寇的意思。

后来母亲一度带我回到老家安岳县。我的祖籍是安岳县龙台场高石梯，那是一个极其偏僻的村落。我始终没有回到过那个村落，尽管后来我不止一次回过安岳县城，并且有一次还回到过龙台场。老家安岳县永远能在我心中唤起一种难以言喻的亲切感。我记得它的一家理发馆中，有着一面用四排二十四把蒲扇联缀而成的大扇子，用滑轮和绳索构成一种机关，理发师傅给顾客理发时，可以用脚踩得它上下风。也许如今它早已被电风扇取代了吧，但故乡的那种特殊情调，既已储留心中，却是任何新奇的东西都不能淡化的。

再后来我家定居重庆。我们住在南岸，隔江与重庆城区相望。推开我家房舍的窗户，长江永无止息地流淌着，对岸是密密麻麻的"吊脚楼"，纤夫那悲壮的号子声一起一落地飘来，缝缀着大补丁的灰帆时隐时现地浮过……晴天很少，雾气常来，到了晚上，对岸的万家灯火仿佛无数只一眨一眨的眼睛，使我感到无比神秘。

我便在那雾蒙蒙的山城度过了我耽于幻想的童年。

1950 年，我父亲被调往北京工作，我们全家随往。从此，我便一直生活在北京。

刚到北京，我是一个顽固的"小川佬"。因为错过了新学期的开始，住家附近只有一所私立小学愿意接收我当插班生。我插进去以后有很长一段时间坚持说四川话，其实我心里早就会说北京话了，可就是不好意思开口，弄得老师皱眉、同学取笑。我记得有一天同班一位同学不知为什么事同老师顶了嘴，那老师气恼之下，便把他从我们三年级教室拖拽到了二年级教室，当场宣布了他的降级。这件事给了我一个强刺激。我在个人生活经历中第一次体验到了对不公正的事情的义愤。我忍不住对同座的同学说："干吗？！"这大概是我第一次在公共场合说北京话。

那所私立学校从校长到教师概由一个家庭的成员充任，整个学校的气氛令人难以忍受。不等国家对它实行接收、改造，我的父母就让我转到了另一所公立学校。在那里我戴上了红领巾。我是一个平庸的学生，最令我难忘的业绩，是有一回学校举行讲故事比赛，我竟被推选为班上的参赛者之一。经过反复预习和试讲，我终于在众目睽睽下登上了赛台，但我刚站定便失去了原有的灵感与勇气，结结巴巴地支撑到故事的结尾，在同班同学责备的目光和喷议中走下了赛台。从那回起我就明白，在人生的途程中，我要想取得成功就必须付出比别人更多的代价，因为我太笨。

有一天下午，午睡后跑去上学，发现旁边的座位是空的——一直空到下午放学时。后来老师告诉大家，我的同座中午跑到城外窑坑游泳，淹死了。老师严肃地发表着由此派生出的训诫，我一句也没有听进去。我只想着那同学上午还活现于我眼前的声容笑貌。头天下午上课时，我还用指甲在他那黝黑的胳膊上划出过白道。可是他竟从此消失了。这是我头一回生动而具体地体验到死亡的含意。

后来我上了中学。我直到初中三年级才懂得用功。到了高中，我的成绩更好一些。可是我取得好成绩是不容易的。刚上高一，物理老师第一次提问我，我就答错了，而且错得很蠢，我把每一米等于三市尺记成每一米等于三点三市尺。物理老师自然给我记了一个两分。后来我比学习其他功课更加卖力地学习物理，但物理老师对我的印象很坏，他教了那么多年，连一米等于几市尺都记不清的学生似乎只碰上过我这么一个，这很伤他的自尊心。他再没有提问过我，但渐渐地他惊讶起来，因为在后来我每次的测验、期考都得的是五分。期末考试采用的是从苏联学来的抽签式面试。我抽到的题签是一道最难的力学题，又要讲出道理又要计算准确，我战战兢兢然而仔仔细细地完成了全部要求，物理老师瞪圆了眼睛望着我，他似乎是很不情愿地给我记下了一个五分。但最后的学期总评，他还是只给了我一个四分。这件事使我进一步认识到我并非聪慧之辈，我会在最简单的问题上失足，而为了挽回损失我往往要付出最大程度的努力。当然，另一方面我又充满了幻想。我觉得从打破世界举重纪录到成为北京人民艺术剧院的著名导演，从成为一名考古学家到发明出一种新型的建筑材料，在我来说都无妨一试。生活似乎为我提供了无限丰富的可能性。

但是高中毕业以后出现了我以前完全未曾料到的局面。在高考中我遇到了挫折。不是没有考取，而是考上了一所排列在所有招生院校最末一名的北京师范专科学校。

一位高中同学，原来是近于崇拜我的，不仅是因为我学习成绩比他好，更因为他知道我常在《北京晚报》上登出文章，并且高考期间广播电台所播出的一出儿童快板剧，便是由我改编的；可我竟同他一样只考取了北京师专，在到师专报到时我们遇上了，他毫不掩饰、淋漓尽致地当众倾泻了他对我的鄙夷——这个强刺激使我对人生有了更立体的看法。

可是我自己并不认为我一定得上北京大学。我从上师专起开始离开家独立生活。我渐渐觉得去当一个普通的中学教师也不错。我以优异的学习成绩毕业于北京师专，被分配到北京第十三中学教语文。我走上工作岗位以后，自然更明显地暴露出了我的种种缺点和弱点，但有一个优点似乎是谁也承认的——我安心教学工作，备课认真，讲授生动，学生们的反映总是不错。

　　我上学比同代人早，所以从师专毕业时我才十九岁。我一到北京十三中就教初二的语文课，只比我的学生大四岁。现在他们当然都早已走向生活，有的现在还能遇上，他们对我执弟子礼，使我很尴尬——因为我们实际上是同一代人。

　　从1961年夏天参加工作到1966年夏天"文化大革命"爆发，正是我从十九岁到二十四岁的青春岁月。我是一个默默无闻的、缺乏社会生活经验的、性格偏于内向的中学教师，但我觉得自己生活得问心无愧，而且精神上很充实。我读了不少书——不仅是文学书籍，也有不少哲学、历史、自然科学方面的书籍。我熟悉了不少人——不仅是学校的干部、教师和所教的学生，更吸引我的往往是学校扫地的工友和冬天来烧锅炉的临时工，以及那些处于北京社会生活最底层的学生家长——建筑工人、三轮车夫、电车售票员、小饭馆炸油饼的饮事员、位于并不重要的路口的交通民警……及至于以捡废纸、看守自行车为生的老头老太太。我从他们当中发现了许多令我惊愕的世态人心，更发现了强烈而持久的美。

　　那一阶段我的生活天地很小。学校就是那么大，平日能够延伸出去的生活领域也就是北京北城钟鼓楼、什刹海一带。中学教师几乎没有出差的机会，参加一次到天津兄弟学校的取经活动，对我来说便是生活当中的一桩大事。但就在那几年里，我成了一个地地道道的北京人，我的普通话说得别人绝听不出四川口音，还能以极够味的北京土腔同学校里的工友对话。例如天气闷热时，便会说："这天哪，盖了个盖儿啦！老爷子烟高粱秆儿啊，邪乎！"语言还在其次，我觉得自己已能体会到"老北京"的种种特殊心境，我没有忘记祖籍安岳那些赭色的丘陵，没有忘记成都武侯祠的柏林，没有忘记嘉陵江畔的帆影，但我认为自己已经成了一个北京人——直到今天我写小说，从构思到落笔都使用北京话便是明证。

　　1966年夏天"文化大革命"的暴风雨袭来时，我在政治上还完完全全处于懵懂状态。解放后在此之前的历次政治运动，我因为年龄小都没赶上过。1957年反右时我刚上高中，只知道校长和几位主任以及十多位教师都被划成右派了，后来陆续不见踪影,但那时教师搞运动单在一间不让学生进去的大屋子里挂大字报、开批判会,所以我和同学们照样悠游嬉戏,并不知道在那间大屋子里出现了一些什么场面。我上师专时党内有过一次"反右倾",但我连团员都不是,自然未受触及。参加工作以后,我才加入了共青团,但1964年以后搞"四清"运动,学校里虽然也抽了一些人去参加,我却一直留在教学岗位上教我的课。

"文化大革命"确实是以"迅雷不及掩耳"的气势一下子君临了我们那所小小的学校。我不可能是"革命造反派",因为尽管我比那些"造反"的高中三年级"小将"大不了几岁,但已属于天然应受冲击的教师群中的一员。我也不可能一开始就成为冲击对象,因为无论当"走资派"还是当"反动权威"我都不够资格。我确确实实给吓坏了——因为几天之内,"造反"的"小将"就在校园里打死了好几个人,有他们认为"该死"的"臭流氓",也有从校外拉来打死的"反动资本家",学校的党员干部和一些老教师在武斗中被极其粗暴地践踏了人格。在那样一种狂热和恐怖交织的气氛中,我内心里既充斥着对理论的崇拜又充斥着对实践的怀疑,我的灵魂被煎熬得好苦。

后来冲击波渐渐逼近了我。我在《北京晚报》上发表的一些"豆腐块"就刊登在邓拓的《燕山夜话》旁边。其中一篇文章认为京剧改革虽好但不宜取消小生等行当、水袖等技巧,再加上我在课堂上所讲的也被回忆出不少"放毒"的成分,于是乎出现了揭发我"反动言行"的长篇大字报。后来有一天,"群众专政小组"便在校门内贴出了大幅告示:当天下午两点半于操场召开批斗我的全校大会,主要的罪名是"猖狂反对京剧革命"和恶毒攻击江青。

那天中午我照常到食堂吃了饭。胃口不大好,但也还吃得下去。回到宿舍,我躺在一把旧躺椅上,自己也感到吃惊——我何以这样镇静?我没有萌生自杀这类的念头,只祈挨斗时他们不至于把我打死或致残——所谓"群专小组"当时完全干得出这种事。后来我听见有人敲门,便本能地跳起来打开了门——门外是我教过的一个学生。

这件事至今回忆起来还令我战栗。那敲开我门的学生是一个曾使我倾注过多量同情的弱者。他的父亲运动一开始便被本单位"遣返回乡",并且据说一抵达乡里就被打死了。他的母亲和我一样也是中学教师,因为丈夫的问题处境维艰。他本人则被同学们视为"狗崽子",不仅无资格参加"造反",有时还要受到诟骂。我曾在他母亲情绪最低落时,壮着胆子去他家看望过他母亲和他们三个兄弟,在"红五类"同学辱骂他时,给予过劝阻。但我万没想到那天中午是他来敲开了我的门,并且他脸上呈现出一种明白无误的恶意的好奇感,他那表情就像用文字书写出来一样,令我终生难忘——"啊,今天下午要斗你啰,你中午待在这儿干吗呢?我可得瞧戏喽戏(北京话:"看看热闹"的意思)……"是我理解错了吗?不,原来他后面还有几个具有同样好奇心的"红五类";他看来不像是被逼迫着来打头阵的,因为他的表情松弛而生动——我一开门他便望着我得意地假装咳嗽。

我使劲撞上门,倒在躺椅上。我遍体清凉。我这才懂得世上有超越我个人悲剧的更大更深的悲剧——心灵沉沦的悲剧。

后来那次批斗我的会戏剧性地延期了——仅仅是因为"中央首长"发表了一个什么新的重要讲话,必须倾校而出去游行欢庆。而学校偏又进驻了新的"工宣队"。据说"工宣队"的区指挥部看了"群专组"上报的关于我的材料,认为我的"罪行"还不到"全校揪斗"的程度,我便被从轻发落——派到农村劳动去了。

后来我也算太太平平地经历完了整个"文化大革命"。就我个人而言,没有什么值得夸耀的,也没有多少值得特别惭愧的。我实在只是个最平常不过的人,所有的不过是些最平常不过的经历。

附记:

这篇应《作家》而写的《自传》,大约是今年春节时写至这里而中辍的。后来几次想续写下去,却失去了兴致。当然,也是因为全部精力都投入到了长篇小说《钟鼓楼》的创作中。现在《钟鼓楼》已竣稿,本应将此《自传》续完,却依然恢复不了当时的"文气"。我看就这样发表吧——需要补充的不过是:1976 年

10月份，我调到了北京人民出版社（现北京出版社）当文学编辑，编过长篇小说，也参加编过《十月》。1980年后我调到北京市作协当了专业作家。到目前为止，我大约发表过九个中篇小说，七十来个短篇小说。第一个长篇《钟鼓楼》可望年内先在刊物上发表。

1984 年 7 月 11 日于北京

秋收时节念春播

那一年我十五岁，买了一本《人民文学》，一个人跑到北海公园，租了一只船，划到湖心，如饥似渴地读了起来。

那本《人民文学》是 1957 年第 7 期，特大号，封面是一个小绿四方形和一个大绿四方形相接的设计。翻开以后，第一篇作品是李国文的短篇小说《改选》，然后有宗璞的《红豆》，丰村的《美丽》……我甚至记得还有程造之的一篇叫《杨亚男》；我看得忘记了时间，忘记了周遭的湖水，并且忘记了我自己。我那只小船，一定在湖心打了无数个转儿，恰似我那颗被文学激荡得充满渴望和创造欲的心……

后来所发生的那些扫兴的事情，我也感受到了，但到底我还只是个高中学生，政治浪潮和文坛风云离我都很遥远；我只觉得《人民文学》有好一阵不那么好看了，变得薄了，纸也很黑，我便不怎么买它。但到我二十多岁的时候——那时候我已到中学教书——发现《人民文学》又变得较有吸引力了，纸漂得越来越白，里面登的东西有时候也挺费琢磨，比如又出现了王蒙的小说，里头写下雨写得跟别人很不一样；还有冰心老前辈的散文《海恋》，文字是好得没法说了，里头全然没有一点当时所时兴的、似乎是必不可少的诸如"阶级斗争"、"反帝反修"的口号，还有赵树理的《卖烟叶》——我得坦白，当时我很不喜欢它——确确实实透着新奇。难道小说也可以这样写么？

再后来是大扫兴。不去说它了。

从什么时候起，萌生出这样的想法："我也给《人民文学》来一篇？"不记得了。因为我萌生并滋长乃至演化为行动的蠢笨事和聪明事一向很多。比如我幻想过当举重运动员，像黄强辉、陈镜开（当时自然还没有吴数德、陈伟强）他们那样去打破世界纪录；又比如我不仅幻想而且正式去投考过戏剧学院，并且居然通过了初试而进入复试，但随着被刷下来而破灭了在中国首导霍甫特曼《沉钟》或契诃夫《海鸥》的痴梦……

从十六七岁到二十多岁，我只在向报刊投寄一些"豆腐块"文章的尝试中取得了一些成功。我郑重其事地给《人民文学》寄过短篇小说，也被郑重其事地附上油印信退了回来，当时就在、至今犹健的编辑同志大概毫无印象，这很自然。但我仍要感谢《人民文学》，感谢编辑同志，因为毕竟是这本杂志和它的编者，在我青春期的心田中播下了种子——也许既有粮种也有稗种，但主要的终究是粮种。

经历过一个严冬，大地苏醒过来。我未必是觉悟得早的，但我心中的粮种在恰逢其宜的土壤、水分、温度的催动下，萌发起来。于是我提笔写《班主任》。写完，我竟被自己所写的激动了，这是全新的创造体验，我决定投寄《人民文学》。记得我跑到东单邮局去寄，那位营业员非要拆封检查，说不经她一页页目验确系不夹带信件的稿件，不能按稿件计价。我不愿让她拆检，倒还不是因为那里头确实附有一封写给崔道怡同志的短信，主要还在于我有一种心理障碍——我不愿意让任何一个人先于《人民文学》看到《班主任》这个题目，以及它里面的任何一段一句……于是我赌气不寄了，我抱着稿子跑到中山公园，坐到水榭一角，当时那里正在修缮，堆着一堆掺了白灰的沙土；我突然更清醒地意识到，我向《人民文学》投寄这篇稿子不啻是一次冒险——这自然会使当今一些作者和读者哑然失笑，但我当时确凿是那么一种心境。

我把稿子抱回家，放到了抽屉里。后来不知怎么的我又鼓起了勇气，于是我换了个邮局，将它寄出去。几天后我收到了崔道怡同志的信，他代表个人热情赞赏，并说已立即送交领导审阅。其实我与崔道怡此前大概只见过一回，缘由是他面退我一篇写得糟糕的小说。后来的事大家都知道。我讲这些主要是想说明，诚然《班主任》是我个人写作历程中的第一次像样的收获，但它的种子，是生活，是人民，是一切积极的因素，一切向上的托举力，播撒在我心田中，并催动它萌发生长的。而《人民文学》于我，也正是播种者之一。春种而秋收，本是必然中事。

四季是循环往复的。我个人的写作历程尤其如此。当然，这历程还短，但也并非只是不停地收获，即使是收获期，也有大年和小年之分，甚至在割下的稻麦中，说不定还混有稗草。《人民文学》发表《班主任》后，我走上了一条宽阔的写作之路，劳作自信还算辛勤，也有了若干次秋收，每当收获时，我总不免念及播种者。当然，往我心田撒播粮种的还有更伟大的农夫，但对于《人民文学》，我总怀有一种特殊的情感，这当能被大家所理解吧？

还有什么可说的，我只有更努力地耕耘！

1984 年 9 月 20 日

沿着正确的道路前进

向同志们谈一下短篇小说《班主任》的创作过程。

从 1976 年 11 月开始，也就是"四人帮"揪出刚刚一个多月起，当时北京市创作联络办公室，组织业余作者开了一系列批判"四人帮"反动文艺理论的座谈会。我参加了这些座谈会，深受启发。我痛切地感到，对广大业余作者，特别是对于我自己来说，首先应当同"主题先行"、从概念出发的创作路子决裂，回到从生活源泉出发的正路上来。

这样，我就开始回顾近几年来的生活。担任班主任和任课教师的种种场景，以及我所熟悉的人物：教师、学生、家长……他们的音容笑貌、言行作为，都生动地浮现在我的眼前，而我自己在这几年的工作、生活里所感受到的喜怒哀乐，也油然地涌上了心头。我为什么要抛开生活里真实的矛盾冲突、人物和事件，另外去根据概念瞎编故事呢？

随着揭批"四人帮"的运动向深入发展，一方面，加深了我对过去几年的生活的认识，另一方面，也加强了我与"四人帮"那一套文艺创作"帮规"斗争的决心。我心里开始萌生着一个念头："四人帮"对学校教育的破坏，不仅表现在砸碎玻璃窗这类的"外伤"上，更要紧的是给下一代心灵上造成了"内伤"，我能不能写一篇小说，从这个角度来控诉"四人帮"呢？在 1976 年年底召开的一次座谈会上，我结合批判"四人帮"搞文化专制主义，推行愚民政策的罪行，摆出了学生中存在的问题。一种是"四人帮"造成的畸形儿,问题暴露在外,比较容易引起人们注意。还有另一种学生,他们品行端方,要求上进,当着小干部,被认为是标准好学生,但是由于"四人帮"用唯心论、形而上学熏染他们,使他们思想僵化、片面;"四人帮"的"血统论"、"两个估计"、"文艺黑线专政论"之类的毒货,由于裹上了"革命"的外衣,被他们天真地奉为真理,结果,他们也成了精神畸形的青少年。例如我接触过这样的小干部:她绝对不看"十七年"的小说,认为统统都是毒草;她绝对相信当时报上的一切文章,把梁效、罗思鼎炮制的大毒草看做是最好的学习材料;为了写"批孔批周公"的儿歌,她可以熬个通宵,班主任老师不同意她提出的"每人写一百首儿歌"的倡议,她便怀疑班主任老师"有问题"。直到"四人帮"揪出以后,这样的小干部在一些问题上仍然糊涂,他们不理解《青春之歌》这样的"黄书"为什么要再版,他们甚至认为高考改革是"复旧"、"复辟"……我在那次座谈会上说,我们应当做这两种青年的工作,尤其对后一种,更应当促他们猛醒;他们的问题,不大容易被发现,发现了也不大容易被重视,总认为他们反正本质纯正,可以放心;其实,如果他们不能转变,甚至进一步恶性发展,那就比小流氓更具破坏性。参加过那次座谈会的同志不难发现,我讲的这些,实际上就是构成小说《班主任》的基本素材,小说中的小流氓宋宝琦和小干部谢惠敏的形象,就是在这个基础上形成的。这次座谈会以后,一有空闲,我就酝酿这篇小说,经过几个月的反复酝酿,到了1977年夏天,强烈的写作冲动来了。本来,我还想再等一等、看一看,希望有别人先我而行,发表出揭露"四人帮"给下一代心灵造成"内伤"的作品,使我有所借鉴,有所遵循。但是,眼看着宋宝琦式的小流氓急待挽救,目睹着谢惠敏式的小干部仍未觉醒,我感到必须鼓起勇气,拿起笔来战斗。

当时我已到出版社工作。我是在出差密云县时,利用晚上的时间开始写这篇小说的。铺开稿纸以后,我勉励自己说:这回,你一定要忠于生活,严格地从生活出发,人物、故事、细节、语言,都要从生活中提炼,主题也不要事先拟好几句话,然后去加以图解,一定要在写作的过程中,尽量往深里开掘,把自己对生活的思考，真诚地贡献给读者。

动笔以后，开始很顺利，我写到了张老师，写到了宋宝琦，写到了围绕着接收不接收宋宝琦，在教师之间引起的争论……渐渐地，我孕育很久的一个形象——团支部书记谢惠敏向笔下走来了，写到这里，我一下子却又犹豫起来。固然我在创联办的会上发言时，提到过这类青少年的问题，但那毕竟是一次小范围的非正式发言，现在可是写小说，要争取拿出去发表给广大读者们看。生活中有相当数量的宋宝琦，这一点广大读者会是深有体会的，把这样的形象写入作品，虽然担着一定的风险，多数读者恐怕还是能够接受的；而生活中还有着不少的谢惠敏，这一点究竟有多少读者能够承认呢？把谢惠敏这样出生在劳动人民家庭的团干部，写成被"四人帮"造成"内伤"的状态，会不会被扣上"污蔑"、"丑化"的大帽子呢？会不会被认为是搞"暴露文学"？我想，我暴露的是"四人帮"这一黑暗势力的罪恶，我没有错；而且，我是通过正面人物张老师的眼光、思想来揭示这一点的，并不是纯客观的暴露，而是有所分析、有所批判；此外，我特别注意了对政治上的以及自然界的春天气氛的渲染，而且勾勒出了石红这样的形象，构成一片光明，使所暴露的黑暗成为整个光明的陪衬。也许我处理得还不尽准确，还不够艺术，但是，可以理直气壮地说，我搞的并不是"暴露文学"。我又进一步想，《班主任》这个短篇小说，里面并不出现"四人帮"本身及其爪牙，也就是说，没有敌人的形象，那么，对宋宝琦、谢惠敏身受"内伤"这一点揭示，会不会犯暴露了不该暴露的东西的错误呢？

我觉得，自己所暴露的恰是"四人帮"在人民中遗留下的恶劣影响，"内伤"在宋宝琦、谢惠敏身上，凶手却是罪恶的"四人帮"，因此，我应当大胆地写下去。

思想上明确了，写作冲动又袭上心头。正如在《班主任》中说的："对丑类的恨加深着对人民的爱，对人民的爱又加深着对丑类的恨。当爱和恨交织在一起的时候，人们就有了为真理而斗争的无穷勇气，就有了不怕牺牲去夺取胜利的无穷力量。"我一鼓作气，利用几个夜晚，顺利地写完了全稿。

稿子写完以后，我没有马上送出去，我把它撂到抽屉里，我觉得自己还需冷静下来，再仔细想一想，这样一篇小说究竟能不能加深读者对"四人帮"的恨，对祖国和人民的爱，以及对美好未来的向往？

九月里，有一天我忙完了编辑工作，晚上回到家里，当夜深人静之时，拉开抽屉取出了《班主任》的稿子，读了起来。我被自己写下的东西感动了。这在我还是头一回。我朦胧地感觉到，我在这之前虽然也写过一些东西，但只有这一回，才算是真正走到了正路上。

小说发表出来以后，编辑部和我陆续接到了大量的读者来信，广大读者给予了我极大的支持、鼓励，特别令人感动的是一些青年来信，说自己和作品中的宋宝琦、谢惠敏差不多，决心洗涤"四人帮"在自己灵魂上泼下的污垢，以实际行动向 2000 年的"四化"远景进军。

许多读者以及文艺界的领导同志、老前辈对我这么个还很幼稚的作者和《班主任》这么个小小的短篇小说给予如此热情的支持和扶植，使我非常感动。我意识到，同志们肯定这个短篇小说的意图，还不在肯定这小说本身，而是在肯定一条正确的创作道路，这就是我国从"五四"以来无产阶级革命文艺一直所遵循的社会主义现实主义即革命现实主义的创作道路。这条道路被"四人帮"割断了十多年，"四人帮"用"三突出"之类的迷魂阵把创作引上了一条崎岖狭窄、最后通向绝境的黑路，现在我们要扫荡"四人帮"布下的迷魂阵，使文艺创作回到革命现实主义的正路上来。我们一定要从生活出发，从实际出发，透过生活现象去揭示生活的本质，使生活的真实、艺术的真实、政治的真实统一起来，使我们的作品真正能使广大读者喜闻乐见，感奋起来，起到团结人民、教育人民、打击敌人、消灭敌人，推动历史前进的作用。

1978 年 10 月 3 日

我走了三步
——《大眼猫》后记

　　向读者敞开心扉，在作者来说，既是不可推卸的义务也是一种乐趣。

　　前些时，我接到一封寄自某县城招待所的来信。来信者因为不知道我的地址，信是寄往某家杂志，让他们代转的。这封信转到我手中时，我恰好在编这个集子。来信由一位读者署名，但他是代表一群人写这封信的。信上说，他们为我的一篇作品，争论得很激烈，很想同我直接对活，来弄明白这篇作品的含意，希望我给他们回信。他还这样写道："我们都是属于刘心武读者群的。"这真使我受宠若惊。我这样一个创作上尚在摸索阶段的作者，真的已拥有一个读者群了么？

　　据说，国外有的作家，他写作品并不为给广大的读者看，只是为了给极少数的知音，甚至仅仅是写给自己来欣赏的。我以为这是不足为训的。对我们中国作家来说，创作，是为人民服务的手段。当然，人民，这是一个很广泛的概念，包括工人、农民、解放军指战员、机关干部，也包括知识分子乃至于民主人士。这还只是从职业和身份上来划分。从年龄上划分，则又有少年儿童、青年、中年、老年的区别。就我们全体作家来说，我们的全部创作，应当尽可能满足所有人民群众的需求。但就一个作家来说，我以为他不大可能使所有的人民群众都成为他的读者群。例如，有的作家的作品，主要赢得了农村读者的喜爱；有的作家的作品，则主要吸引着知识分子，等等；还有的干脆单纯从事儿童文学的创作，他的读者群，基本上就是少年儿童。读者群大，当然意味着作家创作上的成功；读者群小，只要没小到只有作家自己和周围少数"知音"才看得懂的地步，而这群读者又的确从作家的作品中得到了启发和乐趣，那么，这样的作家的创作，我以为也是应当肯定与鼓励的。

我的读者群由哪些人组成呢？从我这几年所得到的读者来信分析，核心部分，是二十来岁至三十来岁的青年人，其中包括城市青年工人、农村回乡知识青年、部队战士、售货员、服务员、待业青年、中学生等等，他们当中有相当一部分人不仅是热心的读者，而且自己也想写作品。在这个核心部分之外，我大概还有着一圈较为松弛的读者，对于我的作品，有时他们觉得浅陋，并不喜欢，有时则能得到一点满足，因而对我多少保持着一些兴趣，遇上署有我名字的作品，还愿以"试一试"的兴致去读一读。这一圈读者中包括某些大学生、大中小学校的教师、技术人员、机关干部等等。

我以为，一个作家从事创作时，应当想着自己的读者群。他应当巩固住自己的读者群，最好还能努力扩大自己的读者群。换句话说，他应当既为老朋友而写作，也应当尽可能以新作品赢得新相识。

我编这个集子时，正是怀着这样一种心情。那封寄自某县城招待所的来信，增强了我编集子的信心。我希望关怀、支持我的读者们，能在读完这本集子以后，继续写信给我，告诉我：哪些作品你们喜欢？哪些作品你们不喜欢？为什么？我愿在读者们的帮助下，继续在创作的路上摸索前行。

那封寄自某县城招待所的来信，说他们为我的一篇作品争论得不可开交。那篇作品就是《乔莎》。争论的焦点是：这篇作品的主题是什么？对于"乔莎"应当同情还是谴责？"乔莎"悲剧的成因是她个人品质的因素居多，还是社会上不正之风的因素居多？

这样的争论，在我发表《班主任》等作品时并没有出现过。在《班主任》以及紧接着发表的几篇作品中，主题思想往往由作者或借主人公的口直说出来，里面的人物，也很容易"定性"，读者们在理解那些作品时，是不会出现明显的分歧的。

这意味着,我的创作至少从写法上有了一些变化。为什么发生了这样的变化? 我是怎么想的? 看来,有必要对关心我的读者作些交代。

从粉碎"四人帮"以来,我已发表过三十多个短篇小说和四个中篇小说(包括儿童文学的短篇和中篇小说)。1978 年中国少年儿童出版社出版了我的短篇小说集《母校留念》。1979 年中国青年出版社出版了我的短篇小说集《班主任》。1980 年广东人民出版社出版了我的中短篇小说集《绿叶与黄金》(再版时改名为《这里有黄金》)。在此基础上,1980 年秋,北京出版社出版了《刘心武短篇小说选》。以上的四个集子,收入的都是 1980 年春天以前的作品。现在浙江人民出版社出的这个集子,收入的是 1980 年夏天到 1981 年春天的新作,与前面的四个集子完全不重复,所以,最能代表我的"新动向"。

这究竟是一种什么样的"新动向"呢? 我把自己从《班主任》以来三年多的创作,作了一个归纳,分成三步。

第一步,可以说是把自己被"四人帮"那一套"创作方法"搞乱了的步子,扭回到现实主义的正道上。由于客观和主观方面的原因,写《班主任》、《爱情的位置》、《醒来吧,弟弟》等篇时,我可以说是以揭示重大的社会问题为己任。作品中的人物虽然是从生活中发现、提炼而塑造出来的,但他们在作品中的任务主要不是展示自己的命运和性格,而是为提出乃至于解答一个重大的社会问题才存在的。迈出《班主任》及其嗣后若干篇的这一步,对于我来说,永远是值得纪念的。它的积极意义,一是使我从实践中懂得,作家的心应当永远同人民群众的心贴在一起,二是写东西必须从生活本身出发,应当把真实性放在极其重要的位置。

随着思想解放的潮流奔腾向前,广大群众经过振聋发聩的觉醒阶段之后,对人和事的认识越来越趋于深入,振臂一呼的方式已远远不能满足他们的要求。把自己的心紧贴着读者的心去听吧,读者的心音中,奔腾澎湃的义愤与激情固然依旧存在,但更多的已是深沉的思考与复杂细微的情绪。此外,随着那种概念化的虚假作品的声名狼藉与真实性越来越强的作品大量涌现,广大读者就不仅止于满足文学作品的真实性了,甚而一些单纯追求"逼真"而流露出自然主义倾向的作品，还引起了读者的厌弃与鄙夷，显然，对文学作品的美的要求，即艺术性的要求，已与日俱增。当我意识到这一点以后，我便开始迈第二步，其标志，便是《我爱每一片绿叶》、《如意》等作品的出现。这些作品虽然也提出了带普遍性的比较重大的问题，但这些问题不像《班主任》所提出的问题那样具有强烈的政治性，并且是早已蓄存于读者胸中，只待作者大声呐喊，便能引起近于一致的强烈呼应的。这些作品所提出的问题，开始由政治性、政策性向社会伦理道德领域转移，读者往往是在读过作品之后，才意识到这确实是一个值得探究的问题，并且常常引起争论和对作者的质询。此外，就我下笔来说，"聚焦点"已不是落在问题之上，而是落在人物之上，比较更注意写人的性格，写人的命运，写人与人之间的关系。

以上两步走过之后，便是第三步。现在读者读到的这十个短篇和一个中篇，便体现着我的第三步。

这第三步，是与第一步、第二步相连的，因此当然不是转换方向。读者不难看出，这十一篇作品，大体上还是以反映当代生活、塑造当代青年形象为主的，作品的"聚焦点"虽然从社会问题移到了人物身上，但当代的政治生活、政策变化、时代特征、重大的社会问题，仍然渗透在作品的字里行间，这些，都是我对自《班主任》以来取得的虽然粗浅却毕竟是经验的自觉发扬。然而这十一篇作品终究是另外一步。从内容上说，我试图扩大自己的题材范围，表现一些以前未曾写到过的人物，向生活和人物命运的深处去探微发隐；从处理方式上说，我试图注意反映出生活和人物本身的复杂性，不再把主观上的意图直露地诉诸读者，而是尽可能通过人物命运的发展、情节的流动、场面的展现，引导读者去辩证地思考，从而得出应有的结论；从艺术技巧上说，我试图更加讲究结构、叙述方式和心理刻画，并从多方面进行了尝试，以求逐步形成自己的比较稳定的创作路子。读者从这个集子中，可以看到用传统的讲故事手法写出的《蜜供》，可以看到吸收国外"意识流"技巧写出的《银河》，也可以看到从电梯升降的两分钟内揭示三个人一生命运的《电梯中》，还可以看到追求散文式韵味、注重藻饰的《写在不谢的花瓣上》，等等；并且，我除了采用第一、第三人称的常见叙述方法外，还有意尝试了以第二人称贯串到底的写法，除以前收入另一个集子的《楼梯拐弯》和这个集子里的《写在不谢的花瓣上》这两个短篇外，这个集子里长约三万五千字的中篇《大眼猫》，也是以与"你"交流感情的方式写成的。据说国内以"你"的口气贯串到底的中篇还很罕见，《大眼猫》的这种写法，也算是一种尝试吧。

还回到那封寄自某县城招待所的来信上——来信希望我把《乔莎》的主题和我对"乔莎"这个人物的评价公布出来。我想，《她有一头披肩发》也会产生同样的问题：小说中的"他"和"她"，究竟谁应当得到同情，谁又应当受到谴责呢？

很遗憾，我不能以"谁是正面人物谁是反面人物"、"故事的中心意思是什么什么"这类的答案来满足于提出疑问的读者。生活中，的确存在着明显先进的人物和明显落后乃至于反动的人物，在这个集子里，我也写到了他们。如《大眼猫》中的施闽荔、《蜜供》中的鲁姐等，我是把他们当成先进的人物写的；而《月亮对着月亮》中的"大拇哥"等，则是把他们当成落后的人物写的。但是生活中的大多数人物，其精神世界和行为表现却常常是清浊并存、瑕瑜互见的，社会因素对他们的影响与制约，他们自身生活道路和家庭、社会环境在他们灵魂中烙下的印迹，以及他们性格气质乃至于生理机制方面的因素，交互作用，相辅相成，使他们成为很难用一句话概括其"好"或"坏"的人物。这倒不是说他们一定是所谓既不先进也不落后的"中间人物"，他们也许始而先进继而落后，也许始而落后继而先进，也许这方面先进那方面落后，也许还有一些超出先进与落后这种政治思想范畴之外的素质。写出这样的人物，引导读者去认识生活和人的复杂性、丰富性、流动性、可塑性，从而辩证地去把握住推进生活前进的契机，全面地去理解、关心人民群众中的每一分子，更好地协调自己与周围人们的关系，我以为其意义，并不在写出一个明显的先进人物供人效仿，写出一个明显的坏蛋供人警戒。这个集子中的十一篇作品里，这类的人物颇多，除"乔莎"外，还有《电梯中》的"她"和"她"的丈夫，《银河》中的骆蔚兰，《她有一头披肩发》中的"他"和"她"，《门外一株合欢树》中的"我"……而最突出的，我认为便是《大眼猫》中的钢华。钢华是先进人物吗？即使在高中时代，恐怕也难说是如此。钢华是坏人吗？

显然也不是。钢华的问题能用"落后"两个字来概括吗？似乎也不能。钢华的悲剧，全是社会因素造成的吗？那为什么处于类似境况的施闽荔，却有着另一种表现呢？钢华的悲剧，全由她自身的弱点形成的吗？当然也不能这样说。总之，钢华就是钢华，认识钢华，不能凭借几句简单的"操行评语"、"政治鉴定"，而必须从多方面去综合地、辩证地看。所以，这些作品，我以为的确有一个统一的主题，便是恳挚地希望人们摆脱那种简单化的眼光，能够全面地、辩证地看待生活和人，从而使自己、使周围的人们和我们的整个社会生活，都能在清扫教条主义、封建残余、金钱崇拜、市侩作风等阴氛的搏击中，变得更健康、更美好。细心的读者，可以沿着《班主任》中的谢惠敏、《我爱每一片绿叶》中的魏锦星、《这里有黄金》中的佟岳、《如意》中的石义海等形象构成的线索，一路检验直至这个集子中的若干形象，我想他们一定不难看出，我的步子虽在移动，但总方向，的确一直没有变化。

已有评论者指出，我从《班主任》起，便有着阐扬革命人道主义、呼吁复归被异化了的人性的创作倾向，而近一年来的创作中，这个倾向愈见明显。也有评论者就此对我提出批评，认为不应当"从人道主义和人性论的角度"反映生活。

人道主义和人性的问题，是一个复杂的理论问题。我的认识是：既有资产阶级的人道主义（他们往往标榜为一种抽象的人道主义），也有无产阶级的人道主义，二者的根本区别，在于前者否认阶级存在和阶级斗争，因此虽然在历史的发展过程中不无一定的积极意义（如当封建压迫尚未消除时以及法西斯势力猖獗时，资产阶级的人道主义便构成一种对反动势力的反抗），但终究会导致阶级调和，阻挠无产阶级争取解放的斗争。而无产阶级的革命人道主义，是马克思主义解放全人类光辉思想的集中体现，它的彻底实现，便是消灭一切剥削制度，因而它与阶级分析、阶级斗争学说是辩证统一的，是无产阶级团结本阶级、吸引同盟军、瓦解敌垒的最强大的精神武器之一。怎么能一提及人道主义，便认为是资产阶级的口号，仿佛无产阶级就不能有自己的人道主义呢？至于"人性论"，一般来说，那是我们对以往剥削阶级关于人性论述的一个总称谓，带有否定意味，但无产阶级也应当有自己的人性观，怎么能一提及人性，就不问青红皂白地同"人性论"画等号呢？我以为，无产阶级应当既肯定有共同的人性，又肯定在阶级社会中有不同的乃至对立的阶级性。一个人的秉性，应当是共同人性、阶级性和个人性格的辩证统一。无产阶级解放全人类的目标之一，便是通过消灭阶级，实现社会大同，从而消除阶级烙印，使人类被阶级社会异化了的人性复归于朴善净美的境界。我的这些认识，当然会渗透在我的作品之中。究竟对不对，很欢迎广大读者和批评家给予指教。

作为薄薄的一册小说集的《后记》，我写得实在太长了。我感谢购买、阅读这一册小说集的读者，更感激耐心读完这篇《后记》的朋友。我的小说和这篇《后记》都可能存在着谬误，我相信读者和批评界都是容许一个作者犯错误，并在一旦认识清楚后改正错误的。我恳切地期待着对这本小说集的反应和批评。

末了，还要感谢浙江人民出版社，他们给我提供了这样一个结集的机会，并允许我破格地写下这么长的一篇《后记》。这毕竟是我创作道路上的又一个脚印，我很珍惜这个也许是歪扭的脚印，它可以使我下一步走得更好些。

1981 年 3 月 29 日

与孙犁同志的通信

心武同志:

　　十月廿日惠函奉悉。刊物亦收到。《江城》我也有，当时见到你的文章，曾函托绍棠同志，代致感谢之意，想已转达。

　　你的作品，除《班主任》外，还看过一些（去年《上海文学》登有一篇以业余作者访问你为题材的小说，我也看过，恕我忘记了题目）。我以为都是写得很好的。但先有概念，然后组织文章的说法，我不太赞同。等我看过《十月》及《新港》所登的，再和你讨论。我以为，风格是每人各异的，所谓艺术性，也不是划一的。每人有每人的起点，只能沿着起点前进，不必改变自己的基本东西。另约稿太多，也可适当推辞一些，我觉得你们的负荷太重，也于艺术不利。以上只是臆测之词，比较详细的意见，等我看过那两篇作品，再写信给你。我读书很慢，但读得比较认真，时间如果拖得长了，请你谅解。

　　我身体不好，今年又加上时常晕眩，已经不能从事认真的创作，所写杂文，有时兴之所至，也没有什么分寸，好在一些同志能够宽宏对待，还没有出什么大漏子。不过，以后就是写这种文章，也要慎重了。撰安！你怎么不到天津来玩玩？

　　专此祝

孙犁

1980 年 10 月 27 日

孙犁同志：

您好！

您上月二十七日的来信，昨天方才看到，因为我上月底到福建去了，昨晚方回，复信迟了，请您原谅！

得知您近来身体欠佳，竟至时常晕眩，颇后悔求您读我那两篇极不精炼的粗糙之作，因求教心切，使您受累，内心里的的确确非常不安，望您多多保重！

来信告诫我："每人有每人的起点，只能沿着起点前进，不必改变自己的基本东西。"这对我是极其宝贵的指示。

在读到您二十七日来信的同时，也就读到了金梅同志转来的您写毕于十一月一日晨的《读作品记（二）》，此文我反复读了四遍，目前还只是沉浸在强烈的感激情绪之中，尚不能冷静地细细体味，金梅同志嘱我阅后及早寄还，以便发稿，只好待刊出后，再逐段细读细想了。

总的来说，最令我有振聋发聩感的意见，是这几条："作家不能老注视一个地方，他的眼睛应该是深沉的，也应该是飞动的。""语言如果只求其流利通畅，玲珑剔透，不深加凝练，则易流于油滑一途……《花瓣》一作，实有此苗头，不可长也。"（而我目前充耳之声，皆曰：《花瓣》在语言上是一大进步！）"作家个人的生活，如不能透视出时代、社会的特点，则少写为好。"以及关于观念与"概念"的论述等等。

但也有一些一时还想不明白的，如卖关子问题，亦即悬念，是否一概不必？又，关于"爱情无准则"，及在爱情题材上创造新意之难，是否意味着"纯情"作品总不可能有较高之价值？

《如意》之结尾，我是想唤起人们对人性的追求（复归被异化了的人性），因评论界早有不满意于我小说中议论多的批评，所以我写时已尽可能避免议论，但写到结尾处终于又忍不住写了那么两句。这样的蛇足，使得您辗转反侧，以致失眠，一方面令我感动，另一方面也使我不安。前辈不顾念多病之躯，为我这样的后进费尽神思，我只有更努力地学习、思考、探索，争取早些成熟，才不辜负？

提携之心。

目前各杂志纷纷来找我们逼索稿件，的确是一大问题，我倒并无以"创作丰富自娱"的想法，但性格上有个弱点，就是总怕人家说我的推辞是"架子大"的表现，大杂志约稿，我推辞起来较为坚定，小杂志来坚约时，我就忍不住要答应他们，而答应了便不敢不还债。看来现在这种各家杂志忙于"拉郎配"的局面，并不利于繁荣创作，今后如能由志同道合者自己来编印刊物，不硬写，自自然然地涌出作品，那就好了，不知几时能有这么个局面？

一不控制，就写了这么多，又让您劳神了。这次务必不要回信了，您的文章刊出后，我再加体会有所领悟时，会再给您去信的。我如去天津，一定去拜望您。

敬礼

刘心武

一九八〇年十一月十二日

写在水仙花旁
——复冯骥才同志

骥才：

　　我们都是没有闲暇养花的人，可是年初我却养了两盆水仙。你知道去秋我去了趟福建，回京以后，热心的福建朋友不惮麻烦，竟用木箱给我邮来了数头水仙，除分赠亲友外，我自养了两盆。因为这水仙凝聚着南国的友情，所以我格外珍重，注意给它们添水加肥，然而时至今日，只是徒长叶片，总共只勉强开出了一挺花，现在这花朵已近干萎的一球水仙，便供在书桌之上，我提笔给你写信，也便从它写起。

　　我的水仙为什么大都没有开出花来？经分析，现在知道主要的原因，是因为我把水仙盆搁在了离暖气太近的地方，过热的温度，限制了花蕾的形成。这唯一开出一挺花儿的球茎，恰是摆在离暖气稍远处的，而它承受的阳光，又格外充足。

　　我由此联想到，倘若我们头脑过热，只凭借激情和冲动来讨论理论问题，恐怕也是难以开出花儿、结出果实的吧？

　　你我都属于感情多于理智的一类，我们或许比较敏锐，然而我们又都比较粗率，读了你题为《下一步踏向何处？》的信，我很为你恳挚纯真的感情、无保留和盘托出的气度和敏锐深入的思考所打动，然而，我想在这封回信里，为你，并且也为自己，向大家声明一下，我们的通信与其说是理论问题的探讨，不如说是创作间歇中的情绪交流，好比我那水仙，因为过于热情而不能冷静，开不出花朵，这当然是低能的表现，然而竭诚地贡献出一派葱绿，总还不能说完全没有意义吧？

你的信，告诉了大家，我们一些近几年才引起社会注意的作者，大多是靠写"社会问题"题材的作品起家的。由于主、客观诸方面的因素的变化，现在，许多人已感到不能光走这一条道，所以提出了"下一步踏向何处？"的问题。这并不意味着我们后悔于已写出的那些触及"社会问题"的小说，更不意味着今后我们不再去写那样的小说，我以为，问题在于我们有必要在新的形势下总结一下成败得失，踏上更广阔的创作道路。

你在信里说，前一段我们写的短篇小说里，因为常常把"社会问题"作为中心，"难免就把人物作为分解和设置这些问题中各种抽象的互相矛盾因素的化身"。你所指出的弊病，我认为是确实存在的，但我以为那主要是因为我们艺术修养还差，没有写好，还不好用因果关系去解释，所以我不甚同意"难免"说。

依我自身的体验，执著于写"社会问题"小说，会遇到两个比较突出的问题。一是作者自身的观察、思考是否充分、成熟的问题。提出一个"人人心中有，个个笔下无"的重大"社会问题"，需要对社会生活进行长期的观察和深入的思考，比如我写的《班主任》，那其实是从我全部教师生活的总积累中提炼出来的，凝聚着我对生活的长期乃至是痛苦的思考。像这样的小说，我以为一般要隔好几年才能写出一两篇来。我写了《班主任》后，又写了《爱情的位置》、《醒来吧，弟弟》，这几篇东西都是长期积蓄、一旦爆发的产物。因此，当我把长期积蓄的存货爆完了之后，想连续接爆，势必就会感到吃力、勉强乃至于枯竭。解决这个问题，还比较好办，可以停笔，深入到生活中去，再体验，再思考，经过充分的积蓄，有了爆发力，再爆发。然而还有第二个问题，就是社会和读者的要求问题。对"社会问题"小说的要求，永远只能是社会和读者对小说的诸多要求中的一种。这一种要求，在刚刚粉碎"四人帮"不久，当思想解放潮流的闸门尚未开启时，可能是一种主要的、迫切的要求，一旦有满足这种要求的作品出现，形同振聋发聩，会引起强烈的反响，作者和作品，甚至会得到超出寻常的殊荣；然而当形势发生变化，当思想解放的潮流奔腾澎湃，乃至于泥沙俱下时，人们不待"社会问题"小说提醒，已能看出更多的"社会问题"时，更进一步说，人们在街谈巷议中的大实话，其尖锐性、尖端性已达到文学作品不可也不必企及的程度时，对"社会问题，，小说的需求，便会减缩为一种其次的要求，在这样一种情况下，作者倘若想用作品继续为社会和读者服务，便不能不研究、考虑社会以及读者那上升为主要地位的要求。

正是基于这样一种考虑，我在1979年才写出了《我爱每一片绿叶》。我大体上把自己近三年的创作，分为三步。《我爱每一片绿叶》，可以说是从第一步进入第二步的标志。这篇小说所提出的问题虽然也是"社会问题"，但已不属于那种"人人心中有"、只待作品触的问题了。有的读者来信说，他们读完这一篇小说后，有一种同读完《班主任》不同的感觉，不是一下子跳起来嚷道："可不就有这样的问题吗！"而是不由得坐在那里沉思："原来还有这么个问题……是啊，真是个问题！"具体来说，我以为这两篇小说的区别就在于：《班主任》基本上是从政治上着眼，而《我爱每一片绿叶》，固然也归结到了政策问题上，可已经可以看出，是尝试着从人生的角度来取材了。

所以，我同意你提出的"注意写人生"的主张。因为无论从主观还是从客观这两方面来说，起码对于我，是一条更宽阔的创作道路。

去年我写出了引起争议的中篇小说《如意》，这篇作品，在我个人来说，有点从第二步进入第三步的意味。我这第三步的想法，便是坚持头两步里的现实主义的创作态度，逐步地从写"社会问题"转为写人生，写人的灵魂，写人与人的关系，说得高一点，叫做从事人的心灵建设。我认为，相对来说，这样的作品写好了，有可能产生更持久的熏陶人、感染人的作用。

你的来信里，有一个独到的见解，即一个作家对待生活和动笔写作时，应站在六个高度上——历史的、时代的、社会的、人生的、哲学的、艺术的。这对我很有启发。检验自己写出的小说，之所以有缺点，或者失败，恐怕就是因为缺乏一个以上的高度吧。

　　不过，我觉得，如果作为一种正式的理论，正如我前面所说，你的"六个高度"也好，我的"心灵建设"也好，这些说法，恐怕都失之于粗率。这不过是从我们处于流动状态的思考中，撷出的几朵浪花，意在求得广大读者和批评家的理解，争取到更富于实际意义的帮助而已。你说是这样吗？

　　你所列举的六个高度中，没有提及政治的高度。这当然绝不意味着你主张脱离政治。我们是互相了解的。我们时常勉励自己和文学上的朋友要有坚定正确的政治方向；我们都珍惜三中全会以来的政治形势，都把为人民服务、为社会主义服务当做自己的宗旨，都把自己的创作活动视为推进整个民族繁荣进步的伟大事业的组成部分，这本来都是不言而喻的。然而为了防止某些好心或不那么好心的人误解或曲解，我还是要代你解释一下。你所思考的，是在政治方向已经确定之后，进入艺术构思时所取的角度问题。你认为从"社会问题"角度取材，不如把生活当做一个整体，充分认识到人的活动即人生的复杂性、丰富性、流动性，使社会生活和人物形象在作品中达到充分的"立体化"，你的"注意写人生"的主张，大体上是这么个意思吧。我赞成，并稍加补充：真实地反映人生，并通过作品引导读者看出人类生活的总发展趋势。我以为这也就是坚持革命现实主义的方向。

　　我所说的"心灵建设"，就我自己而言，目前阶段，我比较多的尝试，是通过写人生，来努力地以革命人道主义的光芒照亮读者的心。那种认为只有资产阶级才讲人道主义，无产阶级只能讲阶级斗争和无产阶级专政的政治原则的意见，我是不赞成的。我认为世界上有资产阶级人道主义，也有无产阶级即革命的人道主义，二者的区别在于，前者企图在不推翻剥削制度的情况下搞调和，而后者的最终目的，是要彻底推翻人剥削人、人压迫人的社会制度，因此，革命的人道主义不但绝不与阶级斗争的学说相悖，而且，恰是相辅相成的。从一定的意义上说，以解放全人类为宗旨的马克思主义，实际上也就是真正意义上的、理论与实践相统一的、完全的人道主义。细想一下，苏联早期革命文学作品中的英雄人物，如尼洛夫娜、保尔·柯察金、奥列格……中国现代和当代革命文学作品中的英雄人物，如李有才、许云峰、卢嘉川、朱老忠……他们身上，不都闪烁着革命人道主义的光泽吗？我很难设想，一个进步的、革命的作家，摒弃掉一切哪怕是革命的人道主义、革命的人情味，绝对拒绝表现一切人类相通的东西，那样的作品，会成为一种使亿万人民群众感动、并能分化瓦解剥削阶级营垒的艺术品。所以，我主张文学作品要大力阐扬革命的人道主义，这也就是我所思考和实践的"心灵建设"的核心。最近，我在《十月》双月刊上发表的中篇《立体交叉桥》，以及在浙江《东方》丛刊上发表的中篇《大眼猫》，都是基于这样一些想法的新的探索，你一定找来看看，我等待着你，以及广大读者的严格批评。

写到这里，一瞥案头的水仙，不禁微笑了。你当然猜得出这微笑的来由和含意。就此打住吧。

祝你笔健！

心武

1981 年 3 月 12 日

我掘一口深井

——生活问题随想

我认为这条道理是颠扑不破的：生活是创作之源。

有的人生活阅历非常丰富，好比傍着一条大江，守着一个水库，他甚至不用格外费力地去发现，去提炼，去开掘，只要把他本身的经历，或者他所知道的现成的人和事，加以白描，便可形成非常吸引人的作品，好比顺手从大江和水库中，便可舀出一瓢水来。

有的人生活阅历却比较简单，他本身的经历平淡不谈，他所生活的天地也比较狭小、平凡，他所熟悉的人物，如果只是简单地加以白描，那就很难吸引别人注意，因此他必须掘井。如果他所处的环境中，蕴藏的文学素材颇为丰富，只不过不用文学的眼光去观察，便不易发现，那么，只要他具备了比较敏锐的文学眼光，掘地仅仅三尺，也许就能见"水"。如果他所处的环境,蕴藏的文学素材不那么丰富，那么，他就需要掘一口深井，方能有"水"出来。

我自己，就属于生活阅历简单的人。填写我的履历表，只需要四行：1948年至1961年，上学；1961年至1976年，教书；1976年至1980年春，当编辑；1980年春至今,搞写作。这样的历史当然是非常清爽的，也许会在审干时被人们羡慕吧，但对于作家来说，这样简单的经历显然是一种严重的缺憾。

我们常常从批评家的笔下看到这种对作者的批评：缺乏生活。

　　然而，一个人只要活着，便有生活。有生活，这生活便包围、充塞着他的身心，不会有一丝一毫的空白。我们只能说：这个人生活阅历比较丰富，那个人生活阅历比较简单。就是生活阅历比较简单的人，他的生活也是一个充实的整体。对于每一个人来说，他什么时候会缺乏生活，从而在时、空上形成一种停顿和空白呢？

　　作者的作品不成功，使人看起来不像是生活中所有的人和事，严格来说，除了技巧方面的原因，往往是因为作者没有去写自己经历的、熟悉的生活，而去写自己根本没有切身体验的、并不熟悉的属于别人的生活，之所以会这样去写，主要是因为不是从生活感受出发而是从概念出发，这概念又往往并不是自己从感性上升为理性的概念，而是从别人那里接过来的概念；所以说，作者缺乏的不是生活，而是缺乏写自己所经历、所熟悉的生活的愿望、信心、机会和勇气。

　　所以，一个作者要想写出成功的作品，必得从自己所经历、所熟悉的生活出发。

　　从自己所经历、所熟悉的生活出发，这只具备了一个走向成功的出发点。

　　任何一个作者都不可能代替别人生活，也都不可能在人类、阶级的共同生活中湮灭掉自己的那一份生活。个人的生活经历、生活体验，个人的命运，不可能不在作者的创作中起着最主要的作用。因此，作者的生活经历越丰富，视野越宽广，所熟悉的人和事越多，他的创作素材就有可能越丰富，他的作品就有可能越具备阔度和厚度，他的作品所吸引的读者面，也就有可能越大——当然，他还得会开掘，有技巧，写得好。

　　任何一个作者的取材，都受到他自己生活阅历的制约。一个作者当然可以通过到自己原来并不熟悉的地方去，熟悉并了解一些自己原来并不认识的人物，从而形成创作冲动，写出作品。不管他是长期地生活在那里，从而使自己的个人命运同那里联系起来了，还是仅仅限于采访式的接触，他的创作冲动，都仍要受到他以往生活阅历的制约，否则，他就仅仅是根据别人的要求去写作品，那么，或者他写不出，或者他写不好。有的作者可以凭借自己的书本知识、想象力，在一定程度上克服生活阅历的制约，以扩大自己的取材区间，但他毕竟总是要受到制约的。无所不能写的作者，我怀疑他的存在。

所以，每一个作者应尽可能地丰富自己的经历，扩大自己的视野，多交朋友，多知道些事情，也就是尽可能开拓自己的生活面。

有的作者生活阅历并不丰富，却不大热心于开拓自己的生活视野，他所写的，始终只是他自己，以及自己周围狭小范围内的事情。这样的作者，可能文学才华是横溢的，写作技巧是高明的，写出的作品也可能是有一定魅力的。但是，由于笔触所及，区间过于狭窄，因此只能获得与那一狭小区间有关系的一小部分读者的称赞与兴趣，其存在价值，恐怕不会太高。

但是，只要这种作品是有益乃至无害的，就应当允许其存在。这应当也是各种门类、流派文学作品中的一种。

而且，我们可以从文学史上搜寻一下，看有没有这样的特例，作者仅仅写了他自己以及自己周围狭小天地里的平淡琐事，却因技巧很高，艺术性很强，成为被公认是最好的作品之一。我想这样的例子总还是有的。但只能是特例。我相信，大多数这样的作家，这样的作品，是会被人们遗忘，或被众多的批评家和读者放在一个不重要的位置上的。

甘于当这种作家的人，我想总不会多的。

愿意开拓自己的生活面，这样的作者是绝大多数。

但是，开拓自己的生活面，这要有一个过程。特别在我们的国家里，不光广大的业余作者难以按自己的意愿去开拓自己的生活面，就是专业作家，依自己的意愿去开拓生活面，也还受着种种的限制。

因此，倘若现在仍要写作品，那就必得从现有的个人生活经历、个人所熟悉的生活出发来写作品。

这就决定了一点：作者自己必须要很清醒地认识到自己生活的局限性。任何一个人都有这种局限性，即使生活阅历最丰富的作家，也有这种局限性。

我曾经很糊涂。我曾经接受过一些概念，甚至接受过一些错误的概念，越过我自己在生活中的切身感受，编造出一些我不但并不熟悉甚而生活中并不存在的东西来，形成作品。那样的作品即便有技巧，最终也是不能成立的。更何况人们处在这种糊涂状态时，往往连技巧也不能高明。因为，说到底，技巧来自人的灵气，而灵气，归根结底也来自生活的启发。

写《班主任》时，我才开始清醒。以我这样一个人，要想通过写我所不熟悉的人和事来揭示"四人帮"对青年一代的坑害，是不可能的。也许写一个好的教育部长在一个典型事件上与"四人帮"的大爪牙正面冲突，更能深刻地揭示出"救救被'四人帮'坑害了的孩子"的主题，然而那不是我能写出的作品。我不熟悉部长一级的生活。我熟悉的是最基层的教师，最普通的小流氓和团干部。好，我不强迫自己做力所不能及的事，我让自己去做最拿手的事。

我认清了自己的局限性，相应地也就觉悟出了自己的独特性。

我的独特的模特儿，我的独特的生活感受，我的独特的思考，我的独特的构思，于是形成了我的独特的作品。

这作品当然是带着缺陷的。但它是独特的。

所谓独特，就是基于我个人的生活经历和生活感受。虽然我属于一个阶级或阶层，我与这阶级或阶层有着一定程度的共性，这也是我的作品首先能打动他们的重要因素，但我毕竟首先是我本人，我个人的生活经历、生活感受，是别人所不能替代，也不与哪怕是同我最相近的人相重合的，因此我越从自己的独特经历和感受出发，我的作品就越不会与别人雷同，也就越可能具备特点，因而也就越有可能在文学发展上起创新作用。

有些作者生活阅历非常丰富，所写作品题材也很重大，作品中所展示的人物和事件也颇丰富，然而并不成功——首先是失之于肤浅。作者因为身旁就是大江或水库，舀一下便有水，所以忽略了提炼与开掘。

有些作者生活阅历比较简单，所写作品取材比较平凡，作品中所展示的生活面并不宽阔，人物和事件也比较单纯，却可能获得成功。那往往首先是得力于开掘比较深入。不少作者正因为对自己生活上的局限性有清醒的认识，所以写作时格外注意提炼与开掘，结果往往反而写得比生活阅历丰富、掌握不少"现成素材"

的作者的作品更好。

因此，对自己生活经历的单纯和生活视野的狭窄不满和遗憾，是应当的；但由此而丧失写作的信心，则是不必要的。对于酷爱文学而身受局限的广大业余作者来说，尤其应有这样的认识。

回顾我这几年来的写作，第一阶段，以《班主任》、《爱情的位置》、《醒来吧，弟弟》为标志，这几篇作品当然都存在着许多缺点，尤其是《爱情的位置》，虽然在冲破爱情这个"四人帮"所设的题材禁区上，有它特有的纪念性价值，但艺术上却是格外幼稚的；这批作品大多是从长年积累的观察、思考中提取出来的，好比守着一个小小的湖泊，很便当地就可以从中汲出一罐子水来。

但我这种现成的文学素材的积累是有限的，我那小小的湖泊七抽八汲也便吸尽了精华。

于是我开始了第二阶段的创作。转折点是写《我爱每一片绿叶》。

我所熟悉的生活，是城市中学的生活。我所熟悉的人物，是一些平凡的教师、学生以及学生的家长们，加上学校附近的胡同、街道上的一些市民。《班主任》当然也是我对自己所熟悉的生活和人物的一种提炼和开掘，但引起我的提炼和开掘的动力，不仅来自我自己，也来自整个社会。整个社会都蕴育着一种"救救孩子"的呼声，只不过我呼出得较早，而且，我剖析得比较深入，不仅指出了小流氓宋宝琦是畸形儿，还指出了团支部书记谢惠敏也是畸形儿。它的写出，确属"骨鲠在喉，一吐为快"。《爱情的位置》也是这样，当时整个社会都蕴育着一种"归来兮，爱情"的呼声。《醒来吧，弟弟》所触及的"看破红尘"问题，也是明摆着的，只是在此之前还未能在文学作品中充分揭示、解剖而已。但《我爱每一片绿叶》所触及的尊重个性的问题，却并不是社会上当时"人人心中有"的问题，所以，这篇作品的产生，便与《班主任》等篇不同，它体现出了我掘深井的创作路数。

我所熟悉的生活，即城市中学以及城市胡同中的生活，它浮在表面的"创作油水"是极其有限的，这就决定了我不可能像一些阅历丰富的作家那样，靠面上的驰骋便可源源不断地出现新的作品，我的局限性，促成了我去别辟蹊径，于是我便把自己的眼光，透过学校生活的一般现象（课堂秩序的变化、教材教法和考试制度的变化、师生关系的变化、学生素质的变化，等等），去投向我所熟悉的人物的心灵深处，这样我就有了新的发现，新的触动，新的思考，从而形成了新的构思，新的人物，新的作品。我从两个共过事的同志身上，发现了个性受到压抑这个问题。这样的问题原来是不明显的。因为过去压制人的事太多了，尤其是十年浩劫当中，因为历史上有些污点，因为出身不好，因为爱给领导提意见，因为发表了比较新鲜的观点，因为不小心弄坏了一个领袖的石膏像，因为贯彻执行了一条其实并不错误但被判定为"修正主义"的路线等等这样一些或大或小的原因，都可以使一个人受压抑，乃至于遭到大难。粉碎"四人帮"之后，冤假错案大量得到平反，过去政治运动中错遭打击的人也得到了改正，歧视有污点、出身不好的人的现象有所改进，连民族资本家，也发还了没收的定息，地富也基本上都摘了帽，在这种纷纷落实政策的情况下，原来不大显眼的因性格特异而受压抑的现象，就在我的视野中凸现了出来。这样的人物，他们的命运，他们的心灵，引起了我深切的关注，我便循他们的命运去深入开掘，寻他们的心灵去代他们着想，于是，便从我熟悉的模特儿上再生出了魏锦星这个角色，从我熟悉的生活事件和生活细节中再生出了小说中的故事和细节，构成了《我爱每一片绿叶》这篇作品。

《我爱每一片绿叶》这篇小说虽然写的是教师，涉及的是学校中的生活，但从题材上说它并不能算是一篇教育题材的小说。因为这口井开掘得比较深，它所触及的，也就成了一个超出学校，超出教育战线，也超出知识分子范畴的极为广泛的问题：在我们这样一个社会主义社会中，如何做到尊重人的个性？准许不准许每个人有自己的个人生活秘密？集体主义与人的个性如何达到辩证统一？

毫不奇怪，有各行各业的读者给我来信，呼应着《我爱每一片绿叶》所触及的问题，其中占最大数目的并不是教师，而是工人、技术人员、服务行业的工作人员、大学生、干部，乃至于青年农民。有的来信讲述了他们自身和他们所认识的人的遭遇，这些不同行业、不同性别、不同年龄、不同教养和不同气质的人身上，都体现着同魏锦星一样的社会问题。

这也说明，同样的主题，完全可以用另一个生活环境中的另一个人物来体现，写一个工厂里的老工人，写一个科研机构中的助理研究员，写一个剧团里的伴奏演员，等等，殊途皆能同归。

但是，我这个作者有我的具体情况，我写这篇东西，只能是从我熟悉的生活和人物出发。

从特殊达到一般。写作，也应走这条路。

就作家与生活的关系来说，也应这样去理解。作家对生活和人的哲理性发现，是应当通过作家对自己最熟悉的生活和人物的筛选和提炼，构成独特的故事和形象来展现的。

后来我又写了中篇《如意》。《如意》所要揭示的东西当然比《绿叶》更多，而且我觉得那问题也具有更广泛的意义。但是，读者和批评家不难发现，我也仍是从我所熟悉的不算开阔的生活环境和不算众多的人物群来体现这一重大主题的。主人公，写的是中学里的一位校工，女的是附近胡同中的一位不被一般人注意的市民。

在自己的生活经历、生活视野局限性比较大的情况下，只要敢于、善于向深处开掘，也能写出具有广泛意义的、比较深刻的作品。这是我上面那些意思的一个概括。但，这是不是意味着生活经历和生活视野不用开拓呢？是不是意味着写很狭小的生活范畴里的细碎琐事，都可以开掘出具有广泛意义的、深刻的主题呢？

当然不能得出这样的结论。任何道理，都有一个限度。过了限就不成其为道理了。

一个作者，原来生活经历就比较简单，视野就比较狭窄，他满足于此，只单纯地去开掘、开掘……那么，我想他也有枯竭的一天。在一条水脉上打深井，打多了水也会消失的。

我说掘一口深井，指的是在不断开拓生活面的前提下，不断寻找新的水脉，打新的深井。

我在发表《班主任》之后，得到了不少青年朋友的信任，他们主动来信、来访、约见，或赞成我，或反对我，或赞成一部分反对一部分；我也主动与他们增加接触，这样，我就扩大了自己的生活面，在这种横向的开拓上，有时也能触发出灵感，形成另一种作品，即与我别的作品相比，涉及的生活场景比较开阔、人物比较复杂的作品，如《这里有黄金》、《乔莎》等。

除此以外，我也只可能争取机会到我原来所不甚熟悉的领域中去认识新的人物，了解新的事物，有时也形成创作冲动，构成作品，如《等待决定》、《干杯之后》、《电梯中》等。由于我现在已成了专业创作人员，有了开拓生活领域的较佳条件，因此，我当然有着比较长远的考虑，在各处跑跑开扩眼界的同时，正打算根据自己以往的经历和素质，确定自己较稳定的生活基地，形成自己特有的"蓄水池"。

总之，我认为一个作者应当永远不满足于自己原有的生活领域，他应当永远处于开拓自己生活面的状态中，横向、纵向都应当努力地去开拓。

在有局限性的情况下，深掘可能写出好的作品。但如果局限性太大，超过了"临界值"，比如仅只写自己个人的情欲，写在客厅、厨房、卧室中的琐事，那么，无论他怎么开掘，也无论艺术性多么高妙，那价值，总不会高的。

开掘，需要具有文学眼光。

什么叫文学眼光？

这应当是和政治眼光、经济眼光不同的一种眼光。

多少年来，在题材划分上，我们总是按政治眼光、经济眼光行事。

"这是工业题材"，"这是农业题材"，"这个作品是写造林的"，"这篇小说是写同'四人帮'斗争的"，"这是写财贸战线的"，"这是写反霸斗争的"……能这样称呼文学作品的题材吗？

正因为总这么称呼,使得许多写东西的人总这么思维,总这么观察、体验生活、积累素材、构思作品。而编辑部、出版部门,也习惯于以这种眼光来衡量和处置作品。这是以往我们很多作品缺乏文学性的根本原因之一。

一个作者,当然应该具有政治眼光和经济眼光。在现时代的中国,一个作者如果不具备正确的政治眼光,不珍惜粉碎"四人帮"以后出现的三十年来最好的政治局面,不以全国人民要求政局稳定、经济发展、生活改善的意愿为重,我以为是应当受到谴责的。不具备正确的经济眼光,也是不好的。但我在这里必须强调,作为文学作者,最要紧的还是具有文学眼光。

按文学眼光来观察、分析生活,就是要更多地着重去观察、分析人的命运、人的心灵。

文学题材的划分,也应以"人"这个文学作品的主要描写对象来划分。人都有自己的个人命运,而个人的命运又总是由人与人的关系,人与人关系的变动,即社会生活的总变化相联系的。考察人,人的命运,人的命运变化的原因,不同的人的命运的交错、搏击、相依、消长……这是文学眼光的聚焦所在。

考察一下曹雪芹、列夫·托尔斯泰、鲁迅、海明威……这些文学巨匠是如何确定题材的吧。他们不是光看到几条筋腱,几根神经,几个器官,他们把血肉相连的生活,既有肌肉,也有骨头,既有筋腱,也有神经,甚至还有热淋淋的鲜血,切割在我们眼前。按文学眼光来划分题材,是否就应当使用这一类的语言:写个人为集体献身,写人在不正常的社会因素压抑下的孤独感,写人在怎样的主观、客观因素下发挥出了聪明才智,写天才在怎样的情况被毁灭,写人在逆境中的奋斗精神,写人的个性应得到尊重却又应有所约束,写社会变革给一个家族带来的激荡和分化,写民族性,写人类的弱点,写人与自然应当谐调,等等,这样来概括一部作品的题材(注意:不是主题!),我们可能极不习惯,甚至极不情愿,但恐怕早晚我们得采取这一类的说法。

有一些作者,他们的生活阅历是丰富的,所写作品也是反映了真实的生活的,但是他们的作品经受不住时代的考验，或者虽然轰动一时，但时过境迁，它们竟至于失去了存在的价值。为什么？除了艺术技巧方面的原因而外，很重要的一点，就是他们取材时缺乏文学眼光，他们的作品里有历史，有政治，甚至有经济生活的记录，唯独缺乏一种人的命运感，一种对人的心灵的解剖，换句话说也就是缺乏扎扎实实的文学性，因此，政治一向前发展，政策一发生变化，经济结构一发生变动（特别是反复性的变动），他们的作品即便不能说是错误，也丧失了再欣赏的价值，只好默默地忍受淘汰。

这是作者的悲剧，也是作品的悲剧。

这样的悲剧应当尽可能少上演一点。

作家要不要深入生活呢？

每个作家都有自己的生活。已经生活过的部分便是每个作家的历史。活过来了，正活着，有的活得比较自觉，比较敏感，比较善于思索，从而发现较多，诉诸作品也较有力；有的活得比较被动，比较迟钝，比较不善思索，从而发现较少，诉诸作品也便不能成功，这差别，或许可以用"深入了生活"、"未深入生活"来划分吧。这里所说的深入与否，实际上是指对生活的观察、分析、思考的深入程度。从这个意义上说，作家当然必须深入生活。

但是，以往我们常说的深入生活，有着其特定的含意。

那含意是否可以这样来概括：作家自己的个人经历，个人的生活体验，都不算"生活"；只有工、农、兵的"火热的沸腾的战斗生活"才算"生活"，所以，作家应当无条件地投入到"工、农、兵火热的沸腾的战斗生活"中去，这不但是为了熟悉工、农、兵并表现他们，也是为了彻底将作家自己改造成没有自我感觉的那样一种"革命化"的"革命人"。

应当看到，这种提法的产生，最早是有着它的特定的时代环境的，因而是具有一定程度的合理性的，但是作为一种长期、稳定的指导思想是否合宜，我认为是可以讨论的。

在今天看来，这种提法的前提，已经有了很大的变化。今天的社会中，不只在工厂做工的工人、在田间劳动的农民、在部队中驻防的士兵属于劳动人民，广大的知识分子，即技术员、教师、工程师、科学家、医生、编辑乃至于文学艺术工作者，他们也属于劳动人民；知识分子中的一部分，不仅从事脑力劳动，而且也从事体力劳动，如许多的工程技术人员、中小学教师、外科医生等等，他们体力上的消耗丝毫不比现代化工厂中的某些工种上的工人少，而某些工人的脑力劳动程度也并不轻，更重要的，是他们现在都以自己的劳动起着建设祖国的作用，而且谁也离不了谁，可见从一定的意义上说，他们都有着"火热的沸腾的战斗生活"。既然如此，又何必单单强调"深入工农兵生活"呢？

此外，今天的工、农、兵，组成状况也有了很大的变化。工厂里增加了数目巨大的青年工人（他们的同龄人之所以没有成为工人而成为了从事脑力劳动的知识分子，并不是因为他们之间在阶级性上有什么差异，只不过是在生活中遇到了党和国家的另行安排而已），这些青年工人究竟在多大程度上体现着比中、老年和青年知识分子更强的无产阶级阶级性，他们的生活在多大程度上比知识分子更具有火热的战斗性，因而文学艺术家在多大程度上必须单单投身于他们、学习他们改造自己，并以表现他们为自己最主要的任务，实在是值得商榷的问题。农民中也出现了一大批有初等文化水平的青年农民，他们与"杨白劳"和"赵光腚"也已经有所不同。士兵的组成成分也有类似的变化。如果不考虑到这种变化，"深入工农兵生活"的提法岂不是无的放矢吗？

从文学的眼光来看，社会生活是一个整体，只有从人的命运的角度来考虑，生活才因人而异地分成了不同的部分。尤其在今天的中国，除了公开和暗藏的敌人以外，哪一个公民的工作，不是在为祖国繁荣富强贡献着力量呢？有什么必要把亿万人民的生活，分成"应当深入的部分"，"不必深入的部分"呢？坚持提"深入生活"的同志，看来主要还是持政治的眼光，经济的眼光，在他们看来，这里在建设一个大型的工厂，那里在落实党的某项经济政策，昨天出了这样一个模范，今天出了那样一个典型，你们文学艺术家的任务就是按照统一分配，到指定的工厂、农村或部队去，写与四个现代化直接有关的重大事件和突出人物。以往的历史经验已经告诉了我们，这样做或许可能广种薄收地产生出一些有价值的好作品，但限制、耽误了许多有才能的作家的才智和年华，妨碍、阻止了大量的好作品的诞生。

文学作品不是为具体的政治，尤其不是为具体的政策而存在的（临时性的小型带文学性质的宣传材料除外），把社会生活分成"应当深入"和"不必深入"的两部分，而"应当深入"的部分其实就是大规模的政治运动和政策实施，就是多数人表面上所做的事，这样来提"深入生活"，在实践上是有害的。

文学作品主要是写人，写人的命运，以人物为中心，以人物的命运为线索。因为作家本身不可能没有自己的政治立场，自己的阶级烙印、自己的思想倾向，对人物不可能没有自己的爱憎，对人物的命运不可能没有自己的分析，因此，一般来说，反映社会生活的文学作品也就不可能完全没有政治内容、没有政治倾向，也就不可能完全没有一定的政治作用，乃至不可能完全没有对一定的政策有利或不利的影响。

因此，我并不是主张作家脱离政治，主张作品完全回避政治，主张作家反过来拒绝接触自己所不熟悉的社会生活中的重要组成部分。

但是，我坚持认为，作家对生活的熟悉区域和反映区域，是不能用行政命令的方法，用硬性规定或分配的方法，用陈旧的口号和吓人的帽子，来加以限制的。每一个作家，都有自己独特的生活敏感区。

对于他来说，只有那一部分生活，那一部分人物和心灵，才最能引起他的创作冲动。

为什么？这个问题不大好回答。这里面当然有规律性存在，只是我还说不出。

比如，我认识三位作家，他们都在同一个国务院所属部的下属单位长期生活过，从工作角度上说，从熟悉的人和事的范围上说，从政治眼光和经济眼光上，他们的共同点是很多的，如请他们抛开文学来谈他们那个系统的体制改革，他们会发表出相近的，甚而是惊人一致的意见，并且有着同样激昂的态度。

但是，他们的文学眼光不同，也就是说当他们从文学取材的角度来观察、分析生活时，他们的敏感区，他们的创作冲动，他们形成的作品，简直就迥然相异。

一位的眼光聚焦在本系统的体制改革上，应当由谁来掌握企业的命运？什么妨碍着企业的发展？怎样扳倒绊脚石？人们，特别是领导层的人们，在这样的生活大旋涡中的种种表现，他们的内心世界，他们与周围人们的关系中所引起的变动……

另一位的眼光却聚焦在自己所熟悉的人物在伦理道德范畴的表现上，他们对纯洁无疵的爱情的追求，他们面对着不可逾越的世俗戒律的苦恼与克制，他们对未来必定形成的人与人的淳朴美好的关系的憧憬，他们对自己良知一度被压缩的深深忏悔……

再一位呢，他的眼光是飞动的，他往往越出自己具体工作的战线，而从自己旁及的生活领域中，特别是与音乐有关的人物和场景中，去捕捉创作的灵感……

也许，有一天他们会把自己的创作触须伸到别人的领域中去，形成两圆相割乃至于同心圆的状况吧，但现在他们的生活敏感区竟是那么明显地不同。

这有什么不好呢？

难道组织他们深入同一种生活，要求他们选取同一种题材，去写同一种主题的作品，会更好一些吗？也许，由于他们的艺术才能非常高明，即便在那种情况下，他们的作品也会在人物外在特征、故事、结构、语言上有明显的差异，从而勉强可以说有着不同的艺术风格，但是，那难道能是真正的艺术风格的充分体现吗？

必须允许作家有自己独特的生活敏感区。我以为这是构成作家独特风格的重要因素。

甚至应当提倡作家发现和维护自己的生活敏感区。

要相信，多数作家总是愿意不断扩大自己的生活敏感区的。但这种扩大，或者说深入，应建立在自觉自愿的基础上。

作家的生活敏感区，在复杂的内因和外因的作用下，也有可能发生变化，乃至于剧烈的变化。变化就让他变化好了。

我目前的生活敏感区在哪里呢？自发表《我爱每一片绿叶》以后，我所陆续发表的《这里有黄金》、《楼梯拐弯》、《如意》、《一个晚期癌症患者的自白》、《乔莎》、《银河》、《蜜供》、《写在不谢的花瓣上》等等，如果联系起来看，读者和批评家是不难得出结论的。

尊重作家的生活敏感区，也就是说让作家写自己愿意写的东西。

这样会不会形成比例失调的情况呢？

也就是说，生活中有些区域，一些很重要的区域，竟很少有作家愿意去写。

这种情形，在一定的阶段上，是会出现的。

不过，不应夸大这种情形的严重性。

有的人说，现在写知识分子写干部的作品多了，写工农兵的作品少了。这个印象其实是不准确的。许多写知识分子写干部的作品中，都有结实的工农兵形象存在。

当然，同过去相比，写知识分子写干部的作品确实多起来了，特别是把知识分子当做正面人物、值得同情的人物来写，这是建国后的文学作品中不多见的。过去不让写、写得少、写得假的人物，现在可以敞开写，显得多了、真实可信了，这是好事。在好事面前为什么要惊惶失措呢？

写工厂里工人生活的作品，特别是写得深刻动人的好作品，确乎少了一点，我也有这种感觉。但为补足这一点，正确的做法只能是注意发现、培养、扶植对这一生活领域有着文学敏感性的作者，鼓励和帮助他们写出这样的作品。采取遏制写知识分子的作品的办法，来反衬出这类作品的"并不稀少"，是一种剜肉补疮的做法。

中国有志于文学事业的人才极多。这其中不可能没有对工厂工人生活具有文学眼光的作者，问题是发现他们，重视他们，帮助他们。必要时可采取征稿颁奖的办法，来吸引出潜在的文学力量。这样做，远比强迫一些对这一领域生活素材不熟悉，或虽熟悉但触发不了文学敏感性的作者，去"深入生活"硬写作品，效果要好得多。

以上都是一些地地道道的漫谈。

我没有引用任何经典著作乃至任何作家、评论家的原话。那似乎是学术性文章的一种标志。这就说明，这并不是一篇学术性的文章。

　　我之所以坦率地把这些想法讲出来，正是为了争取引出学术性的文章，来就创作与生活的关系问题进行科学阐述，从中得到教益。

　　创作与生活的关系问题，确实需要在实践中加以研究、调整，但是，切勿在这个问题上采取行政命令式的、强制性的措施。我想，这也会是许许多多创作人员的共同愿望。

1980 年 12 月 15 日于北京垂杨柳

柳下絮语

一、先有鸡，还是先有蛋？

我原来住在柳荫街，搬家后住到了垂杨柳，看出我这人同柳树结下了不解之缘。

无论是在柳荫街，还是在垂杨柳，我都非常感激邮递员同志。我的邮件总是那么多，大大小小，有厚有薄，来自山南海北，经常是航空挂号，邮递员同志不得不在出邮局前使用纸绳把我的邮件汇总捆好，以免有所遗漏延误。每回我拆阅这些邮件，总能发现若干文学爱好者寄来的信稿，或恳挚地表示要拜我为师，或急切地希望我给他们的稿件提出意见。这很使我为难。就创作而言，我也是刚入门径，所知甚浅，摸索而进，实在没有指导别人的资格。况且时间有限，逐一回复来信来稿者，又不可能。怎么办呢？于是，我决定尽自己的最大努力，写一组短小的文章，就切磋于我的文学朋友们提出的若干问题，坦率地发表一些看法，权作回信。限于自己的水平，所谈不过如春柳之絮，没有什么分量，更不成什么系统，故称"柳下絮语"。如果能使文学青年们多多少少有所收益，那便是我无上的快乐！

先有鸡，还是先有蛋？

这似乎是个生物学的问题，怎么谈文学时提出来了呢？

我写过一点短篇小说。常有一些初学写作者问我：短篇小说应当怎么构思？

构思的时候，是先有人物呢，还是先有故事呢？或者，应当先有主题吧？

这就使我想起了"先有鸡，还是先有蛋"的问题。记得上中学的时候，我读过一本介绍达尔文学说的小册子，最后一节就是回答这个问题。那答案，当时很使我失望，因为它既不是肯定先有鸡，也不是肯定先有蛋，而是说，既先有鸡，也先有蛋。因为在生物的进化过程中，既有遗传，也有变异，原先不是鸡的生物，在它生的蛋中，已有朝鸡的方向发展的变异，这蛋孵出的生物，已与原来略有不同，它再生蛋，此蛋再进一步变异，经过若干次的变异，最后形成了最接近鸡蛋的蛋，孵出了可以称为鸡的新物种。所以，鸡这个新物种的产生，很难说是源于蛋，还是源于生出这蛋的最接近鸡的那个生物。

显然，不懂辩证法，也就无法弄通这个答案。上中学时的我，还难免简单化地看待事物，所以见了这样的答案，反觉扫兴。

短篇小说的构思过程，我实践中的体会，是也得辩证地看。一篇小说，不可能一下子就在脑海中形成。最先出现的东西，比之于种子的胚芽吧，有可能是一两个人物，有可能是一两个场面，也有可能是一两个细节，乃至于是一两个重要的道具。更多的情况，是上述几种因素的两相交叠。比如我写的一些短篇，《班主任》的"胚芽"，是"小流氓"和"团干部"这两个人物；《我爱每一片绿叶》的"胚芽"，是一张同抽屉底面积相仿的大照片；《乔莎》的"胚芽"，是"真相大白"时的那个五味俱全的生活场面；《电梯中》的"胚芽"，是乘坐电乜梯时对我所造访的人物命运的一种强烈感受……

有了"胚芽"，就得让"胚芽"萌发。这就需要为"胚芽"补充生长的条件。先有人物，就得补细节，编故事；先有场面，就得使人物眉目清晰起来，使场面流动起来；先有细节，则需把人物和事件丰富、扩展开来……有时候构思"卡壳"了，或人物活动到一定程度活不下去，或故事发展到一定阶段人物性格不统一，或细节安排到一定程度有点出格……这便需要"调适"，使之有机地契合到一起，均衡地向前发展，直至"胚芽"抽出子叶，再向上生长、分蘖、抽穗，最后开出花朵、结出果实。

　　所以说，短篇小说的构思过程，是一个复杂的形象思维过程。形象思维不但因人而异，就是同一作者，每构思一篇新作，也得另行形象思维一番。所以说创作没有可以秘传的诀窍，也不是光靠刻苦发奋，就能成功的。

　　创作必须从生活出发，写你的真情实感。所以，构思的"胚芽"，不管是人物，是场面，是细节，或是一个简单的故事，必得来源于生活，才有真正的活力。构思能不能源于一个主题呢？有的作者，他的构思就来源于报纸上的一篇社论、一篇报道，甚而至于来源于一时的上级精神和政策时文，根据一个事先确定好的主题，然后去设置人物、编造故事、寻觅细节，这样也确能产生出作品来，有时候，甚而还能有所轰动，如前些时出现的个别"友好戏"、"回归戏"，但我愿诚恳地告诉文学上的朋友们，这种写作路数，是最不可取的，这样写出的作品，即便能获一时的成功，却不可能有坚实、长久的艺术生命，时过境迁，它们便毫无价值，只好被淘汰下去。

　　这样说，有可能会产生这样的误会：难道写作品，不应当有明确的主题吗？难道作为一个作者，不应当关心政治、不应当了解和熟悉中央精神和党的政策吗？我是主张写作品要有主题，并且主张作者关心政治、了解和熟悉中央精神和党的政策的，但写作品时，你的主题一定要从真情实感，也就是从独立思考中产生；对政治的关心，对中央精神和党的政策的了解和熟悉，绝不能替代你对生活中的人和事的了解和熟悉，写作品，归根结底只能从你的所见、所闻、所爱、所憎、所思、所得出发，构思的"胚芽"，只能是活的事物，而不能是死的观念。

　　有时候，从生活实际中所形成的意念，或者说根植于生活的初步的主题，也能形成作品的"胚芽"。我写《母校留念》、《去做一个公民》、《深谷小溪默默流》这几篇东西时，最早的"胚芽"就是一种意念。比如《母校留念》，构思时最早的萌动，是我已经调离学校之后，一次重返校园时，见景生情，由情人思，产生了一个意念：我应当给这经历了十年内乱的母校，留下些什么纪念呢？由此生发出了李荷香这个人物，以及关于她的命运的种种设想……不过，以我在实践中的体会，倘若构思的"胚芽"仅仅是一个来自生活启发的意念，要写好一篇作品，是比较困难的，远不如以人物、场面为"胚芽"的构思成熟得迅速、发展得坚实。

二、打开一把折扇

上回讲了一下短篇小说的构思，说要以人物、场面、细节、故事为"胚芽"，不要从一个框定的主题出发，即便是从一个源于生活的意念出发，这意念也最好是情感多于理论的，这样一种意见，引出了一些文学青年的诘难，他们说，你反对"主题先行"，我们理解，可照你这么说，难道下笔写作品时，可以不考虑主题么？难道应当搞"主题后行"么？

我认为，写作品，最常见的，无非有这么几种方法：一是从一个事先拟定好的不能变更的主题出发，即"主题先行"法；二是根本不考虑主题，写到哪里算哪里；三是从自己的生活感受中提炼出一个主题，然后从塑造人物出发，透过人物的行动和遭遇，去体现这个主题；四是把最先提炼出的主题当做一个出发点，但更尊重人物性格和生活本身的发展逻辑，在写作过程中不断调整、丰富、深化原来设想的主题，然后完成作品。

第一种方法，"四人帮"提倡过，现在退一步说，你那先行的主题，不是"四人帮"指定的反动主题，而是从现在报纸社论中得到的正确主题了，那么，写出的东西是不是就一定好呢？我说，如果你没有生活体验，光凭正确的主题去写，就算你有技巧，写出的也不是真正的文学作品。这是一条死路，走不得。第二种方法，西方现代派文学中常见，最极端的做法，是凭潜意识写，印出来以后，不但可以没有标点符号，甚至可以只剩标点符号，并且各篇各页可以像洗扑克牌那样，洗完以后再拿起来读，我以为这是一条邪路，学不得。当然，西方现代派文学当中，有的并不是真的没有主题，只不过那主题比较晦涩，或者像拍摄时镜头晃动了的照片一样，比较模糊混乱，或者像许多张照片叠印在了一起，比较复杂罢了。这样的写作方法，未必没有可以借鉴的地方，但若奉为正宗，则不敢苟同。第三种方法，算是入门之法，但此法也仅能导人入门而已，真正深刻有力的好作品，光凭此法，似难产生。第四种方法，我以为方是登坛之法，循此法前进，庶几可以写出稍微好些的作品。

我学着写短篇小说，时间不算太长，老实讲，以上四种方法，都试过的。目前我多用第四种方法。我自已有个比方，就是这种写法，好比徐徐打开一把折扇。

以写《这里有黄金》为例。这篇小说构思的"胚芽"，自然是那个来自远方的热血青年。生活中有这样一个模特儿，同他的相会，激起了我感情的浪花。他的命运，使我同情，引我深思，我很自然地把他的命运同我熟识的另一些青年的命运对比，那是些"幸运儿"，于是，便生发出了与他（我起名叫佟岳）相对立的另一形象——田欢。动笔写这篇小说时，我当然已有了一个大致的主题：通过两个社会背景和生活道路迥异的青年形象，提出不反"左"倾不反特权无以推进"四化"的命题。这个大致的主题，作为一个出发点，好比是折扇的扇棍。但我往下写时，并不让自己被这个大致的主题框定住，我徐徐打开折扇，也就是层层刻画、剖析佟岳这个主人公的性格和内心，于是，随着佟岳这个人物自身的发展趋向，我渐渐意识到，对这样的青年人不仅仅是个同情的问题，在他们心灵中，深埋着可贵的黄金，即对我们这个社会，对生活的鞭辟入里的认识，以及为改进我们的社会和生活的那种坚韧不拔的精神！这样，主题就展开了，也就是丰富了，或者说较为深刻了，最后，折扇完全打开，它的出发点是一个小小的扇棍，但完成后的作品，其主题却是一个近于半圆的扇面。这样完成的作品，既非"主题先行"也非"主题后行"，它的主题，有一个形成、展开、完成的变化过程。当然，我的《这里有黄金》是一篇还存在着缺点的作品，它的主题究竟开掘得怎么样，也还可以讨论，我之所以举它为例，不过是为了能具体地向文学上的朋友们交换一得之见，避免空对空地发议论而已。

我前几年的一些作品，总爱把主题明说出来，如《爱情的位置》，那篇东西虽然在冲破爱情这个题材禁区上有它的历史作用，但作为艺术品来要求，则是一篇肤浅幼稚之作，那就还不是"打开折扇"的写法，而是第三种比较简单的写法。现在我意识到，作品的主题，的确还是比较丰富、比较含蓄的好，应当尽量避免生硬地"点题"。我1980年写《乔莎》，就采取了这样一种办法。有的读者写信来问，你对《乔莎》这个有骗人行为的女孩子,为什么不表态?我们对她到底是应当同情、怜惜,还是应当谴责、唾弃?我以为读者能提出这样的问题,正说明我这篇作品在处理主题上是达到了预期的效果,我正是想通过这把"折扇",引导读者思考"乔莎"这种人物产生的社会原因,以及疗救这种人物的办法。

写短篇小说的办法当然绝不止上面所说的四种,"打开一把折扇"也并非我恪守如一的写作方法。我们都应当从生活出发,发挥自己的艺术独创性,不断地去别辟蹊径。

本书中的另一篇文章"怎样架起这座桥",谈的也是这个问题,可以参照着看。

三、"座无虚席"与"对号入座"

五十年代看报,看到两种文章,一种介绍鲁迅先生小说《故乡》中的闰土解放后的幸福生活,还附有新闻照片;另一种对此表示抗议,指出闰土是个小说中的文学典型,怎么好说成是真有其人,并使其成为新闻人物呢?

我想,这两种文章都有一定的道理,也都有一定的片面性。显然,《故乡》取材于作者自身的所历所见,闰土是有原型,即模特儿的,那模特儿在解放前后的生活变化,作为新闻材料加以报道,本是有趣而有益的,但报道时偏把模特儿与小说中的闰土画等号,就失之于穿凿了,而认为闰土既是文学典型就不必追究其模特儿的意见,也未免失之于偏颇。

记得六十年代还在报刊上看到一篇译文,是苏联人纪念高尔基的,文章里写到,当高尔基逝世后,在高尔基纪念碑揭幕式上,高尔基某篇小说主人公的模特儿,一位老工人,如何在碑前垂泪默悼云云。那篇文章并且指出,高尔基小说中的人物,几乎都是有具体的模特儿的。

写小说,其中的人物,特别是主人公,是否一定要有模特儿呢?

根据我阅读中外古今名家名作的体会,凡现实主义流派的作家小说中的人物,特别是主人公,似乎都是有原型,即模特儿的。这些作家谈创作的文章里,或书信、札记里,常常直言不讳地承认这一点。当然,有的小说人物与模特儿吻合处较多,如十九世纪法国作家福楼拜《包法利夫人》中的人物即如是，有的小说人物是以生活中的一个真人为主，将其他真人的某些特点加以挪移、糅合而成，或者干脆将若干真人合并为一个。如鲁迅小说中的人物，就大体都取此法。

我在学写小说的过程中，曾经走过一段弯路，就是所写的人物，特别是主人公，并非从我在生活中所熟悉、所见到的真人演化出来，而是采取了下列两种办法。一、从主题需要出发，设置出人物，将为人物设计出的出身、历史、政治立场和优缺点，与诸如粗鲁、细腻、奔放、矜持、豪爽、羞涩之类的"性格特征"加在一起，"合成"为一个所谓的"艺术形象"；二、从别人的作品中找"模特儿"，如从西班牙的塞万提斯的《堂吉诃德》中，从鲁迅的《阿Q正传》中，从苏联作家的某一小说中，提拣出一些"有代表性"的东西来，加以捏合拼凑，构成自己"作品"中人物。我在初摸写作门径的幼稚阶段所做过的这两种蠢事，至今还很令我羞愧。这样写人物不但不可能写出真正的文学形象，而且，还潜伏着被引诱去搞概念化的图解性"作品"的危险。

意识到写人物，特别是写主要人物，应当有原型，有模特儿，在我来说，是一次迈进写作门槛的突破。对于初入门的作者来说，我以为所写小说的主人公越有具体、生动、耐琢磨的模特儿，则其成功的或然率便越大。

注意，我在这里说的是成功的或然率，而不是成功的必然性。

常有这样的文学青年给我写信，告诉我说，他寄来的小说中的人物，全部都是生活中的真人，即他们写的基本上是真人真事。然而这小说稿却并不成功，我自己也曾经为同样的情况苦恼。我是从生活出发，写的人物都有模特儿，然而编辑部还是告诉我这篇稿子不行。

这就说明，写人物有模特儿，只不过是具有了成功的或然率（即可能性），而要使成功具有必然性，就得完成一个艰难的典型化的艺术创造过程。

典型化的过程是怎样的一个过程？这是一个文学界多年来争论不休、至今尚无定论的理论问题，很难在这样一则短文中从理论上涉及。我愿诚恳地奉献出一点自己在写作实践中的感性经验：我觉得，对你所要表现的模特儿的深入理解、剖析的过程，对他（或她）的感情的由浅入深的发展过程，决定着你把模特儿移写到纸上所创造出的人物的典型化程度。举个例子来说，我在 1980 年所写的中篇小说《如意》中的石大爷这个人物，在生活中是有原型的。在同他多年的接触中，我觉得他心地善良、任劳任怨，值得尊敬、值得爱戴。同时也觉得他性格有点怪僻，并且显得有些迷信、落后。这样一个人物，如果我把他在生活中的一些表现罗列出来，尽管做到每一个细节都是真实的，读者也未必感觉兴趣，当然也不能成为一个艺术典型。于是我开始琢磨他：他究竟有着怎样的命运？他的独特的命运对于他独特的性格、气质、观念、感情的形成究竟起着怎样的作用？这作用与社会环境变迁的作用怎样交融？从他身上所迸发出来的灵魂的火花，能够给予我们怎样的启迪？……在琢磨他的过程中，由于真正理解了他，对他的感情也便加深了，于是当我铺开稿纸来塑造以他为模特儿的艺术形象时，我便仿佛在摄影时找到了最恰当的光圈、焦距、速度和构图，于是我舍去了许多我熟知的他的真事，只保留了我认为最足以体现出他那人性美的真事，再将这些真事或加以夸张，或加以缩小，或加以改造，或添油加醋，乃至将生活中别人做的事加诸他的身上，设置了现在小说中"苏秦背剑"踩胶泥、庙会买瓷器、"文化大革命"中为被打死的资本家盖尸、为被斗的干部取下脖子上吊的铁饼、给被劳改的"牛鬼"们送绿豆汤……一系列我认为必要的情节；而且，我以为当作者真正进入塑造典型人物的境界时，最大的快乐，就是使模特儿获得了第二次生命，即让他去做在生活中并没有做过，而在作者笔下却顺理成章地非做不可的事情。

一篇小说往往不止一个人物，除了主人公外，还得有若干配角，我的看法是，除了纯属过场性人物外，小说中的艺术形象，或多或少总该有模特儿的影子。好比影剧院中的座位，如演出成功，应当是"座无虚席"，倘若有一多半座位是虚设的，空着，那便是失败。我认为即使是一个短篇，哪怕其中有一个起作用的角色竟然是作者亲身经历中毫无真人印迹可寻的，也有悖于现实主义创作原则。

这几年常发生这类的事情，一篇作品发表出来了，明明是虚构的东西，人物都是艺术形象，却有读者来"对号入座"，说其中的某某角色即是写的他，将他"丑化"、"歪曲"了，提出抗议，要求雪耻。他们写的抗议、申辩材料往往详细列举作品中的情节与生活中事实如何有异，这真令人哭笑不得，既然作品是"歪曲"、"丑化"、"情节不真实"，那不正说明那角色、那故事不是他那个真人、他那些真事吗？既不是，又来闹个什么呢？这种"对号入座"的事情本身往往从反面说明了文艺创作的模特儿和典型形象之间的辩证关系。现实主义的文艺创作从具体的模特儿出发，塑造出的艺术形象如达到艺术典型的标准，则又脱离具体的模特儿有了相对的独立性。

总起来说，我认为作者在作品中设置的人物"座位"，都应当有模特儿（一个座位可以不止一个模特儿）就座，即做到"座无虚席"；而读者阅读文艺作品时，则大可不必"对号入座"，如果作品中的艺术形象触痛了自己的灵魂，最好的办法是掩卷深思，而不是打上门去吵闹。

四、只需一张烟盒纸

文学创作这个事儿，本无一定之规，说得越细、越死，则往往越不得要领。这回要谈的问题，尤其如此。

有的文学青年问：写小说，是不是事先一定要拟就提纲？这写作提纲是否越详细就越好？

就我了解的范畴而言，当代写中、短篇小说的中、青年作者，动笔前列详细提纲的居少数，完全不列提纲、构思成熟后操笔一泻而成的也居少数，只列简单提纲，然后动笔写作的，则居多数。

我个人的写作习惯，是不列详细提纲。为什么不列？因为一个构思既已完成，则胸中已有成竹，何必多一道繁琐的工序？而且，正式动笔写小说时，往往需要根据人物本分的性格逻辑，调整乃至于改变原有的情节发展，至于艺术细节、人物对话的铺向纸面，更往往要仰仗灵感的勃发，去涉笔成趣、随处点染，如一一依照事先拟就的提纲，小心翼翼地一路往下写，反有戴着镣铐跳舞的苦闷感。

比如我写《如意》，经历了一个颇长的酝酿期后，石大爷、金格格等形象已在胸臆中活动起来，一些主要的情节也已大体上组织停当，而对人性美的追求的冲动，不断地叩击着感情的闸门，于是到了那么一天，颇有点瓜儿熟了蒂要落掉的劲头，我感到是提笔写出的时候了，这才拿过一张纸头，开始写下一些只有我自己才看得懂的字句和符号，形成了一个正式动笔前的提纲。这提纲包括着这样几个部分。一、是几个角色的名字，石大爷姓石，并取名义海，金格格姓金，并取名绮纹，是这时才确定下来的；此外还在石大爷名字后用放射线标出了三个名字：老曹、葛大爷（老道士）、帅谈（"蒜薹"），又在金格格名字后用放射线标出了两个名字：秋芸、王师傅。又列出了其余几个可不取具体名字但要出场的角色，并用箭头、符号标出他们与上述几个角色的关系。二、是一个简单的年表，为石大爷、金绮纹设计了一个生辰，计算出他们二十岁、三十岁、四十岁、五十岁、六十岁时的年代，并标明这些年代在祖国现代史中属于哪一个历史阶段，默思他们个人命运与各个历史阶段的具体政治生活状态之间的关系。三、是列出了叙述方式的设想：回叙，然后重点写几个场面：节日值夜班（"鬼故事"）、忆苦报告（"天下乌鸦不尽一般黑"）……掏泄水孔、盖尸案……挖树根、送绿豆汤……再回叙（"请想象……"）……整个提纲，也就是这样，书写提纲的纸头，也无非一张烟盒纸那么大。

写成的《如意》中，在回叙石大爷与金格格的爱情史时，有一段写到石大爷冒着鹅毛大雪，在校园的甬路上等着党支书老曹，想请他为自己开一纸结婚登记的介绍信，而相对来说颇能接近群众的好干部老曹，却也并不能理解石大爷的心情，他竟误以为石大爷不过是要求开一纸申请补助棉花的介绍信，好换一床新棉絮。结果石大爷倔犟而气闷地转身回到了自己的小屋中，久久地呆坐着，内心深处涌出了一连串想法……这个情节，颇得到一些读者和批评家的鼓励，他们认为这有利于加强作品的思想深度，说明我们党、我们干部对群众生活的关怀，应当不仅停留在对物质福利的照顾上，而应当深入到他们的心灵，既从物质上更从精神上去满足他们作为一个正常的人的深切渴求。这个情节，在我构思过程中以及列提纲时，都还没有迸出来，是在写到那一段时，既突然也顺笔涌现出来的。所以我体会到不受提纲约束、在动笔时充分地任自己的形象思维驰骋的乐趣。

为什么写作过程中常有这种偶来之笔，并常能获得颇佳的效果？我以为，关键还是作者对所写的人物和生活应当熟悉到挥斥自如的程度，好比有个藏量颇丰的蓄水池，随时可以启闭闸门，使水按自己的意愿流泻，所以越是写自己熟悉的人物和生活。一般就越不用列详细的提纲，而非列详细提纲不可时，往往倒是面对着自己不甚熟悉的素材。记得1979年我应约写过一篇关于科学家的报告文学，因为全部素材都系采访所得，我自己平时所熟悉的生活又难以为此篇起补充的作用，所以，列出的提纲就颇为详细，而下笔的过程中，也确实时时需要对照提纲加以调整。

列提纲的问题，实际上也就是一个结构问题。构思达到一定的程度，好比砖瓦木石都已齐备，但没有一张图纸，还是无法修造房屋，因此就得解决一个盖什么样的房子的问题，如果盖民族形式的房屋，那么，用什么顶子？是庑殿式？歇山式？硬山式？卷棚式？还是圆攒尖？方攒尖？这的确需要费一番心思。有的作家的写作提纲不仅只写着词组和简缩句，只有箭头和符号，而且往往有着纵横涂抹的种种痕迹，真如"天书"一般，是别人万不能看懂的，那其实正记录着他宝贵的思考，他是在反复调整即将动笔的作品的结构。

在考虑结构时，应力求出新。据说国外有一种"结构主义"的文学理论，这种理论从统计分析已有的文学作品中得出结论，认为各种形式的文学作品在结构上最终只有那么几种模式，所以一旦掌握了这种理论，便可更自觉地在进行创作时选择最佳的结构途径。我不懂"结构主义"的理论，更没有遵循这一理论进行过创作实践，但是我相信即便小说结构的方式大体上只有那么几种，只要作者善于从丰富多彩、千变万化的生活本身出发去选取独特的表现角度，他还是总可以找到一种既有利于表现人物和思想，也能取悦于读者的新颖叙述方式的。比如王蒙的短篇小说《风筝飘带》，作者为了较为全面地展现主人公置身其中的生活的各个侧面，就打破了惯常的单线索、单旋律的叙述和抒情方式，不是讲一个有头有尾的从低潮走向高潮最后矛盾终结的故事，而是围绕着男女主人公的活动，像演奏交响乐那样地将生活潮流的各层浪涛叠相描绘，给予读者一种全新的感受。当然，如果是初学写作，连叙述一个有头有尾的单线索推进的故事也还不够熟练，便贸然模仿《风筝飘带》式的写法，那肯定是要失败的。结构问题、叙述角度和叙述方式问题，对于一篇小说的成败固然至关重要，然而头一位的，毕竟是人物形象，和作者透过人物形象所传达出的思想的深度。我想起了契诃夫的小说《带小狗的女人》，这篇小说乍看过去似乎非常平淡，作者在结构上似乎也没有耍什么花样，不过是按时间顺序讲了那么一段恋爱故事，这种露水姻缘式的恋爱故事在契诃夫之前不知已被多少文学家写过，然而这篇小说却有着一种超越千般的特殊魅力，为什么？就因为他的笔触惊人地真实，并从这真实的描绘中传达出了一种对真挚的爱情的永恒性的追求，而这种追求又是伴随着一种深刻的反平庸、反虚伪的呼号体现出来的。因此，归根结底它并不是以结构的奇诡取胜，而是以艺术形象的真实细腻与思想上的深度取胜！

总起来说，我认为写短篇小说不一定要列出详尽的、死板的提纲。倘若胸中已有成熟的构思，那么开笔前要列提纲，只需一张烟盒纸那么大的纸头也就足够了。

五、稿纸上的"五原色"

大家知道绘画上的"三原色"，红、黄、蓝。用这三种颜色互相搭配，可以衍化出无数不同的颜色，如红加黄可成褐，黄加蓝可成绿，红加蓝可成紫，等等。所以有时画家作画，只备红、黄、蓝三种颜料，手持调色板，随需要而调色，便可绘成色彩多样、层次丰富的图画。

我以为铺开稿纸写小说，也有"五原色"。即行文上无非是用以下五种基本手段：一、叙述。就是交代性文字。二、描写。这里主要指的是场面的描写。场面描写往往构成人们常常谈到的细节。三、对话。百分之九十九的小说都离不开写人物（有少数小说主要写动物、植物或一种拟人化的器物），写人物又往往离不开写说话。对话常揉入描写之中，因而也是构成细节的一个重要因素。四、心理刻画，或者叫心理描写。这种成分与第二种手段的不同在于，那是写外部形态，这是写内心世界。五、抒情与议论。或由作者自己出面，或借人物之心之口。

我这种"五原色"的说法，没有什么理论依据，完全是根据自己在学习写小说过程中的体会，归纳出来的。下面把自己实践中运用这"五原色"的体会，和阅读文学青年们的文稿中发现的问题，揉在一起讲一些意见，仅供参考。

第一种"原色"：叙述。一般来说，交代性的文字总是离不开的。何时、何地、何人，一般不可能也没有必要都直接用展开性的描写文字及对话等其他手段来替代。交代性文字应当力求精当、准确，也要注意形象感。初学写小说时，往往犯交代过多、过细的毛病，自己把自己缠进了不停地交代的网中，摆脱不开，总也进入不了场面的描写和人物形象的刻画。作为短篇小说来说，交代尤其不宜过多过繁，特别是开篇部分，总在那里交代，读者就腻味了，一定要尽可能快些"入戏"，即进入描写，有的非交代不可的东西，可以挪到后面，随机应变地插入到描写成心理刻画之中。善于交代，这是写小说的基本功中的基本功。

第二种"原色"：描写。这当然是小说中最主要的部分。如果叙述即交代是一根红线，那么描写就应当是这根线上最灿烂的珍珠。初学写作时容易犯的另一个错误，便是滥用描写。如一位文学青年拿来一篇小说稿给我看，内容是写某高中毕业生考大学落选，不气馁，继续刻苦自学。他那小说的头一段，足写了有三张稿纸之多，都是描写，描写什么呢？描写那考生所住的城市的四季景色，这段文字虽然尚属流利生动，但与小说所要完成的塑造人物、表现主题的任务几乎无关。他这样做，实质上是把该交代的部分，扩展而成为描写了。其实他的写景能力，应当用到主人公落考后，漫步在盛夏的林荫道上一段，把对人物心理的刻画，与写景交融起来，那样甚至可以获得相当不错的效果。初学描写时，往往会胶着在写景上，其实就短篇小说而言，写景一般不必过于繁琐，应花工夫学会场面描写、人物肖像描写，特别是关于人物在行动中的动态描写，这些基本的写作技巧掌握不好，纵使有了很好的构思，恐怕也是难以写好小说的。

第三种"原色"：对话。包括人物的自言自语，那其实也是对话，即对自己的心说话。这甚至是比描写更难驾驭的一种手段。初学写作时,往往笨拙地以对话去完成交代的任务。因为写到那一段时,感到情节上有漏洞,不合理,为了补漏洞,说服读者,便让人物说废话,这是最令读者齿冷的一种写法,万不可用。对话的真谛,在于刻画人物的性格。作者有没有生活,对他所写的人物熟悉不熟悉,最灵敏的测验器就是他的人物对话写得如何,《红楼梦》写人物对话是最成功的,曹雪芹绝不用对话去进行交代,绝不滥用对话,他写的人物对话都起到了刻画人物性格和心灵的作用;真是一个人物一张嘴,开口便符合这人的出身经历、性格素质和在彼时彼地的处境心情,所谓"如闻其声、如见其人"。初学写小说时,写完一篇作品后,应当把出现的对话逐一检查几遍,凡可用其他手段替代的,则可一律另行处理;凡不符合说话人身份气度、处境心情的,则应一律加以调整;凡有利于表现人物性格、心灵的,则应突出加强。

第四种"原色":心理刻画。中国的古典小说中,如宋的话本、《三国演义》,这种手段是比较简略的,到《红楼梦》开始出现大段的心理刻画,有时还是两个以上人物的交叉心理刻画,如"诉肺腑心迷活宝玉"一段文字,心理刻画与场面描写、肖像描写以及对话交织在一起,达到了震撼心灵的艺术效果,堪称楷模。"五四"以后的白话小说,既从《红楼梦》这样的民族文化遗产中汲取了心理刻画的营养,又从外国十八、十九世纪以来的古典文学作品中借鉴了细致入微的心理刻画技巧,逐渐成熟,如鲁迅的《伤逝》心理刻画已成了该篇作品中最主要最闪光的部分,对话倒退居到了其次的地位。随着世界各方面情况的不断变化,特别是直观性的文化娱乐方式的发展,尤其是电影、电视的勃兴与普及,小说这一艺术形式受到了挑战,你对场面、景物、人物肖像的描写,再生动,细腻,也总是第二信号系统即文字的东西;需要读者用脑子把第二信号系统的文字"翻译"成感官上的直接享受,才能达到效果,这当然比不了电影、电视那种直接赋予感官刺激的第一信号系统的东西。因此,小说必须发挥自己的长处,这长处就是对人物内心深处的开掘,也就是心理刻画,因为电影、电视在这一环上恰恰是最困难的,固然可以借助于演员的表演、画面的变化、气氛的渲染、音乐的衬托来刻画心理活动，但终究不如作家的一支笔，可以一直深入到人物心灵的最隐秘处，将其揭示给读者，使读者受到感染、震撼。外国的文学发展，特别是西方文学的发展，越来越趋向于写人物的内心，乃至于早就出现了超越一般心理刻画的种种手段，如写"意识流"，即人潜意识中的自由联想，我以为除了别的社会、政治原因外，上面所说的情况应当也是一个原因。我国当代文学，特别是小说的发展，这两年也有越来越着重于心理刻画的趋向。所以，学会心理刻画，是极其重要的。不过，心理刻画也一定不能滥用，要贴切、深刻、生动。至于"意识流"的写法，如果你一般的心理刻画手段尚属生疏，就不要急于乱用。

第五种"原色"：抒情和议论。小说中可以完全没有抒情和议论，也可以适当插入抒情和议论。我以往是比较愿意在小说中搞抒情议论的，曾有读者和批评家提醒我不要滥用。近年来我比较注意尽可能少用抒情议论，特别是作者自己跳出来发议论。但我的观点并没有变，小说中也是可以有抒情议论的，只是必须自然、精辟、富于文学气息。

我说是"五原色"，已含有下笔时需将以上五种手段混合起来综合运用的意思，事实上一个比较成熟的作者写小说时，他完全用不着时时理智地指挥自己。现在该交代了，现在该描写了，该写对话和进行心理刻画了……他可能随着总体构思的逐渐铺向纸面，自然而然地就处理好了"五原色"的单用与混用，说到底，运用自如的程度，一是与他对写作基本功的掌握程度成正比，二是与他把注意力集中到塑造人物、开掘主题上的程度成正比。

最后，要说明一点，就是未必颜色越多就越好，如绘画，堆砌颜色的图画往往是最恶俗的图画，倒是有的仅用黑白两色的木刻反而能取得极佳的艺术效果，写小说也如是，除上面说的第五种"原色"可完全不用外，其他几种"原色"也并非一定都得有，现在有的短篇小说或通篇全用对话，或通篇全用心理刻画，类似绘画中的黑白木刻，不是一样取得了很好的效果吗？所以，我希望文学青年们一定不要胶柱鼓瑟，掌握技巧不是为了耍弄技巧，而是要用技巧为塑造人物形象和开掘深刻的主题服务。

六、"苗圃"比"标本夹"更重要

我认识一位文学青年,为了学习写作,他真是下了颇大的工夫,有一回他拿来一摞笔记本给我看,困惑地问:"你看我记了这么多资料,写小说时不停地翻查利用,真是连吃奶的力气都铆上去了,可为什么编辑部就是不采用我的稿子?"我便翻阅了一通他的笔记本,帮他寻找虽努力仍失败的原因。

翻阅的结果,使我得出了这样的结论:他的这一摞笔记本,好比全是植物标本夹。他都记了些什么呢?有从中外古今小说中抄录下来的人物肖像描写;有从中外古今小说散文中抄录下来的景物描写;有从文学作品和工具书、资料书中抄录下来的形容词、歇后语、谚语、格言、警句……乃至于一大段一大段的作品节录,等等。我对他说:"你这种记笔记的刻苦精神,是可取的,但你以为这样积累资料便能写好小说,就未免失之于幼稚了。如果你是立志搞文学史研究、搞比较文学、搞文学批评、搞语言文字研究,你这样记笔记,倒还值得(当然角度、方法也还要再加调整才行),而你现在是有志于写小说,你把大量精力用在记这种笔记上,实在是事倍功半了。"他一时接受不了,抚摸着那一摞笔记本说:"难道写小说的作家就不记笔记了吗?我记得有的书上说过,像契诃夫就记得有许多的笔记……"我便又诚恳地对他说:"无论写什么,都应当记笔记。问题是记什么?怎么记?你这笔记,里头全是从书本上抄来的,有的还是经过好几道手的东西(如有的歇后语就是从歇后语资料选中抄来的,而该资料选所依据的若干原作你并未见过),也就是说,你这里头全是别人嚼过的馍,换个比喻,又好比全是从树上草上摘下来已经风干了的花、叶,虽然这些花、叶可能是标准的、美丽的,然而毕竟是人家已经采摘过、利用过的,你把它们记录下来,好比制成了植物标本,对你了解人家的创作、欣赏人家的采摘技巧,固然有一定好处,但你既不甘心只当一个鉴赏家,更不甘心只写出几篇令语文老师表扬的好作文,你是打算搞创作的;有的中学生的作文,能够贴切、自如地模仿名家作品的结构、采用名家用过的现成修辞手段,自成一文,我们甚至可以评他个一百分,然而把这作文拿到文学杂志编辑部要求当做作品发表,则必定得碰壁。为什么?因为文学创作,全在一个'创'

字上，你必须拿出属于你自己的、独特的东西来，不光要有你自己所熟悉的生活、人物，不光要有你自己独特的取材角度和结构方式，不光要有你自己独特的见解和发现，甚至在修辞手段上，也应当尽可能与别人不同，给人一种新颖的感受。所以说，你把力气花费在记录、挪用人家已经写过、用过的东西上，就算你排列组合、小变小改的能力很强，除写出的东西终究给人一种标本展览的感觉，是不可能有生气的，因而必定是失败的。"这话对他的刺激颇深，他有些愤慨了："这么说我这一摞笔记本全成废物了！我今后再不用记什么笔记了？"我劝慰他说："也不能说你这些笔记本没有它们的作用。你从抄摘别人作品的过程中，一定得到了许多的启示和感受，这对于你提高自己的文学修养，是有它的好处的。你现在的问题，是应当改变一下记笔记的内容和形式。你刚才提到了契诃夫，在解放初出版的汝龙翻译的二十七册一套的《契诃夫选集》中，有好多册前面都附有契诃夫的札记，那其实就是他的素材笔记。你最好找来通读一遍。你一定可以发现，契诃夫很少摘录别人已经发表出来的文字性的东西，他所记的，主要是自己对生活的感受、灵感的闪现，里头有对生活中某一人物外貌言谈举止的撮要记录，有对生活中某一场面的素描，有对在生活中亲耳听来的奇闻轶事的简约记录，有偶然听到见到或想起的一个生动的表情，一句有趣的话，一样奇特的器物……当然更有一瞬间闪过的意念和经过一段时间思考后所形成的见解，等等。总之，契诃夫的笔记本绝不是'植物标本夹'，而是生长着一株株富有生命力的小树的'苗圃'，这些从生活中撮取来的'小树苗'遇到合适的条件，便能移植到创作中，长成为一棵枝叶披纷、繁花满树的植株。例如契诃夫的名篇《醋栗》、《脖子上的安娜》、《跳来跳去的女人》，就都可从他的札记中找到相应的素材记录。我们要想为写好小说而积累素材，就应当记契诃夫式的笔记，形成自己的'苗圃'。"那文学青年听完我这一番话，收拾起那一摞笔记本，表情颇为沮丧，我便补充说："你也不要全听我的，你对这件事，也应当独立思考，去得出你自己的结论。我是为了纠正我认为你所存在的偏向，才谈了这么一番比较激烈的话。其实，一个立志于写小说的人，搞'标本夹'也是很有益处的，我的意思，不过是强调'苗圃'比'标本夹'

更重要而已。"他表示基本接受我的意见和建议,回去以后,就建立自己的"苗圃"。

过了些天,他拿来一篇稿子给我看,我发现他的进步颇大。特别是写人物对话,原来他的小说中,几乎每个人物都是歇后语专家或说谚语成瘾的人,因为他在写对话的过程中,总是不断地去翻查他那"标本夹子",认为越多利用他搜集的"标本",文章便越生动。这回他改变了以往的做法,他写了一位农村老大娘,这位老大娘说话中也用了歇后语,然而贴切、自然、风趣、活泼,颇能显示人物性格。我问他这回是怎么写人物对话的,他说:"我把笔记本推到一边,写时只想着这人物在这场合该怎么说话,心中浮现出了她的声音笑貌,并且想起了有一回我在农村时,亲耳听见一位老大娘说过的歇后语,便用了上去……这回真的比以往写得好吗?"我说:"有质的提高。你如果还想在记笔记上下工夫,比如说还想积累一些人物语言的素材,莫如就多记些你亲耳听见的活人的语言。"他说他正在这么做。这么说,他已经开始经营自己的"苗圃"了。

光照着现成的图画学画画,是学不成画家的;光照着现成的小说学写小说,是写不成小说的。文学青年们,更多地去向生活本身学习吧!

七、未必多愁,实需善感

1981 年夏初,我应日本文艺春秋社邀请,到日本访问了两周。在东京、京都、奈良、大阪、神户紧张地走访了一番之后,主人请我们三位中国作家到箱根温泉小憩了一天。我们下榻的山地旅馆,是一座北欧式的建筑,打开住房的落地窗门,走上阳台,眼前便是碧波荡漾的芦湖,只见湖岸四周绿山环合,这里那里,盛开着丛丛红、紫、粉、白的杜鹃花,绿树丛中或耸起欧洲哥特式建筑的尖顶,或露出日本神社式建筑的飞檐,湖中缓缓行驶着朱红色的游轮,那游轮外表是古代多桅帆船的格局,实际上内里完全是现代化的装备……

吃完法国式烤波尔多蜗牛,洗了温泉澡,从住房的冰箱中取出酒瓶和冰块,调了一杯威士忌酒,才喝了一口,忽然万念丛生、心摇神驰,再也不能安宁。主人本是希望我们这一夜能安眠去疲,以利下一阶段的访问,而偏偏这一夜,我辗转反侧，失眠最久……

床侧的小柜上，有一排按钮，按下第一个能发出各种鸟鸣，按下第二个是古典音乐，按下第三个是现代派音乐……我一个也不想按。我想起了许多年前自己住在医院的情形，妈妈曾经给我买来几个桃子，洗好，放在了我病床边的小柜上，我吃了两个，剩下一个最大的没有吃……出院时，那剩下的桃子，我忘了带回家，记得桃子的尖端，已经有点黑烂。我邻床的病友，也是个男孩，他父母没有闲钱给他买桃子，我请他吃过，他没有吃，然而从他的眼神里，我看出他是非常想吃的……我为什么没有更坚决地请他吃？我走了以后，他会去吃那大桃子吗？那桃子坏了，他吃后也许会添上新的病症……他后来怎样了呢？我忘记他很多年了，可在远离祖国的这么个古怪的地方，他和那只坏了尖尖的桃子，却清晰而生动地回到了我的记忆之中。是的，桃子，许多的桃子……这是去年的事，在我住家附近，有一个自由市场，一个孩子在哭，哭得很伤心，他的父亲扬起手在狠揍他，因为他把好不容易带到自由市场的一筐桃子打翻了，质量很好的大桃子，跌破了皮，沾上了泥，丧失了应有的价值……人们劝住了他的父亲，那孩子哭得却更凶了——因为他比他的父亲，更心疼那些大桃，也许，为了养好这些大桃，他费去的心血，比他那青筋暴露的父亲更多！明年他家的桃树上，还能结出这么好的大桃吗？那还得经过多少次日出，多少次日落！我想起了自由市场上更多的面影。农民的表情是开朗的、舒畅的，然而也是谨慎的、充满算计的……我买了两斤黄瓜，长满划手的尖刺儿的嫩黄瓜，我递给那位老大爷几张一毛钱的钞票，有一张他没有接住，让北京惯有的小旋子风刮跑了，他本能地撇下黄瓜摊去追那张油腻的、缺了一个小角的一毛钱钞票。我大声地吼叫着，因为马路上开来了一辆疾驰的卡车，我请他回来，我宁愿再补给他一毛钱，然而他或许没有听见，或许顾不上听任何声响，他极其惊险地穿过车来车往的马路，继续去追赶那张飞走的钞票……他一脸懊丧地回到摊旁，我递给他一毛钱，他的大手在汗漉漉的厚实胸脯上搓着，他摇着头，我把一毛钱塞进他手里，转身走了，忽然有个力量拽住了我的菜篮，我回过头，是他，把一根黄瓜搁进了我的菜篮……在日本的箱根，在山地旅馆那舒适、雅致的客房中,我想起这一切,我想流泪,不是因为忧愁和悲哀,而是因为我的灵魂在颤动……

就在离那自由市场几百米远的地方,有一条淤塞住的小河,河里沤着垃圾,在烈日下,常常泛出恶臭。有一个中年妇女,脸上有许多雀斑,她在那小河边站住,沉思着,眼里忽然涌出了泪水……我不认识她,她也不认识我,然而我们从短暂的对望之中,互相达到了深深的理解。我们这贫穷而充满问题的祖国啊,你的儿女应当怎样去做,才能使你早一天富起来、美起来?在我们那个新居民区里,总算栽上了第一批树苗,那住地下室的李大伯,没事总拿个小板凳,坐到楼前,看着那排小树,一个顽皮的孩子去摇晃那瘦弱的树苗,他站起来嚷:"别摇,看给摇活动了!"他的重音放到了"活"字上,那孩子故意摇得更厉害了:"我给摇活了还不好么?"他几步走过去,那孩子猴儿似的逃走了,他心疼地抚摸着那棵小树,呼哧带喘……春天终于来了,小树萌出了小绿叶儿,那么小、透明、瘦弱,好像在害臊似的,而李大伯上楼下楼,挨家挨户找家长,让他们教育好孩子,别让孩子毁树。在这遥远的芦湖边上,我仿佛听见了他上楼下楼的脚步声和喘息声……

这一节的《柳下絮语》为什么写到了这些?因为我珍惜自己的这类情绪,我以为这是我之所以能写作的最重要的因素之一。从日本访问归来,恰好收到一封读者来信,他苦恼地问:"我生活经验不少,看的书不少,作文不少,日记不少,思考不少,人物形象不少,为什么就写不好呢?好多次都烧光那些稿纸,叹气。"他试着自答:"最大的原因恐怕是语言文字基础差,'五原色'调得不好,成了一片灰色。"他说的几个"不少",我是相信的。语言文字基础和写作的技巧,固然也确是他所有待提高的,然而我估计他所最缺乏的,也许就是搞创作的人必须具有的丰富的感应力、想象力和随之而来的丰富而多层次、多内涵的感情。

世界上获得成功的作家,一出手便语言不凡、技巧高超的不是多数,但有一点一定是相同的,便是都有着一颗善感的心。过去常说文人都是多愁善感的。多愁倒未必一律多愁,然而善感则实需一律具有。对于外界事物的刺激,只具有一般性的、肤浅的感受,不能形成联想,不能使记忆中的花絮在联想的流程中发展成为艺术想象的花丛，不能为祖国、为民族、为亲爱者、为朋友、为一切可亲可爱可原谅可理解的事物而深深地动情，不能嫉恶如仇，不具有最敏感的自尊心、羞耻心，没有甚而不能理解惆怅、矜持、惶惑、伤逝、短暂邂逅中的心乱如麻、一去不返的永生遗憾……复杂而微妙的情绪，特别是对人对事缺乏一种深沉的命运感、历史感，那么，要想写出成功的作品，恐怕是很困难的。那位读者说他"思考不少，人物形象不少"然而还是"写不好"，除了别的因素之外，恐怕就是因为他的思考还太偏于理智，而他对所观察到的人物形象也还缺乏艺术想象力，所以他构思时、写作时，灵魂没能强烈地颤动起来，下笔也就不能做到"如有神"。

究竟什么是艺术感应力？什么是艺术想象力？什么是创作所必需的丰富而细致的感情？在一篇短文里，不可能详细讨论这些问题，然而每一个在文学道路上摸索了一段的习作者，都应当不难意会到这些因素的重要性。

这种创作所必需的善感性，即所谓艺术感应力、想象力以及所谓艺术的感情，总起来说，姑且谓之为艺术气质吧，究竟是先天的还是后天的？能不能加以培养、提高？我以为艺术气质，很可能有一定的遗传性，即有先天的一面。然而更重要的，当然还是后天的熏陶与培养。增强自己善感性的一个重要途径，还是读书，读世界名著，读成功的当代作品，读多了，心领神会，再有选择地用以观察、感受生活，便能有一种异样的感觉，然后再读，并可试着写一点东西，再观察、感受……如此互相渗透，相辅相成，加以语言文字和写作技巧的水平不断提高，写出作品来，也许成功的可能性便会大大增强。

八、立即跳到动作上

记得俄国伟大的现实主义作家契诃夫讲过，初学写短篇小说的作者，完成初稿后，应当果断地砍去头一半。为什么呢？因为初学写短篇小说时，常犯的毛病之一，就是不能立即"进入情况"，不是刻板而啰唆地交代"何时何地何人"便是无必要地写景抒情，纵使你后面终于展开了场面，人物有了动作，甚至写得颇为精彩，但读者在前面已感到腻烦而中辍了阅读，所以你花的力气，也还是白费。

契诃夫的短篇小说，值得借鉴的地方甚多，而他那简洁的开头方法，尤其值得我们下工夫揣摩。概括起来说，他的开头方法，就是尽早进入场面和动作，甚至劈头的一句，便立即跳到动作上。

比如《宝贝儿》这篇，开头一句是："退休的八等文官普列勉科夫的女儿奥莲卡，坐在当院的门廊上，想心事。"想心事从外在形态上看，当然是静止的，但从人物出场的意义上来说，她一露面，便有着内在的动作性。接下去两句是："天气挺热，苍蝇老不走，跟人捣乱。想到不久就要天黑，心里那么痛快。"旧门廊，慵妇人，闷热而肮脏的氛围，一下子都展现在了读者眼前，而主人公的"心事"之空虚猥琐，也一下子被点了出来。这开头的几句，为全篇定下了基调，实在是简洁明快的范例。

再如《在流放中》的开头："外号叫做'聪明人'的老谢敏和一个谁也不知道姓名的年轻鞑靼人坐在河岸上一堆篝火旁……"《文学教师》的开头："地板上响起马蹄的嘚嘚声，他们从马房里先拉出黑马努林伯爵，然后拉出白马巨人，随后拉出它的妹妹玛侬卡……"《挂在脖子上的安娜》的开头："婚礼以后，就连清淡的凉菜也没有；新婚夫妇各自喝下一杯酒，就换上衣服，坐马车到火车站去了……"都是头一句便立即跳到动作上，一下子把读者的注意力抓住，诱导读者随作者一支笔去想象场面、认识人物、领略情调、进入情节。

就是像《第六病室》、《草原》这类情节性最不强、篇幅较长（应当说不是短篇而是中篇了）而人物和场面都较多的作品，契诃夫也是尽可能地在简短的交代性文字和景物描写之后，很快跳到动作上去。契诃夫小说的魅力体现在很多方面，而他开篇的技巧，也是一个重要的方面，建议有志于提高写作技巧的文学青年们，找来一部《契诃夫小说选》，逐篇研究他是怎样开头的。

我试写短篇小说时，在开头方法上，从契诃夫那里得益不少。如《爱情的位置》，我想来想去，认为最好莫若头一句便是一个动作，于是便提笔写下了第一行："刚下早班，车间主任魏师傅就把我叫去了。"而《醒来吧，弟弟》的头一句是："我和弟弟站在过道里，给刚洗好的床单拧水。"实践证明，这类的开头方法确实比较吸引读者，而对于作者，也省去了许多平板的交代，并且可以逐渐锻炼出一种随着场面铺开和人物行动，自然而然地交代出时代背景、场所性质、人物身份、人物关系……的能力，使整个短篇如一泓流水，潺潺而泻，不致使读者腻烦。我写过一篇《没有讲完的课》，里面出现了《班主任》中的部分人物，这篇小说引起过国内外某些批评家的注意，认为其中丁朵这个形象，还算有点新意，但大多数读者的反应，却都比较冷淡，为什么？除了下笔比较涩滞而外，开头没有开好，也是一大原因。我最前面用了一段有点哲理意味的话，——这倒未尝不可，而正式开头第一节，我虽然似乎也有场面，有动作，但那场面冷寂而呆板，人物的动作也缓慢而平淡，无怪乎一位读者来信批评我说："你的笔怎么像被糨糊粘住了，甩不动了呢？"这种甩不动笔的情况，我想凡是初学写作的人都会遇到的，原因就是没有娴熟的写作技巧。后来我带着自己存在的问题，又请教了契诃夫。契诃夫的《宝贝儿》一开篇，场面之冷寂，人物动作之平缓，似乎有过之而无不及，然而人家毕竟大手笔，写完奥莲卡，笔锋一转立即引入另一人物："库金站在院子中央，瞧着天空。他是剧团经理人，经营着游艺场'季沃里'，他本人就寄住在这个院里的一个厢房内。"奥莲卡静，库金动，下面两个人一番对话，奥莲卡随库金而动，故事便流动起来了……唉，真惭愧，我的《没有讲完的课》，第一节长达三千多字，中间始终是静态的、平面的，不能顺畅地甩开流动，意识到这一点以后，再写小说时，我就注意提高自己的技巧，特别是开头的技巧了。

当然契诃夫式的开头，仅只是短篇小说千变万化的开头方法当中的一种，就是契诃夫本人，每一篇的开头也不尽一样，如《套中人》、《醋栗》、《关于爱情》等篇，他就用的是"画框式"结构，即开头结尾是几个猎人在一起闲谈，当中引入一段故事，因而开头结尾的部分，就有较多的写景物、写气氛、写情绪的文字。契诃夫应当算是西方古典批判现实主义作家当中最后的一颗星辰了，本世纪以来，西方文学的发展渐趋纷乱，各种文艺思潮、各类艺术流派、各色写作方法接踵而出，往往时兴得也快，衰落得也快，其具体情况，我所知有限，所以也无从论及。但偶然读到一些西方当代的短篇小说，感到开头即跳到动作上的方法，也还在袭用，如西德作家伯尔的《洛恩格林之死》，劈头一句便是："两个抬着担架的人，上楼梯的时候放慢了脚步。"美国作家辛格的《尔场街的斯宾诺莎》的头一句则是:"内厄姆·菲谢尔森博士在华沙市场街他那阁楼上来回地踱步。"如果文学青年们愿意作一抽样调查,可把手边能找到的中外古今短篇小说汇集到书桌上,试着一边翻阅一边作如下统计:

开头方法篇数:

1. 立即跳到动作上

2. 简单交代后,很快进入场面、出现动作

3. 从对话开始

4. 从写景开始

5. 从肖像描写开始

6. 从哲理性的抒情议论开始

7. 从提出一个问题开始

8. 从心理刻画开始

9. 对时间、地点、人物、人物关系逐一作详尽交代

10. 其他开头方法

统计完了之后,可以分析一下:哪种开头方法被利用的次数最多? 你认为开篇最佳的前三名,属第几种开头法? 你认为开篇最笨的后三名,属第几种开头法? 你认为哪篇小说如改变开头方法,可以更有吸引力? 你认为哪篇小说仅只是开头好,而后面并不成功了? 除了你所统计到的开头方法外,你还记得读到过什么样的开头方法? 你自己能独创出什么与这些都不相同的开头方法? ……

这也许是一种很笨的钻研方式,不过我以前曾经试过,并且感到颇有收获,我那次统计、分析的结果,是认为头三种开头方法,特别是立即跳到动作上的开头方法,似乎确有一种特殊的魔力。当然,就是立即跳到动作上这种开头方法,又有千变万化的不同处理方式,归根结底还是得服从于总体构思的需要。为开头

而开头地下笔，是必然要坏事的。

九、我、你、他

前两天，一位文学青年来同我讨论：写小说用第几人称最好？我想，这很难说。现在我们见到的小说，一般都是用第一人称或第三人称写成的。

用第一人称写，透过人物的自述，随着人物的活动，用人物的眼光去观察周围，容易下笔，也比较适宜夹入抒情与议论，特别是对"我"的内心活动，乃至潜意识层的种种微妙之处，可以深入并掘，随意点染，常能取得较强烈的效果。那位文学青年指出，我比较引起注意的作品中，大都是用第一人称写成的，如《爱情的位置》、《醒来吧，弟弟》、《我爱每一片绿叶》、《这里有黄金》、《如意》等，故事都从"我"的口中讲出，除《爱情的位置》中的"我"是作品的主角外，其余各篇中的"我"都是配角，主角是从"我"眼中所看到的其他人物。

为什么我这些作品，都使用了第一人称的写法呢？我想，这大概同我的气质有关。我是一个感情比较容易激动起来、激动起来以后便难以抑制好恶爱憎的人，并且常常在激动之后，陷入深深的思考，这思考又总带着一种"打破沙锅璺（问）到底"的执拗劲，思考中有所领悟时，又想恳挚地讲诉出来，以期引起共鸣，或求得校正。这种气质，.就决定了我在构思上述作品时，总愿设置一个"我"（当然作品中的这个"我"并不就是我自己），这个"我"不是冷静地观察和思考周围的一切，而是感情奔放地发泄着自己对周围的人和事的看法，特别是对故事中的主人公，如《醒来吧，弟弟》中的弟弟，《我爱每一片绿叶》中的魏锦星，《这里有黄金》中的佟岳，《如意》中的石大爷等，"我"的爱憎是非常鲜明的，并随着这些主人公命运的跌宕而相应地激荡飞扬着感情的波涛与浪花。

通过我自己的实践，我认识到，每写一篇作品，确定叙述语气时，作者个人的气质往往起着决定性的作用。不要勉强自己去用不适应的人称写作。有时候，一个作者因为已经连续几次用"我"的口吻写了作品，铺开稿纸再写新作时，很容易产生这样的写法："人家会不会说我只能用'我'的口吻写作呢？换一个人称来写吧！"我以为这种想法是不必要的。人家怎么说不要去管他，关键是你要写出真情实感，用什么口吻最适宜于写出你的真情实感，你就用什么口吻好了。前几天我买到一册苏联作家艾特玛托夫小说集（上册），内中收有他1964年以前的六篇力作，除最后一篇较短小的外，前五篇他都用的是第一人称。因为他写的是真情实感，所以我们连读下来，从艺术欣赏的角度上看并没有什么单调的感觉。

第一人称的写法虽然比较容易下笔，也比较容易感染读者，但第一人称又有着固有的局限性，就是对于"我"以外的人物的复杂微妙的内心活动，难以加以直接的揭示，必得借助于"我"的猜测、"我"以外人物对"我"的倾诉，才能加以表现。如果"我"就是作品的主人公，那还比较好处理，倘若"我"并不是作品的主人公，那么，弄不好，"我"就会抢了主人公的戏，主人公的性格、感情、心理活动就出不来。有时人以为第一人称的小说最好写，其实不尽然。第一人称的写法下笔比较容易，写好却绝非易事。用第一人称写作，同样需要有技巧。比如鲁迅先生以第一人称写出的《伤逝》，其技巧绝不比以第三人称写出的《长明灯》弱。《伤逝》中的涓生还比较好处理，而子君，她的内心活动，全凭从涓生的眼中看出，一般的俗手是绝写不到力透纸背的程度的，而鲁迅先生所写，试将涓生几次看到子君眼光之闪动的段落分析一下吧，那技巧就足够我们再三揣摩。我的《爱情的位置》之所以显得幼稚，除了其他方面的因素外，对第一人称的写作技巧掌握得不好，也是一个原因。因此，应当恭敬地向大师们、前辈们的第一人称杰作学习，掌握那种以"我"的口吻叙述而能同时活现出几个人物的写作技巧。

第三人称的写法不受什么约束，而且最适宜冷静的白描，可将生活的画面、人物的活动、人物间的冲突、人物在同一时间不同场合中的平行动作、人物在同一瞬间的不同心理活动……根据需要随意地加以描写。我头一篇引起大家注意的小说《班主任》，基本上就是第三人称的写法。当时之所以采用了第三人称，主要是考虑到我一共要表现两位教师三位同学，而三位同学中的宋宝琦、谢惠敏又必须并重而出，把这五个人物中的任何一个为本位，以"我"的口吻来叙述，都是很难安排结构，也很难体现出一种比较复杂、比较深入的意思，因此决定还是

用第三人称来写，客观地介绍了 1977 年春天某日的下午到傍晚，北京某中学里
发生的一件围绕着《牛虻》这本书产生的风波。不过，《班主任》并不是严格的
第三人称，开篇劈头一句，使用了第二人称（你）的口吻，当中又夹杂着"我们
的张老师"一类的第一人称（复数的第一人称，将作者和读者联系在一起），写
成这样，恐怕也同我的气质有关。我写《班主任》时并不是冷静的而是激昂的，
因此时时想唤起读者的注意，并直接同读者交流感情，这也就决定了这篇第三人
称的小说中竟然出现了作者的大段议论。我写得比较严格的第三人称小说如《没
工夫叹息》，作者就完全退出了小说，笔触相对来说比较冷静，并且基本上没有
什么抒情和议论。这样的小说，我以为主要得靠人物本身的一系列贯串动作来体
现主题，并感染读者，因此有着一种区别于第一人称小说的技巧。第三人称的写
法最适合于写大场面、写群像、写盘根错节的复杂事件，这方面我还没有什么实践，
今后如果遇上相应的素材，有了创作冲动，当一试之。

　　用第二人称写小说，在我国似比较少见。我从 1980 年到 1981 年，先在短篇《楼
梯拐弯》和《写在不谢的花瓣上》，后在中篇《大眼猫》中，都使用了通篇用"你"
的称谓贯串的写法。我以为用"我"的口气来写，与用"你"的口气来写的最大
差别，在于前者是作者与读者直接交流见闻和感受，而后者是间接交流见闻和感
受。因此，用"你"的称谓写成的小说，倘若作者所选取的那个"你"是与读者
在时、空上相隔甚远的人物，恐怕就很难引起兴趣和共鸣。用"我"的口吻常能
把读者引到历史环境、异域奇地中去，而用"你"的口吻写，倘若读者不能从"你"
中发现自己，发现自己所关心的人和事，就很容易从作品的规定情境中滑脱出来。
这恐怕就是历来的作者都很少用"你"的称谓写作的原因吧。我写《楼梯拐弯》时，
考虑到待考青年、"走后门"一类的人和事，是现时广大读者所熟知的，因而大
胆使用了"你"的称谓，从一个准备考大学的青年的一段平凡的遭遇中，去表现
一位平凡的老教师那高尚的品德。用"你"的称谓写小说，似技巧又有其特殊之处，
我以为，关键在于作者能不能通过与"你"的对话揭示出能沟通于读者心灵的东西，
从而争取读者哪怕在刹那间，把自己混同于了作品中的"你"。

　　社会生活不断地向前发展，文学也得不断地向前发展，文学的叙述语言、叙述方式、小说的写法，势必也应不断地向前发展。国外文学的发展过程中，早已出现了一种"我"、"你"、"他"三种口吻和称谓交错出现的作品，并且出现了很多关于文学叙述语言的见解，恐怕不能把人家的实践和理论都一笔抹掉吧，我主张加以介绍、分析，从中淘沥出对我们有启发的营养，促使我们小说叙述语言的多样化与生动性。

十、谈拜师

　　有一天，来了个青年，自称是从千里以外，特意进京拜师，不到发出作品，绝不返回的。他头一个找到我，并且展示出一个名单，我列在最后，前面还有十几个老年和中年作家的名字。据他说，他是发誓要遍访这些人，不获"真经"绝不罢休的。

　　我费了好大的劲，才说服这位青年返回原地。我认为像他这样的想法和做法，是既不现实也无必要的。

　　有着这类想法和正这么干的文学青年，据我所知，为数不少。他们向刊物投稿不中，便愤而将稿子径寄某些他们认定的作家，希望能给他们以指导，并能向刊物推荐发表，他们还想方设法登门拜访求教，甚而至于擅离学业和职守，瞒着家庭不辞而别，也在所不惜。

　　这样的青年，患有一种"文学病"，之所以患有这种病，又恰恰是因为他们并不真懂文学。

　　文学这种精神劳动，它的特点，就是没有一定之规。每一个人写作品，要想成功，顶要紧的，不是如何与别人相同，而是如何与别人不同，就是一个人自己，也得每写一篇，都要与前一篇不同。搞文学不像学木匠活，找个木匠师傅，一招一式听他的指点，认真照办，就能学会手艺。搞工艺美术，有时还可以照着一个样子，重复地去弄。而写文学作品，不要说模仿与雷同必须杜绝，就是"不谋而合"、"英雄所见略同"，也应当尽量避免。

因此，幻想找到一个作家，把自己收为门徒，传授秘诀，点铁成金，从而发表作品、成为新星，一般来说，是行不通的。

有的文学青年，听不得这样的道理。他们总是找出许多例子，来证明找已成名的作家辅导自己，是如何地必要。举得最多的例子是鲁迅，他们经常发出这类的质问，"鲁迅先生当年是怎么培养青年作家的？而你们却如此冷漠！你们连鲁迅的一个脚趾头也比不上，怎么还如此傲慢？！"

我不是一概反对文学青年找作家拜师，鲁迅先生扶植文学青年的精神，也确实值得今天连他一个脚趾头也比不上的作家们学习。但是，我希望大家注意到：一、鲁迅先生所热心扶植的，都是其作品显示出写作才能的，倘无文学才能，鲁迅先生也爱莫能助，遍读《鲁迅全集》，不难发现这一点。二、鲁迅先生那个时代，文学青年的人数有限。到了今天，由于种种原因，文学青年的人数激增。这是时代进步的一种表现。例如北京，有一个区文化馆，举办了一个文学讲习班，每周大约活动两次，半年收费四元，就有一千多名文学青年，踊跃报名参加。一个区的较有名的作家，顶多不过五个，倘文学青年统统都要拜师学艺，则一个作家就得辅导二百个文学青年。这些文学青年每人每月请他看一篇一万字的稿子，他一年就得看两千四百万字的稿子。就算这位作家比鲁迅先生的一个脚趾头大吧，甚至就是鲁迅先生再生吧，这样的负荷，也是承受不了的。

所以，今天的作家辅导文学青年，恐怕主要得采取公开发表文章，或作报告、开座谈会的方式。上述的那个区文化馆，其主要活动方式，就是请作家来给大家作报告。而有时文学青年，不满足于此，他们总希望作家能个别地、具体地指导他。对于作家来说，这实在有困难。老作家身体大多不好，剩下的写作时间不多，让他们承担这样的任务，不用说是吃不消的了。就是中、青年作家，即如我这样的其实自己还很不成熟的作者，一是自己要外出体验生活，开阔眼界，二是自己要写东西，三是还得参加一些必要的社会活动，四是还要挤时间读书，五是总得做些家务事。因此，剩余的时间确实非常有限，但我接到的拜师信件及请阅文稿，最多时一天就有十封（件），有时外出一月归家，积存的这类信稿就有半尺以上厚，实在难以一一回复，何况文学创作上的问题，我自己尚且处在摸索状态，又怎可能指点别人？更何况即使偶有感受，也非一封信、一次说话就能说清楚，所以往往只好简单地把来稿寄还，或者转给编辑部处理，有时甚至只好积存起来，待写作稍有暇余，再集中清理。据我所知，不少中、青年作家，也都只好这么办。把这种情形坦白出来，当然会使许多热情的文学青年失望，但我以为还是实话实说的好，免得这些文学青年在梦幻中沉溺得太深。

那么，要想弄文学，该怎么办呢？

就算有的文学青年，他的亲友中就有作家，对他格外青睐，收他为徒，就算有的文学青年，因一两篇才华横溢之作，引起了原不相识的作家的重视，收他为徒，就算他们后来在文学上果有成就，其师傅的指点起了很关键的作用，我也还要坚持告诉广大的文学青年：这仅是走上文学道路的一种方法，而且一般来说，这是一种没有普遍意义的特殊方法。

听作家作报告，与作家座谈，也不会有立竿见影的效果。我也曾勉为其难，应邀到一些地方讲过创作体会，当场回答过一些文学青年的问题。这当然对我，对在场的文学青年，都有一些作用，但我的收获，往往反会比众多的文学青年更大。我从中能领悟到文学爱好者对文学的期望，而文学青年究竟能从我的讲话中得到什么实际的益处，则很难说。我要坚持告诉广大的文学青年：可以热心地去听作家讲话，但切莫迷信，不要以为你听到的都是对的，都是可以挪用到你身上的，即便是伟大的作家的发言，也仅仅只能作为你追求文学事业的一种参考意见。无论在公开场合或在私下场合，作家都不可能亮出什么秘诀，创作才能更不像传染病那般，可以通过直接接触而得到感染！

那么，要迈进文学的门槛，竟没有办法了吗？

有的。最普遍、最实际、成功率最大的办法，我以为就是：第一，多读文学作品，力求心领神会。文学创作的规律性，往往要靠心领神会。否则，就是别人给你列上几条，你倒背如流，也不中用。心领神会，即无师自通。弄文学，主要就靠无师自通。读文学作品，要善于从各种角度读，如读《红楼梦》，头一遍当然是顺着看下来，了解它的故事、人物关系、思想意义。再读，就可以拆开来读，或研究它的结构，或揣摩它塑造人物的手段，或分析它剪裁生活、捕捉细节的精妙，或领会它在使用叙述语言和写人物对话方面的特点，或探究它的艺术魅力之三昧，或凝思作者思想倾向之自然流露……有的文学青年制定出读书计划，按文学史顺序，先中后外，由古至今，逐本读来，这种办法虽然板了一点，但倘能坚持到底，肯定受益无穷；有的想学习写小说，先读较浅近的、故事性强的，学习编故事，再读以人物刻画著称的，学习写人物，再读思想深刻的，学习主题的开掘，再读艺术形式上突出创新的，领悟流派、风格的分野，再读语言上最炉火纯青的，以帮助自己锤炼文学语言……这种办法虽然也机械了一点，但亦不失为一种很好的角度；有的则见书就读，有精华就吸收，日积月累，消化生长为自己的文学修养，也颇有效。在大量阅读文学作品的同时，还应当适当读些哲学、历史、经济学、地理、天文及其他自然科学乃至工程技术方面的书籍，并且还应当用多种手段使自己在音乐、美术、戏剧、电影、曲艺、摄影……诸方面也有一定的修养。这样坚持下去，胜似弃家出走、跪拜某作家为师傅万倍！说穿了，作家们的创作经验，或者说"秘诀"，其实全在他们的作品里包含着呢，你看他们的作品，比找他们本人又方便又可靠又有用，这种事常有呢！真见到了一位作家，他倒并不能用作品以外的语言，说清楚他的创作路数。第二，就是要多实践，也就是要坚持练笔。多实践并不是说一定要一下子写好多，有的文学青年，要求自己每天写成一篇作品，每周寄出一篇作品投稿。我以为这种贪多的办法不好。有一位文学青年，他一次寄给我五篇小说，五篇都有点苗头，但都不成功。我劝他与其匆匆忙忙写出这么多，不如集中精力搞好一篇，使这一篇能达到发表水平。把自己从编辑部退回来的稿子，同发表在刊物上的作品加以比较，也是一种好办法。有时你会发觉自己的作品确实比人家的差，差在哪儿？你可以从选材、开掘、结构、人物刻画、语言等方面逐项分析，分析清楚了，就立下志气，根据自己的生活感受，或修改，或另写，争取达到和超过他那个水平。有时你会发觉自己的作品并不比人家的差，人家的登出来了，你的却退稿了，这时候就要冷静，愤世嫉俗、悲观失望、焦躁不平都是无济于事的，你应当更加发奋，写出比那强很多的作品来，再寄到编辑部去；有的文学青年，总觉得编辑部只发名家和熟人的稿子，不相信编辑部如看到无名之辈的佳作，会积极地予以发表。其实现在各个刊物的编辑部，都很希望从非预约的自发来稿中发现佳作，如有发现，都是欣喜若狂地加以发表的。漏掉的情况当然不能说没有，但有志气的文学青年应当坚信，自己的稿子倘若真的过得硬，总是会得到发表机会的！不要以为靠着把稿子直接寄给作家，由作家出面推荐给编辑部，编辑部就一定发表，你的稿子不过硬，最大的作家转给编辑部，编辑部也是可以退稿的。在写作上，务必杜绝一切找靠山、走后门、托人情之类的侥幸心理。

我从上中学时就试着给报刊投稿，开始也是投一篇退一篇，在那种处境中，我就是坚持读书、练笔，没有给任何一位作家写过拜师信，我坚信如果自己真有一点才能，靠着心领神会，靠着不懈的奋斗精神，总能成功的。后来果然发表了一些短小的东西，能发表一点短小的东西以后，也还是经常被退稿，始终形不成飞跃，我也仍然没有产生登哪位作家门去拜师的想法，因为我领悟到文学这东西很微妙，主要得靠自己的努力，和再努力。在发表出《班主任》之前，我还走过一段弯路，经历过一段很痛苦很苦闷的时期，但我从不灰心，我咬着牙鞭策自己摸索文学的门径。《班主任》发表以后直到现在，我也还常写出废稿，仍然处在探索的状态之中，并且更加清醒地意识到，文学这东西最不能依傍现成的经验或成绩。每写一篇新作，都应是一次新的探险。文学的道路，就是一条靠不断心领神会，不断无师自通，不断刻苦实践，不断探索奋进的道路。

我发现，这甚至是一个规律性的现象：越是有成绩的中、青年作家，越是能在刊物上崭露头角的二十来岁的作者，便越没有几个是给名作家写过信、登门拜过师的；而那些始终徘徊在文学门槛之外的人，其中却总大半是迷信拜师的。

得说明一下，我对有成绩的作家，特别是文学界的前辈，私下都是很钦慕的。当有机会与他们相识时，我也总是努力从与他们的交谈中去获取营养的。从广泛的意义上说，他们通过他们的作品，都熏陶着我，都是我的老师，在这个意义上，我是虔诚地拜他们为师的，我所不以为然的，则是一定要登他们的门，不管他们有没有时间，有没有精力，逼他们读自己的作品，求他们公布创作秘诀，那样的一种求师。我自己不曾那样做过，也愿诚恳地奉劝文学青年们，不必那样去做。当然我的想法和建议很可能是错误的，那就聊备文学青年们参考吧！

读书琐议
——录自与几位文学青年的通信

一

听说你正根据一本外国文学史，安排你的读书计划，并且已经开始"啃"但丁的《神曲》，接下去，你还想"啃"塞万提斯的《堂·吉诃德》等等。你这样做，我很不以为然。

如果你已经读过不少外国文学作品，原有的基础很雄厚，我当然会支持你这样做的。如果你是打算研究文学史，或者打算搞比较文学一类的学问，我当然也不会反对你这样做。然而，你的目的，是为了从外国文学作品中得到一些可以借鉴的东西，以促进自己的业余创作，我就不能不向你提出忠告了：你这样做，并不一定好。

西方资产阶级文学的发展，当然值得了解，但丁的《神曲》、塞万提斯的《堂·吉诃德》，以及那个时代的一系列有代表性的作品，了解它们产生的背景、它们的价值和特点，对你来说都有必要。但一下子拿出你许多的时间和精力去读那样一批篇幅浩翰的西方古典文学原著，对提高你的艺术悟性和写作技巧，未必有多少好处。从创作需要借鉴的角度来讲，我劝你不如先读一些西方资产阶级文学成熟期的作品，比如十九世纪的俄罗斯文学。上回我问起你读过普希金的《别尔金小说集》没有，你说还没有，如果你刻板地按照文学史的排列顺序读下去，那么，至少也得两三年以后，你才能轮到读这部作品，你何苦用一种不切实际的计划，来捆住自己的手脚呢？你现在主要是练习写短篇小说，而普希金的短篇小说从艺术构思、人物刻画、气氛渲染上来说，都有许多可以借鉴的东西。此外如屠格涅夫的短篇集《猎人笔记》、托尔斯泰的中篇《哥萨克》、果戈理的中篇《塔拉斯·布尔巴》……如果你都还没有读过，应当立即找来一读，《神曲》大可先搁到一边。我特别希望你精读《契诃夫小说选》，这本书很好找，应当拿来逐篇精读！

读中国古典作品，更应不受文学史排列顺序的束缚，基本上文学史越排在前面的，从文字上说也越深奥难懂，何必走那样一条由文而白、由难而易的路呢？如果你过去读得不多，不如先把《唐诗三百首》、《千家诗》拿来读读，把喜欢的背诵它一二百首，然后先看明、清的几本长篇名著，再看宋话本，再看《聊斋》和唐传奇，再看点元杂剧，然后再去抠《诗经》、《史记》，最后再去细读《楚辞》，这样不但不会事倍功半，反而能事半功倍！

二

你打算从今年起，订阅十种文学期刊，以供学习借鉴之用。我考虑到你的收入状况，建议你起码砍去一半。不是说你不应当多看一些文学期刊，有的你可以到图书馆的期刊阅览室去看嘛，何必都自己订阅呢？而且，我觉得你有一种倾向，就是基本上只读当前文学期刊上的作品，而基本上不读文学史上已有定评的名著，这对你提高写作水平，实在是很有妨碍的。

记得前些时我问到你，究竟读没读过鲁迅先生的《呐喊》和《彷徨》，你说除了中学课本里收为课文的读过以外，其余的竟几乎都没读过。这已经令我非常吃惊了，更吃惊的，是你用满不在乎的口气说："鲁迅写的都是老八百年前的事了，看不看不吃劲。"还说："《伤逝》我看过电影了，有什么必要再读小说？"当时你因有事，说完便匆匆离去，你走后我还生了你好一阵气，现在我要郑重地告诉你：你的想法是完全错误的！且不说鲁迅先生小说的内容直到今天仍有强烈的认识价值乃至于现实意义，单就他的写作技巧而言，就很值得我们再三揣摩。我知道你是最反对"个人崇拜"的，你大约会以为，我这么说，是"迷信"鲁迅先生吧？不是的！就拿《伤逝》来说，我像你这么大的时候，几乎是一句句一段段地背诵过，并且不是死背，我觉得从中体味到许多的东西：通体结构的匀实美妙、抒情笔调的流荡深沉、人物形象的翔实丰厚、心理刻画的细致入微、细节安排的巧妙灵动……乃至于句子节奏、韵律的和谐动人。总之，且不说思想上学到的启迪，单就写作技巧方面而言，实在是一次地地道道的启蒙！而这种感受，不读原文，又怎能获得呢？再如《孤独者》通过场面描写衬托人物性格的技巧、《离婚》通过对话展示人物性格冲突的技巧、《阿Q正传》通过作者站出来议论精到地凸现人物性格的技巧……都值得一而再、再而三地仔细揣摩。所以，我以为你花那么多钱订阅那么多期刊，不如省出一半以上的钱来，买下《呐喊》、《彷徨》、《故事新编》、《朝花夕拾》和《野草》来，加以精读，潜心研究。当然，就中国现代文学史所述及的范畴而言，值得仔细观摩的作品还很多，下面我列举一些估计会被你忽略的：茅盾的《腐蚀》、巴金的《憩园》和《寒夜》、老舍的《月牙儿》、许地山（落华生）的《春桃》、叶紫的《丰收》、冰心的《南归》、叶圣陶的《潘先生在难中》、沈从文的《边城》、萧红的《呼兰河传》、李劼人的《死水微澜》、鲁彦的《小小的悲哀》、叶永蓁的《小小十年》、张天翼的《包氏父子》、艾芜的《南行记》、沙汀的《淘金记》……这些作品的单行本或收有这些作品的选集，书店里并不难买到，你为什么不可以买一部分、再借一部分来看呢？

我还接触到一些同你类似的文学青年，他们只读当前刊物上的作品，说穿了是出于一种"看行情、摸捷径"的心理，即便是这些刊物上的比较好的作品，他们也并未深加研究，只是一边浏览一边猜测：现在什么题材吃香？还有什么冷门可钻？什么样的稿子好通过？什么样的作品被评论界肯定得最多？……从而去决定自己写什么和往什么地方投稿，有的干脆以当前刊物上的某些作品为蓝本，去写"变奏"式的东西。你当然不一定是这样的，但我仍要提醒你：切莫堕入此道！当前的作品当然要看，但更应扎扎实实地读些名作，打好文学修养的基本功！

三

我在《大眼猫》那个中篇里，写了一个施闽荔，她每拿到一本书，总是先看版权页，再看目录、序、跋，估出这本书的可读性，然后再决定读不读、怎么读。这实际上也就是我自己读书的习惯。"开卷有益"这句话是对的，但"开卷"并不等于一定要通读，更不等于一定要精读。昨天小李来找我，手里拿着一本翻译小说，说正在精读。我问他为什么要精读？他说因为是名家的名著，所以要精读。然而我拿过来一翻，便发现那是一种比较老的译本，而且就是在当时，译笔也远非上乘，出版机构又不大严肃，随便抽读几面，就可以发现排印上的错误，所以我赶紧劝他："这位名家的名著，你当然应当精读，但你这个译本不行，你若精读，未必有益，反会倒胃口，你应当去借最新的较好的译本来读。"他听完我的话，当即决定另换一个较好的译本来读。因为我觉得你拿到一本书也往往不加分析，便抱定"开卷有益"地一页页读下去，所以把这事讲给你听。你来信中提到的《波斯人信札》，那是孟德斯鸠的名著，孟德斯鸠作为十八世纪法国资产阶级启蒙思想家，当然值得了解，但你毕竟不是专门研究法国资产阶级革命史的，这本书的文学性又并不强，对你学习写作技巧并无很大作用，所以我建议你粗读而不必细读。你提到的另一本书《冰岛渔夫》，则值得精读。《冰岛渔夫》的作者——法国作家罗狄，在文学史上当然占不到雨果、巴尔扎克、左拉那样的位置，甚至也比不上乔治·桑、莫泊桑，但他这本书，我以为就写作技巧而言，是非常值得学习的，他把海在各种情况下的不同面貌，结合人物的命运，描写得非常生动，简直也成为作品中一个有生命的角色。此外，这本小说的结构也很精巧，人物刻画也很精彩。虽然是几十年前的一个译本，但译者黎烈文曾留学法国，译书的态度也很严肃，所以信得过。当然，这本书的内容和情调，我以为也确实有应当批判之处，如写到法国远征军对东方特别是对中国的侵略时，作者的同情心过多地倾注在法国下层士兵身上（固然他们是被统治阶级驱使，当炮灰的，有一定值得同情之处），而完全忽略了被侵略者是更值得同情的这一方面，再，整部作品笼罩着一种宿命的气氛，很悲观，这些，读时似乎都应注意。

四

你问我：读长篇小说（名著）时，可不可以把有的地方跳过去？我以为当然可以这么读。我十几、二十岁的时候也有过这种心情，拿到一部长篇名著，战战兢兢，心想我是何等渺小，怎敢对此名著不敬？因此强迫自己一字一句逐段逐页地往下读，结果有时能读下去，有时就读不下去。读不下去时便惶惶然，仿佛自己犯了什么错误，甚至丧失了文学上的进取心。后来我终于从这种盲目性中解脱了出来。有些长篇名著读不下去，并不一定是自己的艺术悟性差所致，反而是因为那长篇名著有其产生的具体时代的局限性，以及那位名家本身文风上的具体局限性，有时也可能是自己的艺术气质与那位名家相距太远，所以不能共鸣。总之，大可不必对名家名著崇拜到五体投地的盲目地步。当然，如果自己不喜欢，也不要轻易断言人家是"虚有其名"。

比如巴尔扎克的小说，常有冗长的景物、场景描写，使情节的开展显得极为缓慢，我头一回读《欧也妮·葛朗台》时，逐句逐段地读，就感到很为头痛，没有读到查理堂兄到来，便辍读了。后来我重新拿起这本书时，把前面那些沉闷的叙述粗粗浏览过去，待到情节正式流动起来时，再加以细读，就不但读下去了，而且从中得到很多收益。至今，我也不想把那前面的部分加以补读。

我建议你读长篇名著时也超脱一点，读得下去就细细地读，读不下去了便跳过去再读，怎么也读不下去就扔开不读，另找读得下去的读。

五

上面说到有的名著我们读得下去，有的虽为名著但竟不能吸引！我们读下去。这里面，我以为潜藏着一个有趣的问题，就是我们在广泛的阅读中，最后总会发现自己最心爱的作家和作品，同时，实际上也发现了自己不喜欢的作家和作品。这往往绝不反映这些作家和作品的客观美学价值，却能反映出我们自己的美学趣味，这种美学趣味如果是健康的，那何妨加以巩固、发展呢？

所以，读书读到一定阶段，就可以从泛泛地阅读，转为集中读自己最喜爱的作家的全部或最主要的作品。前两天小潘来同我聊天，他说不知为什么，他不喜欢狄更斯，即便是大家交口称赞的《大卫·科波菲尔》他读来也觉索然无味，然而他极喜欢雨果，不但对《悲惨世界》、《巴黎圣母院》入迷，就是人们注意不多的《海上劳工》，他也读来兴味盎然。我当即劝他把"不知为什么"变为"深知为什么"，就是冷静地将两位作家作品给自己的感受，加以对比，从中去发现他们艺术气质和美学追求的不同，从而来确定自己的艺术气质和今后在写作方面的艺术追求，这样，他以后的业余创作，也许能有一些新的突破呢。你以为如何？

六

你这次的来信中，有一种虚无主义的论调，我很不赞成。你认为建国头十七年当中，"值得一读的作品寥寥"。而建国以前老解放区的那些作品，更是"不值一读"。我不是从一种刻板的教条出发，而是从自己的切身体会中得出与你相反的结论，我认为你说的那两个时期里，都有许多的作品值得一读，即便单从汲取写作技巧这一角度来说，也是这样。

例如，建国以前老解放区所产生的赵树理的《小二黑结婚》、《李有才板话》、《李家庄的变迁》这些作品，他采取民间说书人的那种叙述方式来写故事，人物形象的刻画有着一种民间剪纸、木板年画的味道，但结构安排上我以为他又适当吸取了外国小说的某些技法，很有独特的风格。这种风格你可以不去学习甚至不喜欢，却不可不知，不可不尊重。

说到建国以后头十七年的作品，你究竟读了多少，就下了"值得一读的作品寥寥"这样的结论呢？萧世牧的《我们夫妇之间》、王蒙的《组织部新来的年轻人》、邓友梅的《在悬崖上》、方纪的《来访者》、宗璞的《红豆》、陆文夫的《小巷深处》、海默的《我的领路人》、林斤澜的《台湾姑娘》和《姐妹》、王汶石的《春夜》、茹志鹃的《百合花》和《在静静的产院里》、骆宾基的《山区收购站》……这些短篇，你都读过吗？中篇小说，如孙犁的《铁木前传》、杜鹏程的《在和平的日子里》，长篇小说除《青春之歌》、《红旗谱》这些人所皆知的而外，如艾明之的《火种》、徐怀中的《我们播种爱情》等等，不仅从内容上看是经得住时代检验的，就是艺术技巧上，也达到了相当的水平，我们应当很虚心地观摩学习才是。

七

当然，近几年文学的发展，我个人认为好作品无论从数量上、思想深度上、艺术技巧上，都有了相当的提高。但我们不能因为今天有了进步，就鄙弃以往的成就。没有以前那么多作家、作品对我们这新一代作者的熏陶和培养，我们能有今天的进步吗？

来信说你最近读了不少当代外国（主要是欧、美地区）的文学作品，"深感自己写不好作品，归根结底是因为'意识流'流不起来！"

我认为此言差矣！你之所以还写不好东西，根据我对你的了解，并不是因为什么意识流"流不起来"，而恰恰是因为你过分地追求了形式上的东西，忘记了形式必须切合内容、为内容服务这一条创作的基本原理！

据我看到的有关资料，在西方，"意识流"作为一种独立的文学流派，已经过景了。当然，"意识流"文学的某些写作技巧，如通过人下意识中的自由联想，来揭示人物复杂的内心活动，对当代西方文学影响极大，至今仍在被广泛地运用，成了许多种不同文学流派的一种"常规武器"。我一贯认为，阅读一些这样的外国文学作品，汲取一些"意识流"的写作技巧，来为体现自己作品的内容服务，不但无可厚非，而且对中国当代文学的发展，可以说还能起丰富写作技巧、推进艺术创新的作用，对王蒙的某些吸收、运用"意识流"技巧的短篇小说，我在许多场合都表示过支持与赞赏。然而，我又从不认为，"意识流"技巧是一种必须加以运用的写作技巧，至于你那种把"意识流"误解为写作技巧的最高体现的说法，我更一贯持否定态度。

适当阅读一些当代外国的文学作品，包括现实主义以外的种种名目繁多的文学流派的代表作，总的来说，我以为是极有好处的。但我以为即便是非现实主义文学流派的作品，要达到成功，它的艺术形式、写作技巧，也必须恰能与它要表达的内容相适应,如奥地利作家卡夫卡的《变形记》、比利时作家梅特林克的《青鸟》(这是个象征主义的童话剧本),我读起来就觉得很有趣,甚至感觉到作家所要表达的意思,确实只有采用这种"出格"的写法才能达到最佳的效果。我一点也不反对你通过阅读当代外国文学作品,从中汲取某些你认为可用的写作技巧,在你的业余创作中力求创新。我反对的,只是你那种盲目的、简单化的态度。

八

你问:"怎样写读书笔记?"对于这个问题我很难提供一种通用的答案。每个人可以根据自己的意愿和习惯,以各种方式来写读书笔记。我只提供下列几点建议供你参考:一、没得可写不硬写;二、主要甚至完全写自己的感受,特别是记下刚读完后的直感;三、不一定去大段抄录那些感动了你或使你觉得美妙的段落和句子,除非真是有一种抑制不住的冲动,促使你去那样做;四、没有把一本书读完时,有了某种闪念或情绪,也可以先在笔记中记下来,读完后可再肯定或修正自己的这种念头或情绪。

《刘心武文集》自序

天性使然，家庭熏陶，社会影响，人生机遇，使我成为了一个作家。

自 1977 年发表《班主任》之后，我一直坚持写作，参与了七十年代末至九十年代初中国大陆文学发展的全过程，人们目睹着我，我也目睹身受了社会变迁、人情冷暖、思潮涌动和文坛沧桑，我这些年的文字，不管我自己回过头看是什么滋味，也不管有些人是多么激赏或厌恶，的确已构成了一种不可抹煞的存在，所以我参加《宏艺文库》，出这套文集，以使这存在更集中，查阅起来更方便。

这一存在，其中的一部分或许多少有一些审美价值？

这一存在，可在一定程度上作为中国七十年代末至九十年代初的世道人心的见证，以及文学运动和文坛风云的不可忽视的痕迹？

这一存在，或者可使爱惜我者今后对我有更多的扶持？

这一存在，对那些批判我以及希图通过批判我达到某些目的的人物来说，亦提供了极大的方便，不是吗？

当然，就我自己而言，已成客观存在；我仍存在，仍在派生一些存在；此后的存在，仍能具有等量的价值吗？或竟能有些个提升？不敢奢望，但愿努力！

在此，我要感谢昆明宏达集团——特别是总经理郭文亮先生，还有华艺出版社，以及这八卷文集的责任编辑朱家信先生；另外也感谢父母亡灵，仍健在的两位兄长和一位姐姐，特别是二十余年风雨与共、福祸同当的妻子吕晓歌，以及海内外几位相互始终不弃的朋友；没有他们的襄助、庇佑、支持、批评与鼓励，这一切也就都不可能存在——当然，更坚实的存在基石，是许许多多对我充满善意的读者，我要更大声地说：谢谢你们！

刘心武

1993 年仲春

附录一 刘心武文学活动大事记

1942 年

6 月 4 日生于四川省成都市育婴堂街。

后在重庆度过童年。

父母兄姊均热爱文学艺术，深受家庭熏陶。

1950 年

随父母迁居北京，从此定居北京。

在隆福寺小学上小学，在北京 21 中上初中。

1958 年

在北京 65 中上高中。

给若干报刊投稿，屡被退稿。

8 月，在《读书》杂志发表《谈〈第四十一〉》一文，是投稿第一次成功。

1959 年

在《北京晚报》"五色土"副刊陆续发表一些儿童诗、小小说。

为中央人民广播电台少儿部《小喇叭》（对学龄前儿童广播）编写若干节目；其中快板剧《咕咚》经编辑加工、录制后大受欢迎；"文革"中录音带被销毁；1991 年重新录制播出。

1961 年

毕业于北京师范专科学校,分配到北京 13 中任教。

至"文革"前,在《北京晚报》《中国青年报》《人民日报》《光明日报》《大公报》《北京日报》《体育报》《儿童时代》《大众电影》等报刊上发表了约 70 篇小小说、散文、杂文、评论等文章。

1966—1976 年

"文革"中,因 1964 年曾发表过一篇关于京剧的文章,以"反江青"罪名被冲击。

1974 年后再试写作,曾写一关于"教育革命"的长篇小说,由出版社联系获准脱产修改,但终未达到当时出版要求。

1976 年

写出一个大院里孩子们同坏蛋斗争的中篇小说《睁大你的眼睛》并得以出版(北京人民出版社)。

又按照当时政治要求写出一些短篇小说、散文,有的到次年才收入多人合集中出版。

调到北京人民出版社(后恢复"文革"前社名:北京出版社)文艺编辑室当编辑。

1977 年

11 月,在《人民文学》杂志发表短篇小说《班主任》,产生重大影响——被认为是"伤痕文学"的开山作,也是"新时期文学"的发端;从此成名。

从《班主任》后,写作冲破懵懂,沿着认定的方向跋涉,穿越风云,锲而不舍。

1978 年

参加《十月》杂志(开始以丛书名义出版)创刊工作,在创刊号上发表短篇小说《爱情的位置》,经转载和广播,影响巨大。

在《中国青年》杂志上发表短篇小说《醒来吧,弟弟》,反应亦极强烈。

《班主任》《爱情的位置》《醒来吧,弟弟》均被改编为广播剧,由中央人民广播电台多次广播,《醒来吧,弟弟》被搬上话剧舞台;此年发表的短篇小说《穿米黄色大衣的青年》亦由电台播出。

1979 年

在首届全国优秀短篇小说评奖中《班主任》获第一名。颁奖会上，从茅盾先生手中接过奖状。

参加中国作家协会第三次全国代表大会，被选为中国作家协会理事。

成为中华全国青年联合会常务委员，至 1993 年卸任。

9 月，参加中国作家代表团访问罗马尼亚，此系"文革"后第一个作家出访团。

在《人民文学》杂志发表短篇小说《我爱每一片绿叶》，写作技巧有长足进步。

1980 年

调至北京市文联当专业作家。

《我爱每一片绿叶》获 1979 年全国优秀短篇小说奖。

《看不见的朋友》获 1954—1979 年第二届全国少年儿童文学创作奖。

在《十月》杂志发表中篇小说《如意》，其弘扬人道主义的追求引起争议。

出版《刘心武短篇小说选》（北京出版社）。

1981 年

在《十月》杂志发表中篇小说《立体交叉桥》，引出更大争议，一些评论家认为"调子低沉"是步入了写作上的歧途，另有评论家则认为此作标志着刘心武的小说创作在反映现实、探索人性及艺术工力上均达到了新的水平。

5 月，应日本文艺春秋社邀请访问日本。

1982 年

应导演黄健中之请，改编《如意》；北京电影制片厂拍成彩色艺术片《如意》。

1983 年

11 月，参加中国电影代表团赴法国，在南特"三大洲电影节"上，《如意》在开幕式上放映，获好评；后陆续在法国、西德电视台播出。

1984 年

冬，应邀访问西德，参加"中德大学生会见活动"，并在波恩大学、波鸿大学与威尔兹堡大学介绍中国当代文学。

年底，参加中国作家协会第四次全国代表大会，再次当选为理事。

在《当代》文学双月刊第 5、6 期连载长篇小说《钟鼓楼》。

1985 年

出版长篇小说《钟鼓楼》(人民文学出版社)，并获第二届茅盾文学奖。

因《钟鼓楼》获北京市政府嘉奖。

7 月，在《人民文学》杂志发表纪实小说《5·19 长镜头》，反响强烈。

11 月，又在《人民文学》杂志发表纪实小说《公共汽车咏叹调》，引起轰动。

1986 年

年初，应当代文艺出版社邀请访问香港。

6 月，调中国作家协会人民文学杂志社，任常务副主编。

在《收获》杂志设《私人照相簿》专栏，进行图文交融的文本尝试。

散文集《垂柳集》出版，冰心为之作序。

1987 年

1 月，被任命为《人民文学》杂志主编。

2 月，《人民文学》杂志 1、2 期合刊发表马建写的小说《亮出你的舌苔或空空荡荡》违反民族政策，承担责任，停职检查。

9 月，复职。

冬，应邀赴美国访问。参观美洲华侨日报；在哥伦比亚大学、三一学院、哈佛大学、麻省理工学院、康奈尔大学、芝加哥大学、旧金山大学、斯坦福大学、伯克利加州大学、洛杉矶加州大学、圣迭戈加州大学等处演讲，介绍中国当代文学，并参观耶鲁大学；参加爱荷华大学"作家写作中心"的纪念活动；游览华盛顿等地。

1988 年

3月，应香港《大公报》邀请，赴香港参加五十周年报庆活动；在《大公报》安排的大型报告会上作关于改革开放与文学创作的报告。

5月，应法国文化部邀请，参加中国作家代表团访问法国，除在巴黎活动外，还访问了西部港口城市圣·拉扎尔。

《私人照相簿》在香港出版（南粤出版社）。

《我可不怕十三岁》获 1980—1985 年全国优秀儿童文学奖。

以上数年中，若干小说、散文还分别获得过《当代》《十月》《小说月报》《小说选刊》《中篇小说选刊》《儿童文学》《北方文学》等杂志，《人民日报》《文汇报》等报纸副刊的奖；拍成电视剧播出的有《没工夫叹息》《熄灭》（电视剧名《火苗》）《今夏流行明黄色》《到远处去发信》《非重点》《公共汽车咏叹调》和八集连续剧《钟鼓楼》；若干作品被英国、美国、西德、苏联、日本、瑞士、瑞典、法国、意大利等国翻译为英、德、俄、日、法、意、瑞典等文字出版；自 1987 年起被世界上有威望的英国欧罗巴出版社《世界名人录》收入词条。

1989 年

春，应香港中文大学翻译中心邀请，与妻子吕晓歌赴香港访问。

1990 年

3月，以任届期满，免去《人民文学》杂志主编职务。

香港中文大学翻译中心编译的英文小说集《黑墙与其他故事》出版。

秋，以"鱼山"笔名在《钟山》杂志发表中篇小说《曹叔》。

1991 年

出版小说集《一窗灯火》。

除小说外，开始发表大量散文、随笔。

1992 年

长篇小说《风过耳》在内地（中国青年出版社）、香港（勤＋缘出版社）分别出版，反响颇为强烈。

长篇小说《四牌楼》完稿，交上海文艺出版社出版。

《献给命运的紫罗兰——刘心武谈生存智慧》由上海人民出版社出版，受到读者欢迎。

在《收获》杂志发表中篇小说《小墩子》，后由中国电视剧制作中心改编拍摄为电视连续剧。

至该年，在海内外出版的个人专著按不同版本计已达43种。

在《红楼梦学刊》1992年第二辑上发表论文《秦可卿出身未必寒微》，在"红学"界和读者中均引起注意；另有若干《红楼梦》人物论和《红楼边角》专栏文章发表。

冬，应瑞典学院邀请（斯堪的纳维亚航空公司赞助）赴北欧访问；在挪威奥斯陆大学、瑞典斯德哥尔摩大学和隆德大学、丹麦哥本哈根大学和奥胡斯大学的东亚系汉学专业以《九十年代初的中国小说》为题作学术报告；12月7日，参加诺贝尔文学奖有关活动，听1992年得主德里克·沃尔科特发表受奖演说。

1993年

华艺出版社出版《刘心武文集》（1—8卷）。

出版长篇小说《四牌楼》。

1994年

1月，应台湾《中国时报》邀请赴台参加"两岸三地文学研讨会"。

《四牌楼》获上海优秀长篇小说大奖，到沪领奖。

1995年

出版随笔集《人生非梦总难醒》（上海人民出版社）。

出版小说集《仙人承露盘》（华艺出版社）。

1996年

出版长篇小说《栖凤楼》（人民文学出版社）。至此，由《钟鼓楼》《四牌楼》《栖凤楼》构成的"三楼"长篇小说系列竣工。

应《南洋商报》邀请赴马来西亚访问并顺访新加坡。

1997 年

应日本文化交流基金会邀请,与妻子吕晓歌访问日本。其长篇小说《钟鼓楼》、儿童文学作品《我是你的朋友》、短篇小说《王府井万花筒》等此前已相继译为日文在日本出版。

1998 年

建筑评论集《我眼中的建筑与环境》由中国建筑工业出版社出版,在建筑界产生影响。

应美国科罗拉多大学邀请,赴美参加金庸作品国际研讨会,在会上提交关于《鹿鼎记》的论文《失父:一种生存困境》。

1999 年

出版纪实性长篇小说《树与林同在》(山东画报出版社)。

出版《红楼三钗之谜》(华艺出版社)。

赴新加坡出席国际环境文学研讨会。

2000 年

应邀访问法国,并应英中协会和伦敦大学邀请,从巴黎赴伦敦讲《红楼梦》。

至此年底在海内外出版的个人专著(不含文集)按不同版本计达 101 种。

2001 年

出版包含建筑评论的随笔集《在忧郁中升华》(文汇出版社)。

在北京电视台录制播出《刘心武谈建筑》系列节目。

2002 年

出版小说集《京漂女》(中国文联出版社),自绘插图。

应澳大利亚雪梨华文写作协会邀请赴澳大利亚访问。

2003 年

以马来西亚《星洲日报》世界华人文学"花踪奖"评委身份赴吉隆坡参加相关活动。

台湾联经出版社出版小说集《人面鱼》。此前台湾已出版过刘心武多种作品，如皇冠出版社出版了《钟鼓楼》，幼狮文化事业公司出版了《四牌楼》《为他人默默许愿》(散文集)。

2004 年

赴法参加巴黎书展活动。书展上展出了译为法文的著作有小说《树与林同在》《护城河边的灰姑娘》《尘与汗》《人面鱼》《如意》与歌剧剧本《老舍之死》。

建筑评论集《材质之美》由中国建材工业出版社出版。

小说集《站冰》出版(人民文学出版社)，自绘封面插图。

2005 年

出版集历年研红成果的《红楼望月》(书海出版社)。

应 CCTV-10(中央电视台科学教育频道)《百家讲坛》邀请，录制播出《刘心武揭秘〈红楼梦〉》系列节目 23 集，反响强烈，引出争议。

《刘心武揭秘〈红楼梦〉》第一、二部相继出版(东方出版社)，畅销。

2006 年

应美国华美协会邀请，赴纽约在哥伦比亚大学讲《红楼梦》。

应邀参加香港书展。

出版《刘心武揭秘古本〈红楼梦〉》(人民出版社)。

2007 年

继续应邀到 CCTV-10《百家讲坛》录制节目,并出版《刘心武揭秘〈红楼梦〉》第三部、第四部(东方出版社)。

访问俄罗斯。

2008 年

出版随笔集《健康携梦人》（中国海关出版社）。

自 1986 年出版《垂柳集》，至此所出版的散文随笔集已逾 30 种。

2009 年

在《上海文学》杂志开《十二幅画》专栏，每期发表一篇写人物命运的大散文，并配发自己的画作。

4 月，妻子吕晓歌病逝，著长文《那边多美呀！》悼念。

2010 年

再应 CCTV-10《百家讲坛》邀请，录制播出《〈红楼梦〉的真故事》系列节目。至此在《百家讲坛》录制播出关于《红楼梦》的个人系列讲座累计达 61 集。

出版《〈红楼梦〉的真故事》（凤凰联动·江苏人民出版社），在争议声中畅销。

4 月，应台湾新地文学社邀请赴台参加"21 世纪世界华文文学高峰会议"。

出版《命中相遇——刘心武话里有画》（上海文艺出版社）。

加快《刘心武续〈红楼梦〉》的写作，次年完成推出。

至本年底，在海内外出版的个人专著，文集不算在内，重印亦不算，按不同版本计达 182 种（按不同书名计则为 141 种）。

年底，筹备编辑《刘心武文存》。

附录二 刘心武著作书目

只包括在中国大陆、台湾、香港和海外出版的书（同一著作每种版本单列）；不包括散发于报刊尚未出书的篇目，亦不包括多人合集中的篇目。第一个数字表示不同版本的排序；[ ] 中的数字表示剔除同一书名的版本后的排序；注意：文集8卷不参加排序。

1976 年

1.[1]《睁大你的眼睛》[儿童文学·中篇小说]

北京人民出版社 1976 年 1 月第一版

1978 年

2.[2]《母校留念》[儿童文学·小说集]

中国少年儿童出版社 1978 年 7 月第一版

1979 年

3.[3]《小猴吃瓜果》[低幼读物·画册]

少年儿童出版社 1979 年 4 月第一版

1980 年 6 月第二次印刷

4.[4]《班主任》[短篇小说集]

中国青年出版社 1979 年 6 月第一版

1980 年

5.[5]《我是你的朋友》[儿童文学·中篇小说]

北京出版社 1980 年 7 月第一版

6.[6]《绿叶与黄金》[中短篇小说集]

广东人民出版社 1980 年 8 月第一版

7.[7]《刘心武短篇小说集》

北京出版社 1980 年 9 月第一版

1981 年

8.《这里有黄金》[中短篇小说集]

广东人民出版社 1981 年 4 月第二次印刷

有平装、软精装两种

9.[8]《大眼猫》[中短篇小说集]

浙江人民出版社 1981 年 8 月第一版

1982 年

10.[9]《如意》[中篇小说集]

北京出版社 1982 年 5 月第一版

1983 年

11.[10]《中国现代作家选（Ⅲ）刘心武〈我爱每一片绿叶〉〈深谷小溪默默流〉》

[日本] 东方书店 1983 年第一版

12.[11]《同文学青年对话》

文化艺术出版社 1983 年 10 月第一版

1984 年

13.[12]《到远处去发信》[中短篇小说集]

四川人民出版社 1984 年 4 月第一版

有平装、软精装两种

14.[13]《如意》[电影文学剧本](与戴宗安联合署名)

中国电影出版社 1984 年 6 月第一版

1985 年

15.[14]《嘉陵江流进血管》[中篇小说集]

陕西人民出版社 1985 年 2 月第一版

16.[15]《日程紧迫》[中短篇小说集]

群众出版社 1985 年 5 月第一版

17.[16]《我可不怕十三岁》[儿童文学集]

新世纪出版社 1985 年 8 月第一版

18.[17]《钟鼓楼》[长篇小说]

人民文学出版社 1985 年 11 月第一版

有平装、软精装两种

1986 年 5 月第二次印刷

1986 年

19.[18]《公共汽车咏叹调》[纪实小说]

湖南文艺出版社 1986 年 1 月第一版

20.[19]《都会咏叹调》[小说集]

作家出版社 1986 年 3 月第一版

21.[20]《垂柳集》[散文集]

陕西人民出版社 1986 年 4 月第一版

22.[21]《立体交叉桥》[中短篇小说集]

人民文学出版社 1986 年 6 月第一版

有平装、软精装两种

23.[22]《巴黎郁金香》[访法散文集]

群众出版社 1986 年 11 月第一版

24.[23]《木变石戒指》[中短篇小说集]

青海人民出版社 1986 年 12 月第一版

1987 年

25. *Little Monkey Triesto Eat Fruit* [科学童话·英文]

海豚出版社 1987 年第一版

有平装、精装两种

26.[24]《斜坡文谈》[文学理论]

上海文艺出版社 1987 年 4 月第一版

27.[25]《王府井万花筒》[中篇小说集]

湖南文艺出版社 1987 年 9 月第一版

有平装、精装两种

28.[26]《5·19 长镜头》[小说自选集]

四川文艺出版社 1987 年 11 月第一版

29.げくけきの友たちだ [《我是你的朋友》日译本]

[日本]福武书店 1987 年 12 月第一版

1989 年 3 月第二版

1991 年 2 月第三版

1988 年

30.[27]《她有一头披肩发》[中短篇小说集]

台湾林白出版社 1988 年 4 月第一版

31.《钟鼓楼》[长篇小说]

香港天地图书有限公司 1988 年第一版

1993 年第二版

32.[28]《私人照相簿》[纪实文学]

香港南粤出版社 1988 年 11 月第一版

33.[29]《刘心武代表作》

　　　　　　　　　　　黄河文艺出版社 1988 年 12 月第一版

1989 年

34.《小猴吃瓜果》[科学童话]

　　　　　　　　　　开明出版社、海豚出版社 1989 年 3 月第一版

35.《钟鼓楼》[长篇小说]

　　　　　　　　　　　　台湾皇冠出版社 1989 年 4 月第一版

36.[30]《一片绿叶对你说》[文艺随笔集]

　　　　　　　　　　　河北教育出版社 1989 年 12 月第一版

1990 年

37.[31]*BLACK WALLS AND OTHER STORIES* [小说集·英译本]

　　　　　　　　　香港中文大学翻译中心出版社 1990 年第一版

38.[32]《王府井万花镜》[小说集·日译本]

　　　　　　　　　　　[日本] 德间书店 1990 年 9 月第一版

1991 年

39.《母校留念》[小说]

　　　　　　　　　　[日本] 骏河台出版社 1991 年 4 月第一版

40.[33]《一窗灯火》[中短篇小说集]

　　　　　　　　　　　华艺出版社 1991 年 10 月第一版

　　　　　　　　　　　　　　1993 年第二次印刷

1992 年

41.[34]《列奥纳多·达·芬奇》[传记]

　　　　　　　　　　　江苏教育出版社 1992 年 5 月第一版

42.[35]《有家可归》[散文随笔集]

　　　　　　　　　　　广东旅游出版社 1992 年 5 月第一版

43.[36]《风过耳》[长篇小说]

中国青年出版社 1992 年 6 月第一版

1992 年 12 月第二次印刷

1993 年 3 月第三次印刷

1995 年 8 月第五次印刷

1996 年 3 月第六次印刷

44.《风过耳》[长篇小说]

香港勤 + 缘出版社 1992 年 6 月第一版

45.[37]《献给命运的紫罗兰——刘心武谈生存智慧》

上海人民出版社 1992 年 6 月第一版

1992 年 11 月第二次印刷

1995 年第三次印刷

1996 年 12 月第五次印刷

46.《刘心武代表作》

河南人民出版社 1992 年 6 月第二次印刷·精装本

47.[38]《蓝夜叉》[中篇小说集]

香港勤 + 缘出版社 1992 年 9 月第一版

1993 年

48.《北京下町物语》[长篇小说·《钟鼓楼》日译本]

[日本] 东京恒文社 1993 年 2 月第一版

1994 年第二版

49.[39]《为你自己高兴》[随笔集]

内蒙古人民出版社 1993 年 3 月第一版

50.[40]《杀星》[小说集]

香港勤 + 缘出版社 1993 年 6 月第一版

51.《我是你的朋友》[儿童文学·中篇小说·增订本]

希望出版社 1993 年 6 月第一版

52.[41]《四牌楼》[长篇小说]

上海文艺出版社 1993 年 6 月第一版

1994 年 4 月第二次印刷

1996 年 11 月第三次印刷

53.[42]《我是怎样的一个瓶子》[随笔集]

成都出版社 1993 年 9 月第一版

54.[43]《沉默交流》[随笔集]

中国华侨出版社 1993 年 11 月第一版

55.[44]《富心有术》[随笔集]

群众出版社 1993 年 12 月第一版

1995 年第二次印刷

56.[45]《中国当代名人随笔·刘心武卷》

陕西人民出版社 1993 年 12 月第一版

☆《刘心武文集》[1—8 卷]

华艺出版社 1993 年 12 月第一版

☆《刘心武文集·〈钟鼓楼〉〈风过耳〉》(简装本)

☆《刘心武文集·〈四牌楼〉〈无尽的长廊〉》(简装本)

华艺出版社 1997 年 5 月第一版

1994 年

57.[46]《仰望苍天》[随笔集]

知识出版社 1994 年 1 月第一版

1995 年第二次印刷

东方出版中心 1996 年 7 月第三次印刷

58.[47]《男扮女妆与女扮男妆》[随笔集]

中原农民出版社 1994 年 2 月第一版

59.[48]《相对一笑》[小小说集]

中共中央党校出版社 1994 年 2 月第一版

60.[49]《秦可卿之死》[专著]

华艺出版社 1994 年 5 月第一版

61.《四牌楼》[长篇小说]

台湾幼狮文化事业公司 1994 年 8 月第一版

62.[50]《为他人默默许愿》[散文集]

台湾幼狮文化事业公司 1994 年 10 月第一版

63.[51]《中国小说名家新作丛书·刘心武卷》

海峡文艺出版社 1994 年 11 月第一版

64.[52]《红楼梦 (缩写本)》

接力出版社 1994 年 12 月第一版

1995 年第二次印刷

1997 年 9 月第三次印刷

1995 年

65.[53]《人生非梦总难醒》[名人日记·随笔集]

上海人民出版社 1995 年 1 月第一版

1995 年 3 月第二次印刷

66.[54]《仙人承露盘》[中短篇小说集]

华艺出版社 1995 年 3 月第一版

67.[55]《女性与城市》[杂文集]

中国城市出版社 1995 年 6 月第一版

68.《我是你的朋友》[增订版·"小学生成才书架" 系列之一]

希望出版社 1995 年 10 月第一版

69.《在胡同里转悠》［随笔集］

陕西人民出版社 1995 年 11 月第二次印刷

70.[56]《刘心武海外游记》

华文出版社 1995 年 12 月第一版

1996 年

71.[57]《刘心武小说精选》

太白文艺出版社 1996 年 2 月第一版

72.[58]《开发心大陆》［随笔集］

吉林人民出版社 1996 年 3 月第一版

1997 年 3 月第二次印刷

73.[59]《你哼的什么歌》［散文集］

湖南文艺出版社 1996 年 6 月第一版

74.[60]《刘心武张颐武对话录——"后世纪"的文化了望》

漓江出版社 1996 年 7 月第一版

75.[61]《边缘有光》［随笔集］

汉语大辞典出版社 1996 年 8 月第一版

76.[62]《刘心武怪诞小说自选集》

漓江出版社 1996 年 8 月第一版

有平装、精装两种

77.[63]《我是刘心武》

团结出版社 1996 年 9 月第一版

78.[64]《刘心武》［中国当代作家选集丛书］

人民文学出版社 1996 年 10 月第一版

79.[65]《刘心武杂文自选集》

百花文艺出版社 1996 年 11 月第一版

80.《秦可卿之死》[修订本]

华艺出版社 1996 年 11 月第二版

81.[66]《栖凤楼》[长篇小说]

人民文学出版社 1996 年 12 月第一版

1998 年 3 月第二次印刷

1997 年

82.[67]《封神演义（缩写本）》

接力出版社 1997 年 1 月第一版

1997 年 9 月第二次印刷

83.[68]《胡同串子》[中短篇小说集]

北京燕山出版社 1997 年 8 月第一版

84.《私人照相簿》

上海远东出版社 1997 年 9 月第一版

1998 年 2 月第二次印刷

2000 年换封面版权页称 2000 年 6 月第二次印刷

85.[69]《中国儿童文学名家作品精选丛书·刘心武作品精选》

河北少年儿童出版社 1997 年 8 月第一版

86.[70]《把嘴张圆》[随笔集]

上海远东出版社 1997 年 12 月第一版

1998 年

87.[71]《我眼中的建筑与环境》[建筑评论随笔集]

中国建筑工业出版 1998 年 5 月第一版

1999 年 5 月第二次印刷

2000 年 6 月第三次印刷

2001 年 6 月第四次印刷

88.《钟鼓楼》[茅盾文学奖获奖书系]

人民文学出版社 1998 年 3 月第一次印刷

1998 年 7 月第二次印刷

1998 年 8 月第三次印刷

1999 年 3 月第四次印刷

2000 年 1 月第五次印刷

2001 年 1 月第六次印刷

2001 年 8 月第七次印刷

2002 年 8 月第八次印刷

2003 年 1 月第九次印刷

1999 年

89.[72]《树与林同在》[非虚构长篇小说]

山东画报出版社 1999 年 3 月第一版

2006 年 7 月第二次印刷

90.[73]《八十六颗星星》(*The Eighty-Six Stars*)[儿童文学小说·汉英对照]

希望出版社 1999 年 6 月第一版

91.[74]《红楼三钗之谜》[刘心武红学探佚精品]

华艺出版社 1999 年 9 月第一版

92.[75]《蓝玫瑰》[中短篇小说集]

中国华侨出版社 1999 年 10 月第一版

93.[76]《过隧道的心情》[随笔集]

华东师范大学出版社 1999 年 12 月第一版

2000 年

94.[77]《一切都还来得及》[随笔集]

中国青年出版社 2000 年 1 月第一版

95.[78]《善的教育》[儿童文学]

辽宁少年儿童出版社 2000 年 2 月第一版

96.[79] Le Talisman (version bilingue)[《如意》中、法文对照版]

Librarie You Feng 2000 年 4 月第一版

97.[80]《作家刘心武〈班主任〉手迹》

线装书局 2000 年 5 月第一版

98.[81]《楼前白玉兰》[小小说集]

中国广播电视出版社 2000 年 7 月第一版

99.[82]《刘心武侃北京》

上海文艺出版社 2000 年 10 月第一版

100.[83]《我爱吃苦瓜》[茅盾文学奖获奖作家散文精品]

广州出版社 2000 年 10 月第一版

2002 年 10 月第二次印刷

101.[84]《了解高行健》

香港开益出版社 2000 年 12 月第一版

2001 年

102.[85]《亲近苍莽》

中国旅游出版社 2001 年 1 月第一版

103.[86]《在忧郁中升华》

文汇出版社 2001 年 2 月第一版

《刘心武谈建筑——在忧郁中升华》2007 年 8 月第二次印刷

104.[87]《人在风中》

作家出版社 2001 年 8 月第一版

105.《风过耳》

时代文艺出版社 2001 年 10 月第一版

有平装、精装两种

2002 年

106.[88]《京漂女》（自绘插图）

中国文联出版社 2002 年 1 月第一版

107.[89]《深夜月当花》

中国工人出版社 2002 年 1 月第一版

108.[90]《春梦随云散》

人民文学出版社 2002 年 4 月第一版

109.[91]《藤萝花饼》

台湾二鱼文化事业有限公司 2002 年 4 月第一版

110.[92]《刘心武自述》

大象出版社 2002 年 10 月第一版

2003 年

111.[93] L'arbre et la forêt [《树与林同在》法译本]

Bleu de Chine 2003 年 1 月第一版

112.[94]《人面鱼》

台湾联经出版事业股份有限公司 2003 年 2 月初版

113.[94] La Cendrillon Du Canal [《护城河边的灰姑娘》法译本]

Bleu de Chine 2003 年 4 月第一版

114.[95]《画梁春尽落香尘》["红学"专著]

中国广播电视出版社 2003 年 6 月第一版

2003 年 9 月第二次印刷

2004 年 1 月第三次印刷

2005 年 6 月第四次印刷

115.[96]《眼角眉梢》

新华出版社 2003 年 8 月第一版

116.[97]《钟鼓楼》[初中生语文新课标必读]

人民日报出版社 2003 年 9 月第一版

117.[98]《天梯之声》

中国青年出版社 2003 年 10 月第一版

2004 年

118.[99] Poussiêre et sueur [《尘与汗》法译本]

Bleu de Chine 2004 年 1 月第一版

119.[100] La mort de Lao SHe [《老舍之死》歌剧剧本法译本]

Bleu de Chine 2004 年 3 月第一版

120.[101] Poisson à face humaine [《人面鱼》法译本]

Bleu de Chine 2004 年 3 月第一版

121.《如意》[电影伴读中国文学文库·附电影光盘]

中国青年出版社 2004 年 1 月第一版

122.[102]《泼妇鸡丁》

台湾二鱼文化事业有限公司 2004 年 4 月第一版

123.[103]《在柳树臂弯里——刘心武随笔》

光明日报出版社 2004 年 5 月第一版

124.[104]《材质之美——刘心武城市文化酷评》

中国建材工业出版社 2004 年 5 月第一版

125.[105]《站冰——刘心武小说新作集》(自绘插图)

人民文学出版社 2004 年 6 月第一版

126.《四牌楼》

上海文艺出版社 2004 年 8 月第二版

127.[106]《大家文丛:刘心武》

古吴轩出版社 2004 年 8 月第一版

2005 年

128.《钟鼓楼》（中国文库·文学类）

人民文学出版社 2005 年 1 月第一版第一次印刷（平装）

2005 年 1 月第一版第一次印刷（精装）

129.《钟鼓楼》（茅盾文学奖获奖作品全集之一）

人民文学出版社 1985 年 11 月第一版、2005 年 1 月第一次印刷

2005 年 5 月第二次印刷

2005 年 7 月第三次印刷

2006 年 3 月第四次印刷

2008 年 4 月第七次印刷

2009 年 8 月第八次印刷

2010 年 1 月第九次印刷

2011 年 7 月第 15 次印刷

2011 年 9 月第 16 次印刷

2011 年 11 月第 17 次印刷

130.[107]《心灵体操》

时代文艺出版社 2005 年 1 月第一版

131.[108]《刘心武作文示范》

少年儿童出版社 2005 年 1 月第一版

132.[109] La Démone bleue（《蓝夜叉》法译本）

Bleu de Chine 2005 年第一版

133.[110]《红楼望月》

书海出版社 2005 年 4 月第一版

2005 年 6 月第二次印刷

2005 年 7 月第三次印刷

2005 年 8 月第四次印刷

141.[116]《刘心武点评〈红楼梦〉》

团结出版社 2006 年 1 月第一版

142,《刘心武精品集·第一卷·钟鼓楼》

东方出版社 2006 年 1 月第一版

143.《刘心武精品集·第二卷·四牌楼》

东方出版社 2006 年 1 月第一版

144.《刘心武精品集·第三卷·栖凤楼》

东方出版社 2006 年 1 月第一版

145.《刘心武精品集·第四卷·献给命运的紫罗兰》

东方出版社 2006 年 1 月第一版

146.[117]《戴敦邦绘刘心武评〈金瓶梅〉人物谱》

作家出版社 2006 年 4 月第一版

147.[118]《红楼拾珠》

云南人民出版社 2006 年 5 月第一版

148.[119]《藤萝花饼》

云南人民出版社 2006 年 5 月第一版

149.《刘心武揭秘〈红楼梦〉》[第一部]

台湾好读出版有限公司 2006 年 6 月初版

150.《刘心武揭秘〈红楼梦〉》[第二部]

台湾好读出版有限公司 2006 年 6 月初版

151.《我是刘心武》

天津人民出版社 2006 年 8 月第一版

152.[120]《刘心武揭秘古本〈红楼梦〉》

人民出版社 2006 年 12 月第一版

同月第二次印刷

2007 年

153.[121]《四棵树》

　　　　　　　　　　　　二十一世纪出版社 2007 年第一版

154.[122]《用心去游》

　　　　　　　　　　　　上海三联书店 2006 年 12 月第一版

　　　　　　　　　　　　　　　　2007 年 1 月第一次印刷

155.[123] Dés de poulet façon mégère [《泼妇鸡丁》法译本]

　　　　　　　　　　　　Bleu de Chine 2007 年 4 月第一版

156.《一切都还来得及》

　　　　　　　　　　　　中国青年出版社 2005 年 5 月第一版

157.[124]《刘心武揭秘〈红楼梦〉》[第三部·黛玉之谜及古本之秘]

　　　　　　　　　　　　东方出版社 2007 年 7 月第一版

　　　　　　　　　　　　至 2007 年 8 月已第四次印刷

　　　　　　　　　　　　2007 年 12 月第六次印刷

　　　　　　　　　　　　2008 年 3 月第七次印刷

158.[125]《刘心武说世道人心》

　　　　　　　　　　　　中国青年出版社 2007 年 7 月第一版

159.[126]《刘心武说寻美感悟》

　　　　　　　　　　　　中国青年出版社 2007 年 7 月第一版

160.[127]《刘心武说草根情怀》

　　　　　　　　　　　　中国青年出版社 2007 年 7 月第一版

161.[128]《长吻蜂》

　　　　　　　　　　　　上海人民出版社 2007 年 8 月第一版

162.《私人照相簿》

　　　　　　　　　　　　华龄出版社 2007 年 10 月第一版

163.《善的教育》

　　　　　　　　　　　　华龄出版社 2007 年 10 月第一版

164.[129]《刘心武揭秘〈红楼梦〉》[第四部·宝钗湘云之谜暨红楼心语]

东方出版社 2007 年 11 月第一版

2008 年 3 月第三次印刷

2008 年

165.[130]《健康携梦人》

中国海关出版社 2008 年 4 月第一版

166.[131]《刘心武小说》

吉林文史出版社 2008 年 5 月第一版

167.[132]《刘心武散文》

吉林文史出版社 2008 年 5 月第一版

2009 年

168.《钟鼓楼》(共和国作家文库)

作家出版社 2009 年 4 月第一版

169.《四牌楼》(共和国作家文库)

作家出版社 2009 年 4 月第一版

170.[133]《人在胡同第几槐》

中国文联出版社 2009 年 6 月第一版

171.《钟鼓楼》(新中国 60 年长篇小说典藏)

人民文学出版社 2009 年 7 月第一版

172.[134]《刘心武短篇小说》

现代教育出版社 2009 年 8 月第一版

173.[135]《刘心武中篇小说》

现代教育出版社 2009 年 8 月第一版

174.[136]《刘心武散文随笔》

现代教育出版社 2009 年 8 月第一版

175.《刘心武揭秘〈红楼梦〉》上卷（共和国作家文库）

作家出版社 2009 年 8 月第一版

176.《刘心武揭秘〈红楼梦〉》下卷（共和国作家文库）

作家出版社 2009 年 8 月第一版

2010 年

177.[137]《人情似纸》

江苏文艺出版社 2010 年 1 月第一版

178.[138]《红楼梦八十回后真故事》

江苏人民出版社 2010 年 3 月第一版

179.[139]《刘心武小说精选集》

[台湾] 新地文化艺术有限公司 2010 年 4 月第一版

180.《红楼望月》

江苏人民出版社 2010 年 6 月第一版

2010 年 9 月第二次印刷

181.[140]《命中相遇——刘心武话里有画》

上海文艺出版社 2010 年 7 月第一版

182.[141]《红楼眼神》

重庆出版社 2010 年 9 月第一版

2011 年

183.[142]《刘心武续红楼梦》

江苏人民出版社 2011 年 3 月第一版

江苏人民出版社 2011 年 4 月第 4 次印刷

184.[143]《红楼梦》（曹雪芹著刘心武续）

江苏人民出版社 2011 年 3 月第一版

185.《刘心武续红楼梦》[繁体字竖排本]

香港明报出版社有限公司 2011 年 3 月初版

186.《刘心武揭秘〈红楼梦〉》精华本（一）

江苏人民出版社 2011 年 4 月第一版

187.《刘心武揭秘〈红楼梦〉》精华本（二）

江苏人民出版社 2011 年 4 月第一版

188.《刘心武揭秘〈红楼梦〉》精华本（三）

江苏人民出版社 2011 年 4 月第一版

189.《刘心武揭秘〈红楼梦〉》精华本（四）

江苏人民出版社 2011 年 4 月第一版

190.《刘心武续红楼梦》[繁体字竖排本]

台湾城邦文化事业股份有限公司商周出版 2011 年 4 月第一版

191.《〈红楼梦〉的真故事》

台湾人类智库数位科技股份有限公司 2011 年 6 月第一版

192.[144]《听刘心武说房子的事儿》

中国商业出版社 2011 年 8 月第一版

193.[145]《刘心武心灵随感》

时代文艺出版社 2011 年 11 月第一版

2012 年

194.[146]《刘心武种四棵树》

漓江出版社 2012 年 1 月第一版

195.[147]《风雪夜归正逢时——我是刘心武》

漓江出版社 2012 年 1 月第一版

196.《献给命运的紫罗兰》

漓江出版社 2012 年 1 月第一版

197.[148]《人生有信》

江苏人民出版社 2012 年 3 月第一版

198.Poussiêre et sueur [《尘与汗》法译本 folio 袖珍版]

Gallimard 2012 年 8 月出版

199.La Cendrillon du canal [《护城河边的灰姑娘》法译本 folio 袖珍版]

Gallimard 2012 年 8 月出版